Adobe Illustrator로 배우는
스타일리시 도식화

Adobe Illustrator로 배우는
스타일리시 도식화

발 행 | 2023년 12월 28일
저 자 | 김소라
펴낸이 | 한건희
펴낸곳 | 주식회사 부크크
출판사등록 | 2014.07.15.(제2014-16호)
주 소 | 서울특별시 금천구 가산디지털1로 119 SK트윈타워 A동 305호
전 화 | 1670-8316
이메일 | info@bookk.co.kr

ISBN | 979-11-410-6212-5

www.bookk.co.kr

Adobe Illustrator로 배우는
스타일리시 도식화

김 소 라 지음

저자약력

김 소 라

yeru01@naver.com

한성대학교 의상학과

연세대학교 생활환경대학원 석사

현) 예루대표

㈜금조디앤에스, ㈜삼성어패럴,

토픽디자인 등 근무

서울패션직업전문학교, 서울문화예술전문학교,

한서대학교, 경문직업전문학교 등 강의

패션디자인산업기사

직업능력개발훈련교사 패션3급

CONTENT

머 릿 말

2000년 처음 Illustrator를 사용하여 도식화를 그리기 시작했을때는 마땅한 교재가 없어 어려움도 있었으나 20년이라는 기간 동안 Illustrator로 도식화를 그리면서 저만의 방식들이 만들어지게 되었습니다.

처음 도식화를 그렸을 때와 지금과는 그리는 방법도 많이 변화되었습니다. 처음에는 단순하게 손으로 그리던 도식화를 컴퓨터로 옮기는 형태였다면 지금은 소재 식서 방향에 맞춰 맵핑하기 위해 좀더 세밀하게 그리는 방식으로 변화해 갔습니다. 특히 해외생산을 하는 곳에서는 더욱더 세밀한 도식화 작업을 하고 있습니다.

패션 도식화는 자신의 디자인 아이디어를 시각화시키는 작업으로 비주얼하게 예쁘게 입체적으로 보이게 그리거나 작업지시서용으로 세밀하게 형태 위주로 그리는 작업을 합니다. 저 역시 경우에 따라 맵에 사용할 비주얼용 도식화와 작업지시서용 도식화를 분류하여 그립니다.

Illustrator의 메뉴 및 기능에 대한 교재는 시중에 다양하게 많이 나와 있으므로 본 교재는 도식화를 그리기 위해 필요한 가장 기본적인 Illustrator의 메뉴 및 기능에 대해 간략하게 설명하고 아이템별로 도식화를 그려가면서 추가적인 메뉴들을 설명하였습니다.

소재 맵핑을 위해서는 Photoshop을 사용해야 됨으로 도식화 소재 맵핑을 위한 Photoshop 기능을 중심으로 간략하게 정리하였습니다.

Illustrator를 사용하여 패션 도식화를 그리고 배우고자 하는 분들에게 도움이 되고자 하는 마음으로 미흡하지만 본 교재를 편찬하게 되었습니다.

저자 올림

PART I

1. Illustrator 화면구성

1) 홈 화면 구성

① New File을 클릭하면 새로운 종이를 열 수 있는 New Document 창이 열린다.

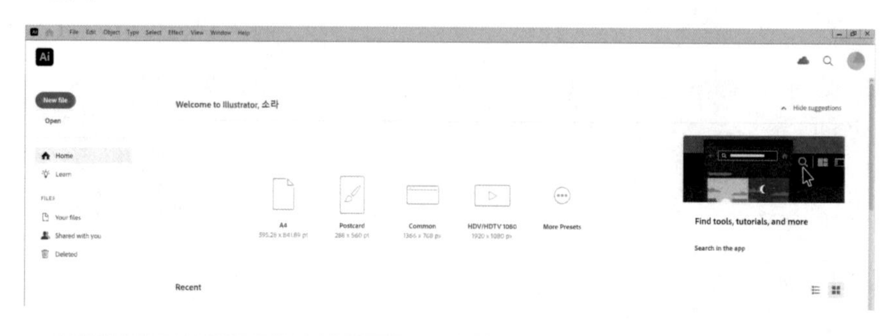

② 

사용 범위에 따라 메뉴를 클릭하여 작업 공간 사이즈를 선택하거나 우측 Preset Details 에 원하는 작업 공간 사이즈를 입력 하면 된다.

좌측 상단 Ai 아이콘을 클릭하면 작업 공간 없는 상태에서 Illustrator 홈 화면이 열린다.

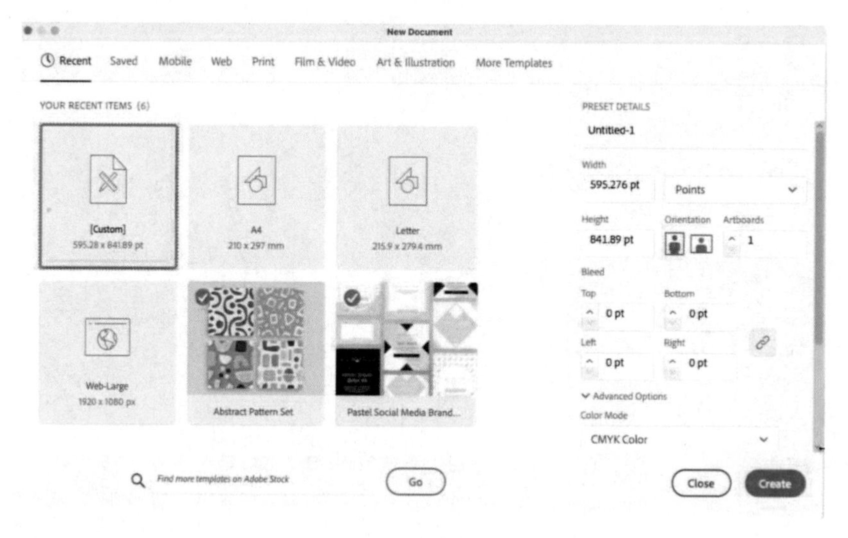

③ Illustrator 홈 화면은 맨 위에 메뉴 / 옵션바 / 툴박스 / 패널 / 화면 비율 및 상태 표시줄, 이 기본 세팅 되어 보여진다.

가운데 하얀 부분이 작업창으로 New Document 창에서 선택한 크기의 작업창이 열린다. Illustrator 의 경우 작업창을 벗어나서 작업이 가능하다.

단 인쇄 시에는 작업창 내에 있는 오브젝트만 인쇄가 가능하다.

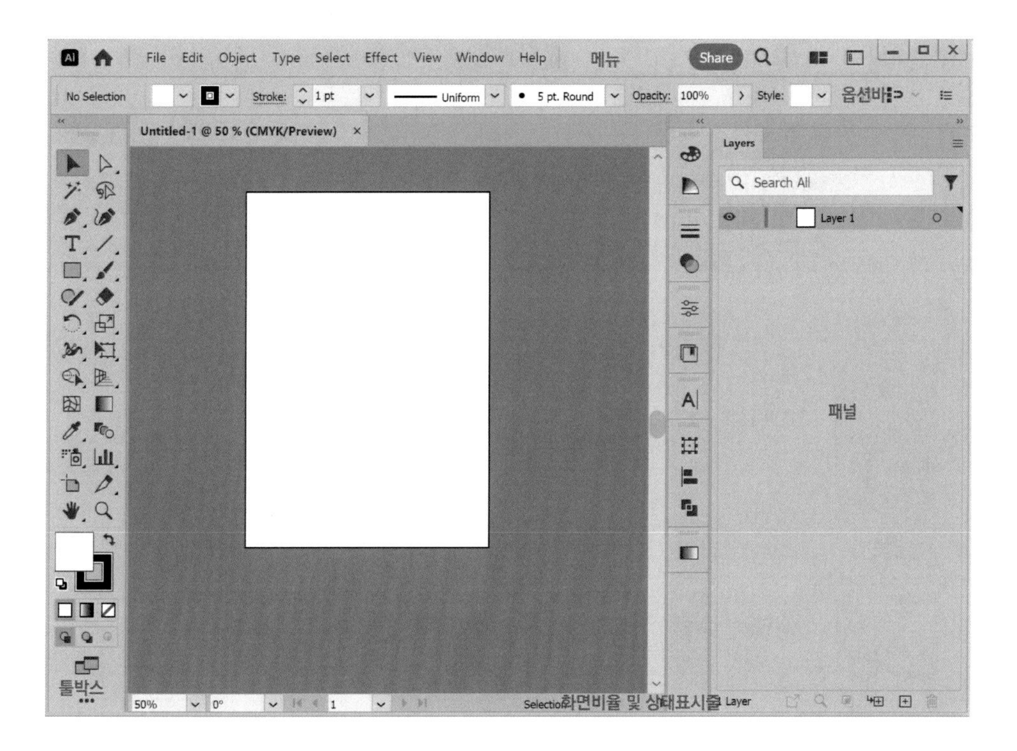

(1) Toolbox (툴박스)

Toolbox는 Illustrator의 주요 사용 도구를 아이콘으로 모아둔 것으로 크게 8가지로 구분하여 그 기능을 살펴 볼 수 있다.

Toolbox의 경우 프로그램을 설치하면 Basic으로 설정되어 있어 필요로 하는 Tool 아이콘들이 보여지지 않는다.

Toolbox의 옵션을 열어 Advanced를 체크하여 Toolbox의 아이콘을 모두 불러들인다.

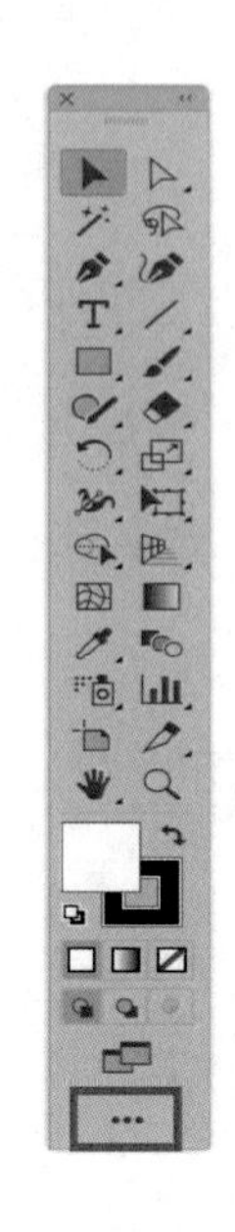

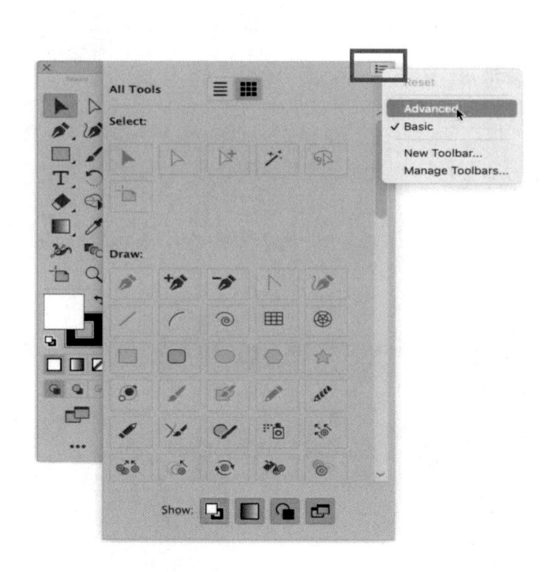

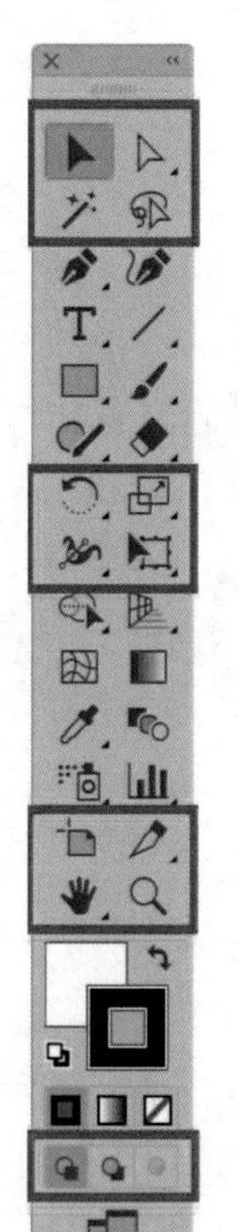

[**선택툴** : object를 선택하여 이동, 복사, 변형 할 수 있는 툴]

[**드로잉툴** : object를 그릴때 사용하는 툴]

[**형태/변형툴** : 회전, 크기조절, 왜곡 등 형태를 변형하는 툴]

[**색/특수효과툴** : 색을 칠하고, 그래픽을 만드는 툴]

[**보조툴** : object를 자르고 화면을 이동, 확대, 축소하는 툴]

[**색선택 도구** : object의 Fill, Strok 색을 선택하는 도구]

[**그리기 모드** : object가 그려지는 순서를 선택]

[**스크린 모드** : 작업창 보는 방식을 바꿀때 사용]

[Edit Toolbar : 툴박스 도구를 커스마이즈 할 때 사용]

(2) 메뉴

메뉴는 파일제어, 편집, 특수효과 및 작업보조기능을 가진 것들로 구성되어 있는데 그중 Fill, Edit, View, Effect, Window 에 관한 메뉴들을 주로 사용한다. 주로 사용하는 기능을 중심으로 사용법을 정리 하였다.

① File

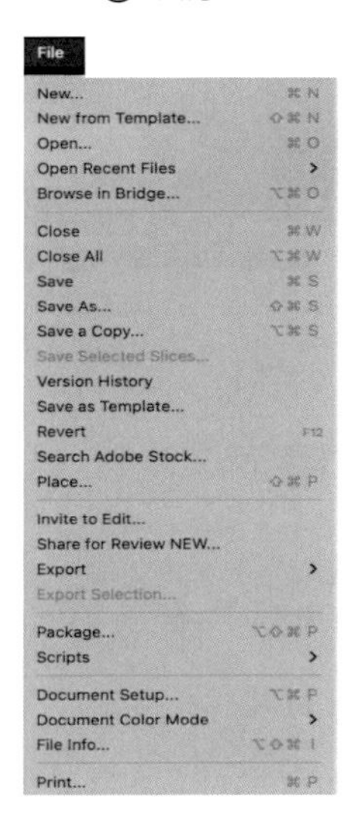

New (Ctrl+N) : 새로운 작업창 (Document)를 만든다.

Open (Ctrl+O) : 저장된 파일을 불러 들인다.

Save (Ctrl+S) : 작업 중인 파일을 저장한다.

Save As (Shift+Ctrl+S) : 작업 중인 파일을 다른 이름으로 저장한다.

Export : AI, PDF, JPG, PNG 등의 파일 형식으로 저장 할 수 있다.

Document Color Mode : 작업창의 컬러 모드를 변경 할 수 있다.

② Edit

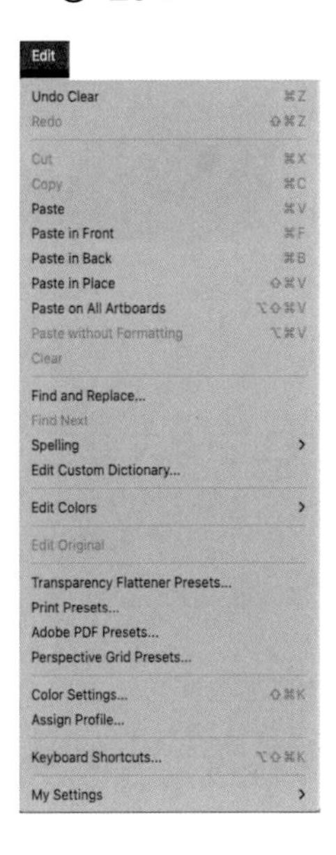

Cut (Ctrl+X) : 선택한 부분을 잘라낸다.

Copy (Ctrl+C) : 선택한 부분을 복사한다.

Paste (Ctrl+V) : 복사한 부분을 화면 한가운데 붙여 넣는다.

Paste in Front (Ctrl+F) : 복사한 부분을 복사한 object 위에 붙여 넣는다.

Paste in Back (Ctrl+B) : 복사한 부분을 복사한 object 밑에 붙여 넣는다.

Edit Colors : 선택한 부분의 컬러를 수정 할 수 있다.

③ Object

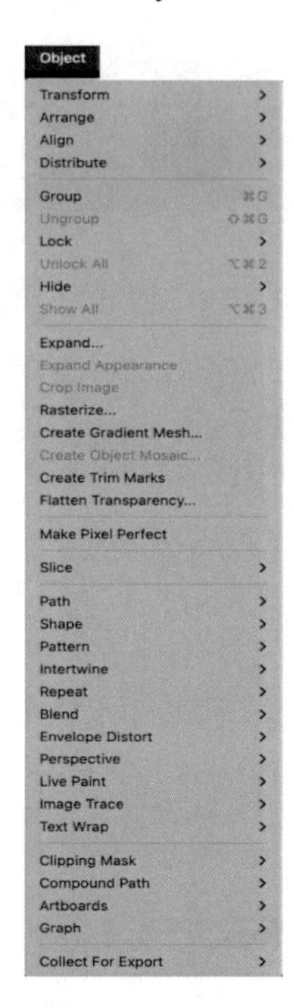

Transform : 선택한 object의 크기, 형태를 변경 할 수 있다.

Arrange : 선택한 object의 겹쳐진 순서를 변경 할 수 있다.

Align : 선택한 object의 가로, 세로 정렬 위치를 맞출 수 있다.

Group : 선택한 object를 하나의 object로 묶어 준다.

Ungroup : Group으로 묶인 object를 풀어 개별 object로 만들어 준다.

Lock : 선택한 object를 변형 할 수 없게 잠가준다.

Unlock All : 잠가둔 모든 object의 잠근 상태를 풀어 선택, 변형을 가능하게 해 준다.

Expend : 선택한 가상의 object, Stroke, 글씨를 Fill(면) 형태로 전환시켜 자유롭게 수정 할 수 있게 해 준다.

④ View

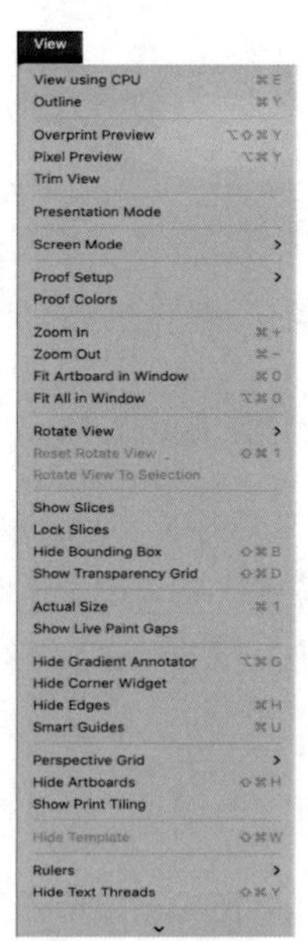

Outline : Object의 패스선만 보여 주는 기능으로 세밀한 작업 시 사용한다.

Rulers : 가로, 세로 눈금자를 보여준다. 눈금자의 단위, 기준점 변경이 가능하다.

Guides : 안내선을 제어하는 기능이 있다.

Grid : 모눈종이 모양의 그리드를 보여준다.

(Edit > References > Guides&Gride에서 Grid의 크기, 간격을 변경 할 수 있다)

Snap to Grid : Object를 그리거나 이동 할 때 Grid 에 붙어서 작업이 된다.

Snap to Point : Object의 포인트 부분을 다른 포인트에 정확히 붙일 때 사용한다.

Bounding Box : Selection Tool로 Object를 선택 했을 때 보여지는 사각형 박스로 크기조절, 회전 등 Object를 변형할 때 필요하다.
(항상 보여지게 설정해 놓는 것이 좋다)

(3) 패널

패널은 툴의 여러 가지 기능을 연결하여 부가적인 정보와 추가적인 기능을 사용 가능하게 하는 것으로 패널이 보이지 않으면 Window 메뉴에서 필요로 하는 패널을 선택하면 작업화면에 불러들일 수 있다.

자주 사용하는 패널의 경우 아이콘으로 만들어 메인화면에 구성해 놓으면 Illustrator 작업 시 편리하다.

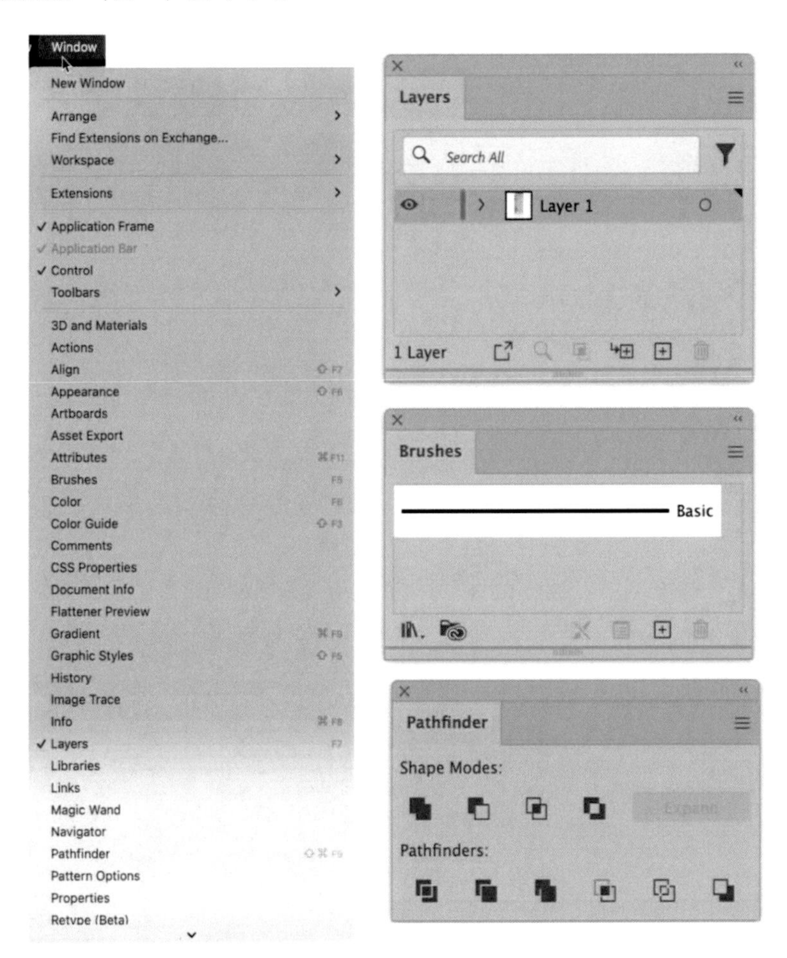

2) Object 드로잉에 필요한 주요툴

(1) Selection Tool

Object를 선택하고 이동할 때 사용한다. object를 선택하면 Bounding Box가 보여진다. Bounding Box 모서리에 마우스 커서를 가져가면 확대, 축소, 회전이 가능하다.

Shift를 누른 상태에서 사용하면 가로, 세로 비율을 유지하며 축소, 확대, 45도, 90도, 180도 270도 각도로 회전이 가능하다.

(2) Direct Selection Tool / Group Section Tool

① Direct Selection Tool : object의 Anchor point 및 Handle(방향선)을 선택하여 object 모양을 수정 할 수 있다.

② Group Section Tool : 그룹으로 된 object를 선택 수정 할 때 사용한다.

(3) Pen Tool

① Pen Tool : object 그릴때 사용한다.

② Add Anchor Point Tool : 그려진 object에 Anchor point를 추가 할 때 사용한다.

③ Delete Anchor Point Tool : 그려진 object에 Anchor point를 삭제 할 때 사용한다.

④ Anchor Point Tool : 곡선 Anchor point를 클릭하면 직선으로 직선 Anchor point를 클릭하여 드래그 하면 곡선으로 전환된다.
Handle(방향선)을 클릭하여 없애거나 드래그하여 두개의 Handle(방향선)을 각각 개별적으로 움직 일 수 있게 한다.

(4) 도형 툴

① Rectangle Tool : 사각형 도형을 그릴때 사용한다.

Shift 키를 누른 상태에서 드래그하면 정 사각형을 그릴 수 있다. Alt 키를 누르면 커서 모양이 변하면서 가운데부터 사각형을 그릴 수 있다. Shift + Alt 키를 누른 상태에서 드래그하면 가운데부터 정사각형을 그릴 수 있다.

사각형 모서리 원형에 커서를 가져가면 마우스 커서에 아크 모양이 보여진다. 이때 마우스를 드래그 하면 사각형 모서리 모양이 라운드로 바뀐다. 모서리가 라운드로 변하고 나서 Alt 키를 누른 상태에서 마우스 커서를 모서리로 가져가면 모서리 모양을 안쪽으로 된 곡선 모양 / 직선 모양으로 변경할 수 있다.

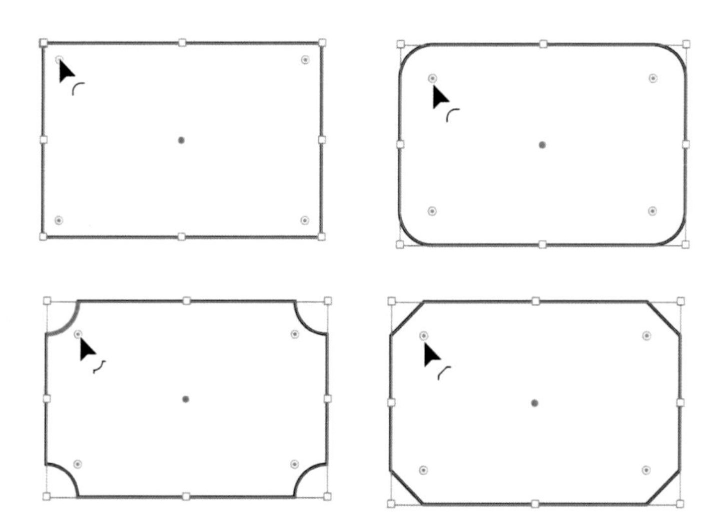

② Rounded Rectangle Tool : 모서리가 둥근 사각형 도형을 그릴때 사용한다. Shift 키를 누른 상태에서 드래그면 둥근 정사각형을 그릴 수 있다. Alt 키를 누르면 커서 모양이 변하면 가운데부터 둥근 사각형을 그릴 수 있다. Shift + Alt 키를 누른

상태에서 드래그 하면 가운데부터 둥근 정사각형을 그릴 수 있다. 모서리 라운드 크기는 키보드의 Page down / Page up 방향키를 사용하여 모서리 곡선 크기를 조절 할 수 있다.

③ Ellipse Tool : 원형을 그릴 때 사용한다. Shift 키를 누른 상태에서 드래그하면 정원을 그릴 수 있다. Alt 키를 누르면 커서 모양이 변하면 가운데부터 원을 그릴 수 있다. Shift + Alt 키를 누른 상태에서 드래그하면 가운데부터 정원을 그릴 수 있다.

④ Poygon Tool : 다각형 도형을 그릴 때 사용한다. 다각형의 숫자는 키보드의 Page down / Page up 방향키를 사용하여 다각형의 수를 조절 할 수 있다. 다각형의 수에 따라 삼각형에서 원형까지 그릴 수 있다.

⑤ Star Tool : 별 모양을 그릴때 사용한다. 별의 뾰족한 부분의 개수는 키보드의 Page down / Page up 방향키를 사용하여 조절 할 수 있다. Ctrl 키를 누른 상태에서 드래그 하면 별 모양의 깊이를 조절 할 수 있다.

(5) Blend

2개 이상의 도형, 텍스트의 형태 /색상을 자연스럽게 섞어 주는 기능으로 독특한 느낌의 작업에 사용한다.

ToolBox에서 Blend Tool을 선택한 후 첫번째 도형, 두번째 도형을 차례로 선택한다. 도형에 커서를 가져 가면 커서 밑에 모양이 바뀌면서 도형이 선택이 된다.

도형과 도형 사이가 이어지면서 두개 도형 사이에 새로운 도형이 만들어 진다.

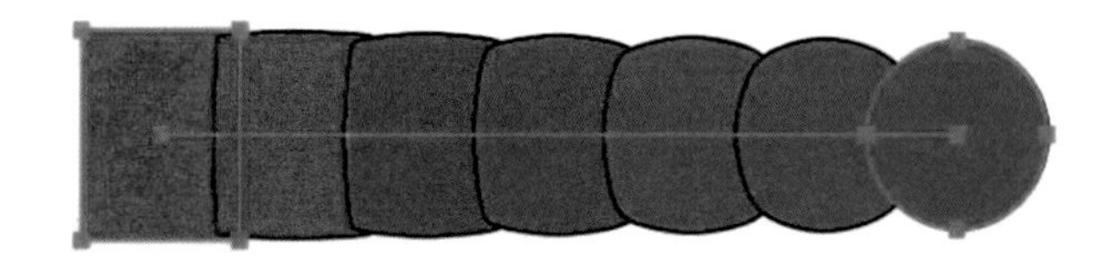

Blend Tool을 클릭하면 Blend Options이 나온다. Blend Options의 Spacing 메뉴를 선택하여 두 도형 사이에 만들어진 도형의 숫자를 조절 할 수 있다.

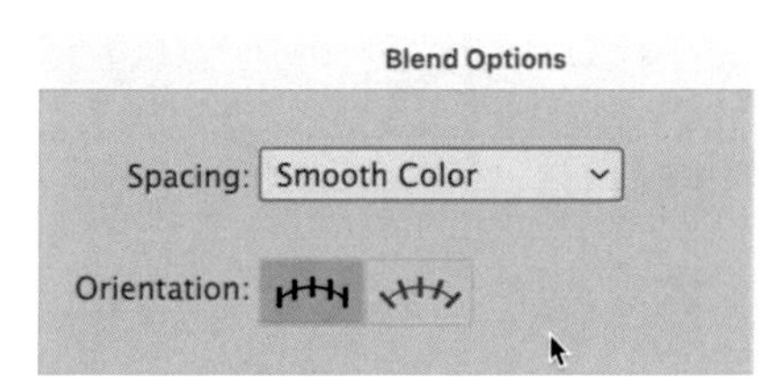

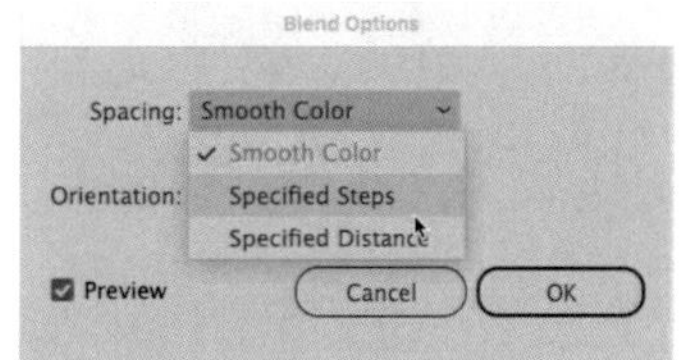

① Spacing > Smoth Color : Object 의 색상을 블렌딩한다.

② Spacing > Specified Step : 입력한 값만큼 블렌딩한다. 5로 지정하고 블렌딩을 적용하면 두 Object 사이에 5개의 Object가 추가되는 걸 확인 할수 있다. 단위 값이 커질수록 하나의 object처럼 보인다.

③ Spacing > Specified Distance : 블렌딩되는 object, 사이의 간격을 정한다. 간격 값이 작아질 수록 하나의 object처럼 보인다.

⑤ Oriention : 사각형 object 두개 그린 후 Blend Tool을 사용하여 두 object을 연결한다.

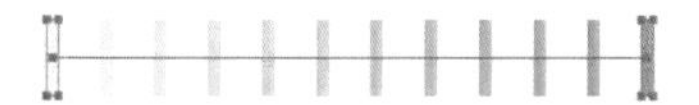

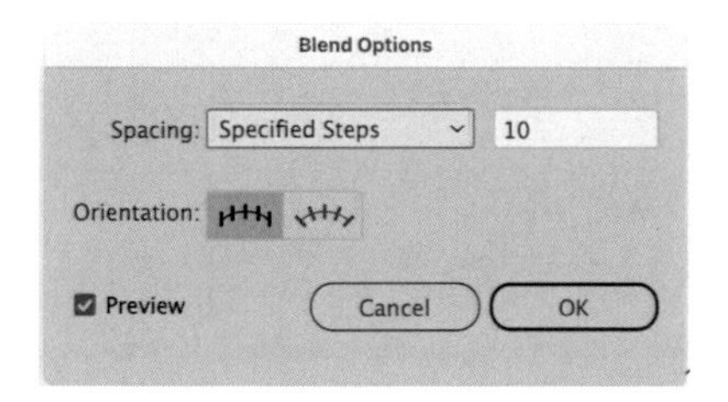

Blend Options이 나오면 Spacing 메뉴 중 Specified Step을 선택하여 두 object사이에 만들어질 object의 숫자를 10으로 입력 해 준다.

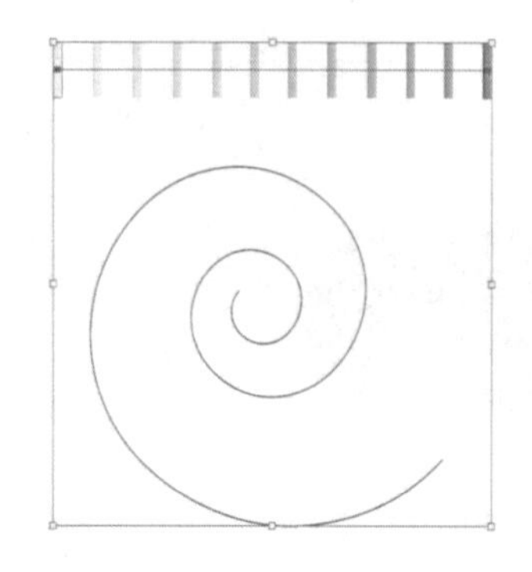

나선을 그린 후 Blend를 적용시킨 object와 나선을 동시에 선택한다. 메뉴 중 Object > Blend > Replace Spine을 선택한다.

Blend 가 적용된 Object가 나선을 따라 적용되는 것을 확인 할 수 있다.

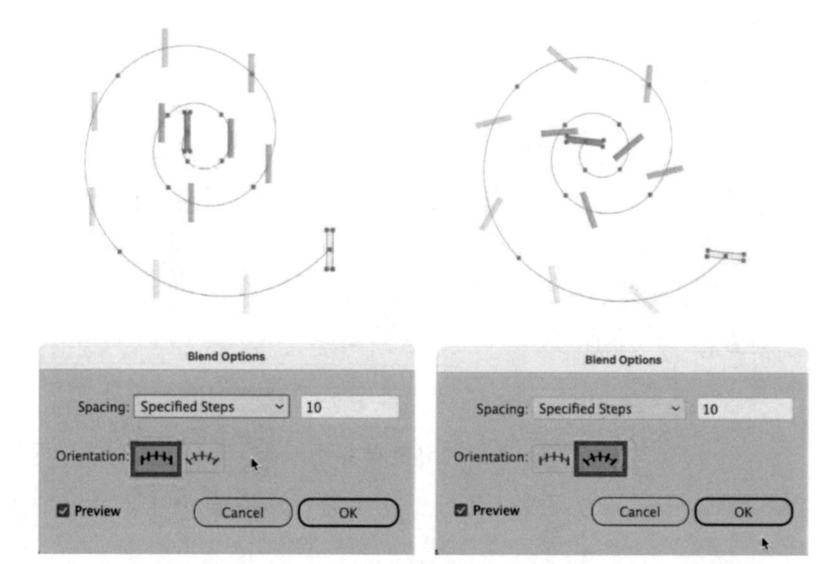

Blend가 적용된 나선을 선택한 후 Blend Tool 을 더블클릭 한다.

Blend option 창에서 Aligh to path를 선택 하면 나선에 수직으로 배치가 되며 Aligh to page를 선택하면 나선 방향을 따라 배치 된다.

3) 오브젝트 드로잉에 필요한 패널

(1) Stroke 패널

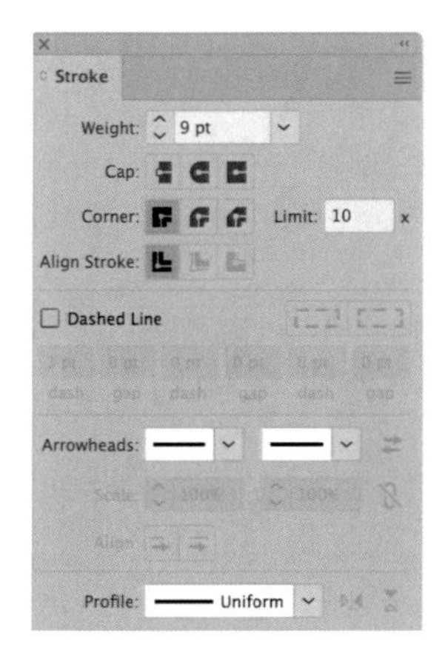

선의 두께, 모양 등을 조절 하는 기능을 가진 패널이다.

① Weight: 1 pt 선의 두께를 선택 할 수 있다.

② 선의 시작과 끝 모양을 결정한다.

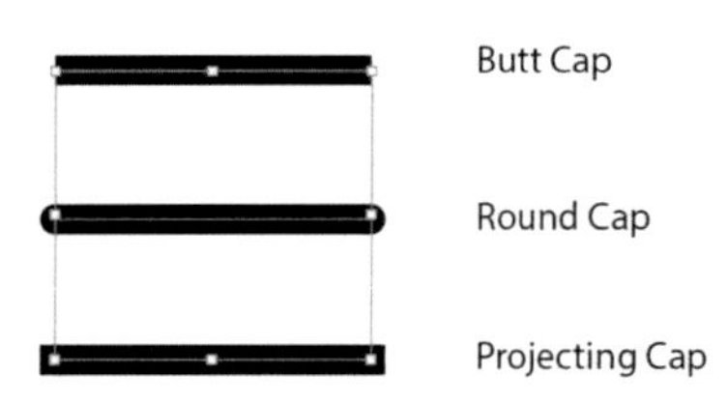

③ 선의 모서리 모양을 결정한다. Corner:

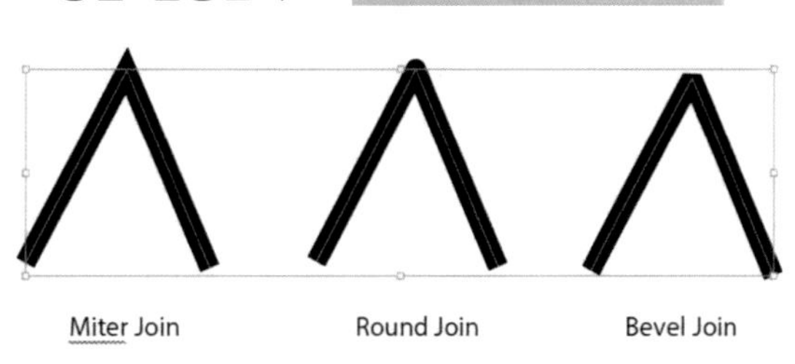

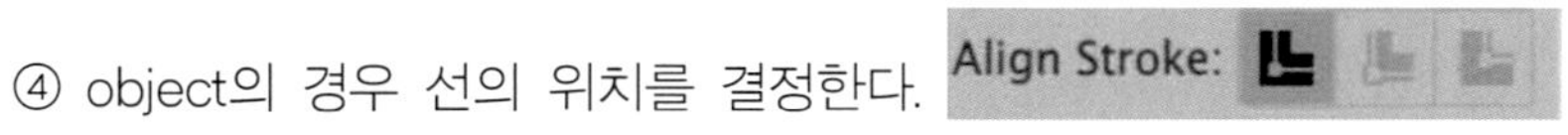

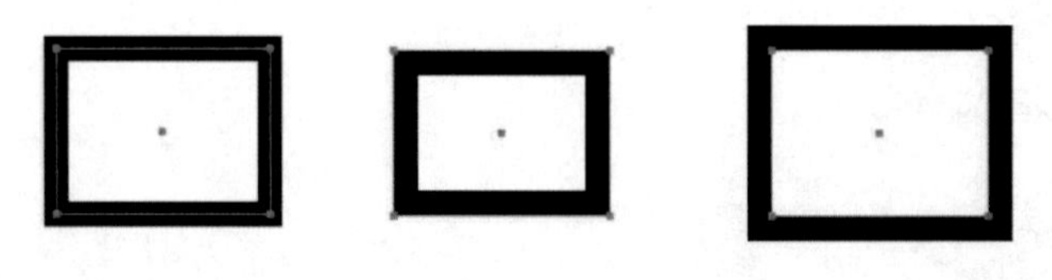

⑤ 선의 모양을 Dashed Line으로 바꿔준다.

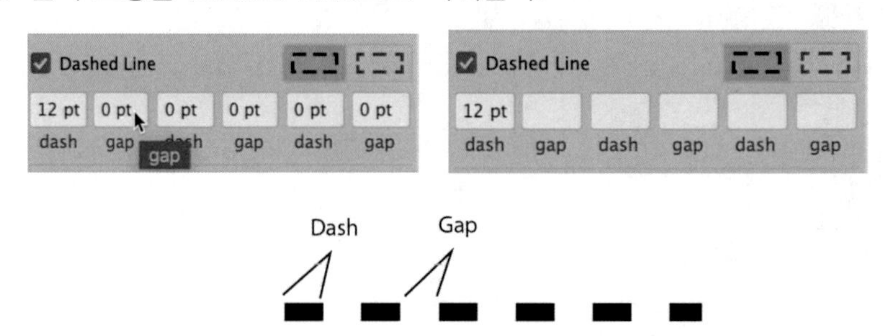

dash, gap 부분에 수치를 입력하여 Dashed Line 형태를 지정한다.

처음 Stroke 패널을 열고 Dashed Line 을 체크하면 dash, gap에 수치가 나오는데 dash 12pt 제외하고 클릭하면 gap 수치가 지워진다.

dash 수치 하나만 입력하면 gap 수치도 동일하게 인식되어 Dashed Line이 그려진다. gap 수치에 0 을 입력하게 되면 실선이 그려진다.

모서리 부분의 형태를 지정 할 수 있다.

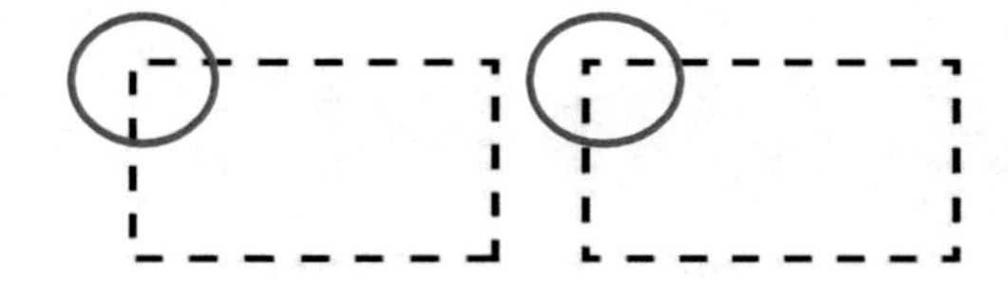

⑥ 선의 시작점과 마지막점의 모양을 지정 할 수 있다.

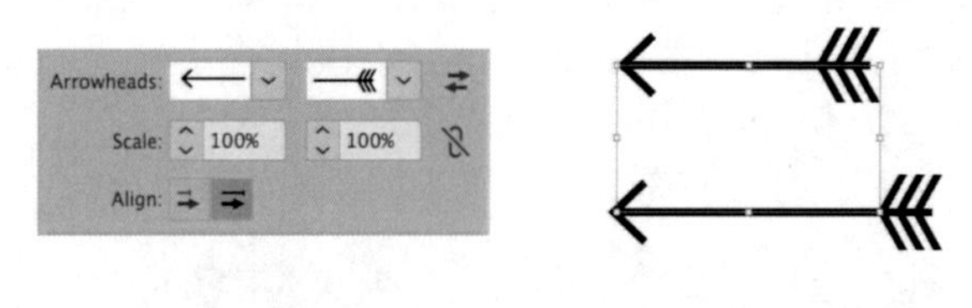

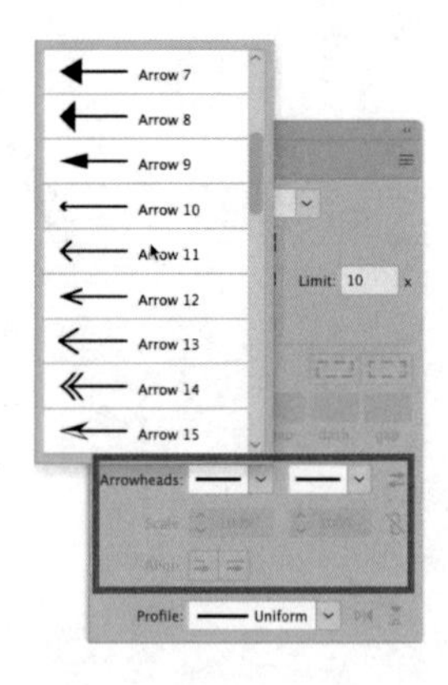

Arrowheads : 시작점과 끝점의 모양 지정한다.

Scale : 시작점과 끝점 모양의 사이즈를 조절한다.

Align : 그어진 선에서 지정한 시작점과 끝지점 모양을 밖으로 내보낼 것인지 안쪽으로 그릴지를 지정한다.

⑦ 선의 형태를 지정 할 수 있다.

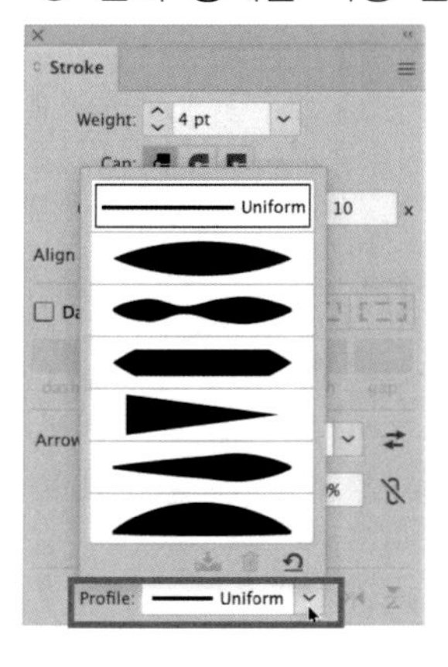

그어진 선을 하나로 인식하여 선의 전체 모양을 6가지 형태로 지정해 줄 수 있다.

첫 번째 Anchor point의 모양이 좌측 모양이 되고 마지막 Anchor point의 모양이 우측 모양으로 지정이 된다.

(2) Layers

Layer는 작업을 위한 공간으로 투명한 종이를 한층 한층 쌓아가며 그림을 그려가는 공간이라 할 수 있다.

① 레이어 이름 옆에 빈 공간 'A' 부분을 더블 클릭하면 Layer Options이 나온다.

Layer Options에서 Layer 이름, 보조선 'B' 의 컬러를 변경 할 수 있다. (보조선은 펜이나 도형을 그릴때 미리 형태를 보여주어 형태를 조절 할 수 있게 하는 선이다)

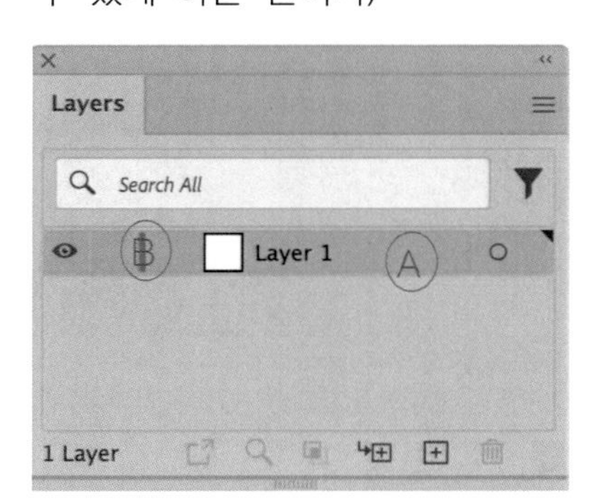

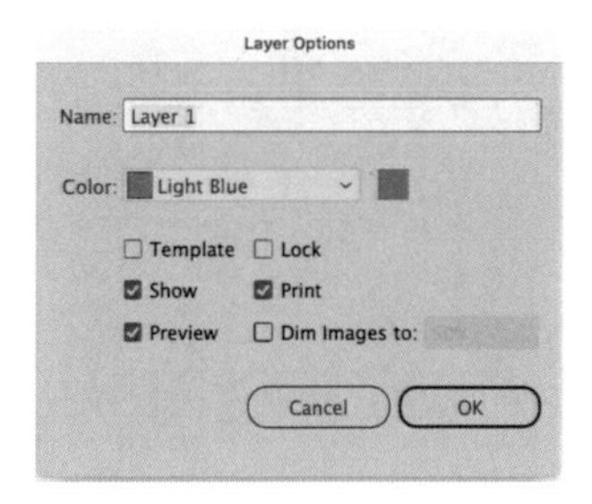

보조선

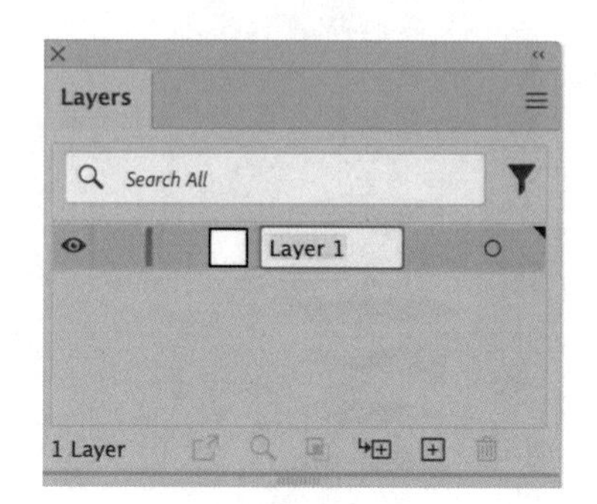

② Layer1 이름을 더블 클릭하면 Layer1 이름이 선택되어 변경이 가능해진다.

③ Create New Layer : 새로운 Layer 를 추가 할 수 있다.

Layer 를 선택 한 후 드래그하여 Create New Layer 아이콘에 가져가면 Layer 가 복사된다.

④ Delete Selection : 선택한 레이어를 삭제 할 수 있다.

Layer를 선택 한 후 드래그하여 Delete Selection 아이콘에 가져가면 Layer 가 삭제된다.

⑤ Create New Sublayer : Sublayer를 추가 하는 기능이다.

Layer 1 밑에 <path> 라는 하위 Layer가 있는데 하위 Layer의 경우 object를 그릴 때 마다 자동으로 생성이 된다. 필요에 따라 <path> 라는 하위 Layer를 추가하여 사용할 수 있다.

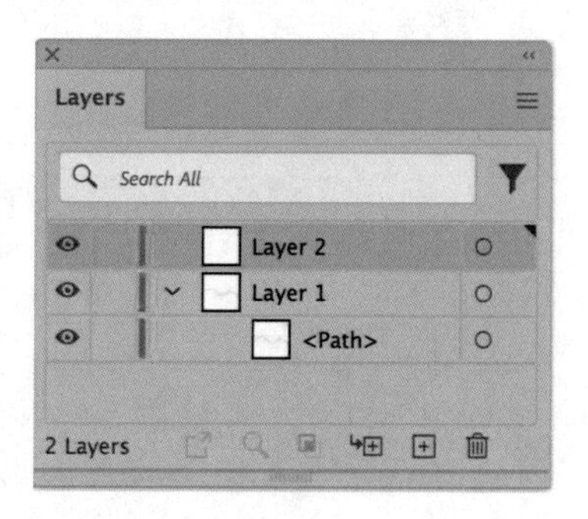

⑥ Toggles Visibility : 아이콘을 클릭하여 해당 Layer의 Object 보이지 않게 숨기거나 보이게 할 수 있다.

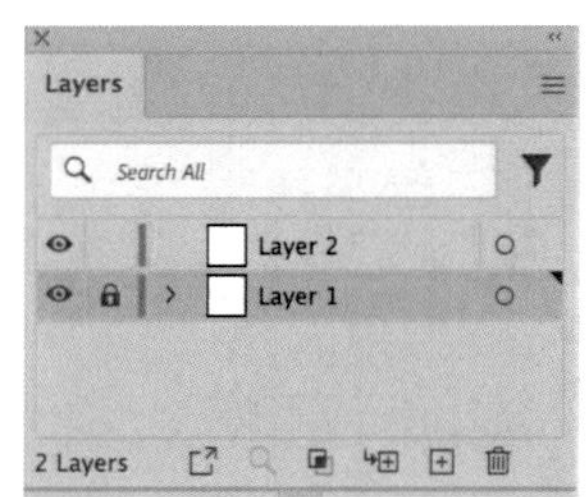

⑦ Toggles Lock : Toggles Visibility 옆 빈 공간을 클릭하면 자물쇠 모양의 아이콘이 만들어진다. 자물쇠 모양의 아이콘이 생성되면 Layer가 잠겨 Layer에 있는 object 를 선택, 변형 할 수 없다. 자물쇠 모양의 아이콘을 클릭하면 해제된다.

⑧ Click to Target, Drag to move apearance : 선택한 Layer의 object를 선택할 때 사용하면 편리하다. 많은 object를 제작하다 보면 선택툴로 원하는 object만 선택하기 힘들 수도 있는데 이 기능을 사용하면 해당 레이어의 object만 선택된다.

⑨ Layer 병합하기 : Layer를 선택 한 후 Layer 패널 우측 상단 아이콘을 클릭하면 Layer를 합칠 수 있는 메뉴가 나온다.

- Merge Selected : Toggles Visibility이 켜져 있는 Layer 전부 하나의 Layer로 합쳐 준다
- Flatten Artwork : 선택한 Layer를 하나의 Layer로 합쳐준다.
- Collect in New Layer : 선택한 Layer를 하위레이어로 만들어 주면서 새로운 상위 Layer가 만들어 진다. (Layer를 그룹화 시켜 주는 역할을 한다)

⑩ Layer 순서 이동하기 : Layer를 선택 한 후 드래그 하여 원하는 위치에 가져가면 Layer와 Layer 사이에 선이 생성된다. 이때 마우스를 놓으면 Layer 가 이동된다.

(3) Pathfinder

2개이상 겹쳐진 object를 편집하는 기능이다. 1개의 색상으로 통일되는

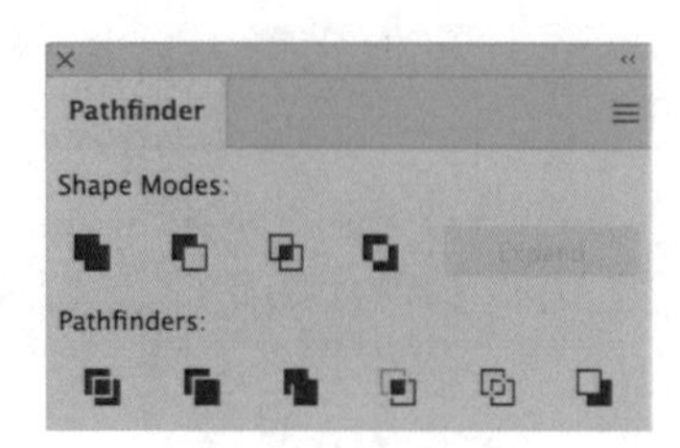

Shape Mode와 다양한 색상, 면, 선으로 분리 되는 Pathfinders 구분된다.
Pathfinder 패널에 있는 기능을 적용하고 나면 기본적으로 Group으로 묶어진다.

① Shape Mode

- Unite : 2개 혹은 그 이상의 object를 맨 위에 있는 object 색상으로 합쳐 주는 기능이다.

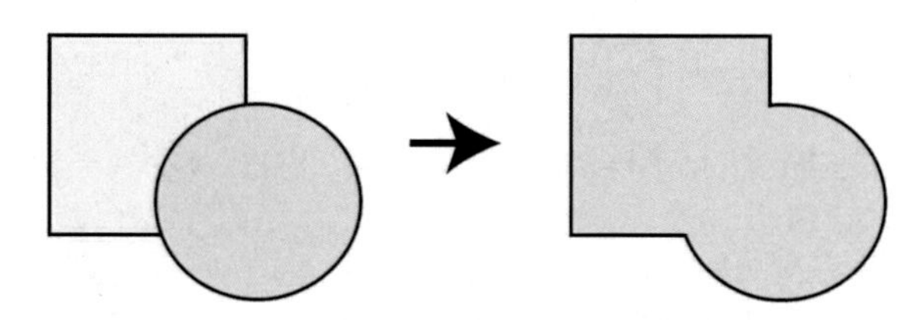

- Minus front : object 중에서 맨 밑에 있는 object를 기준으로 겹쳐진 부분을 잘라내고 가장 밑에 있는 object를 제외한 모든 object를 없애 버린다.

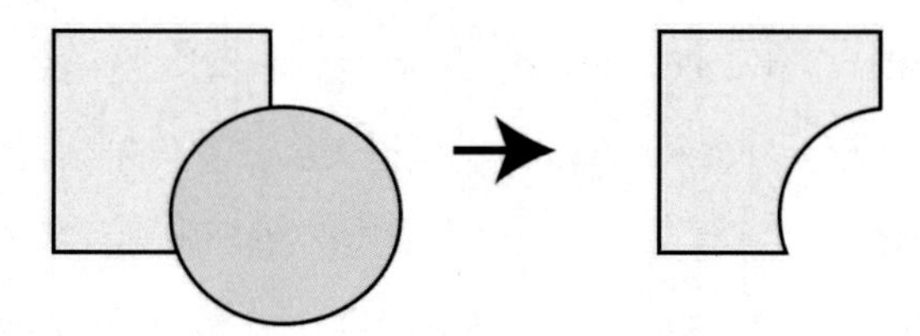

- Intersect : object 중에서 겹쳐진 부분만을 남기고 모든 object를 없애 버린다.

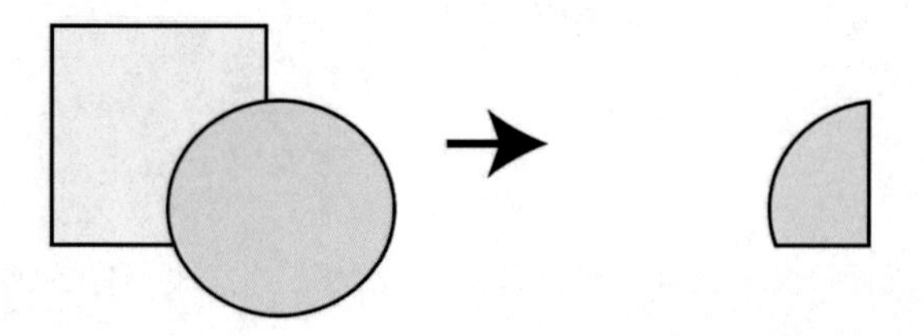

- Exclude : object 중에서 겹쳐진 부분을 제외하고 나머지 영역만을 남겨 둔다.

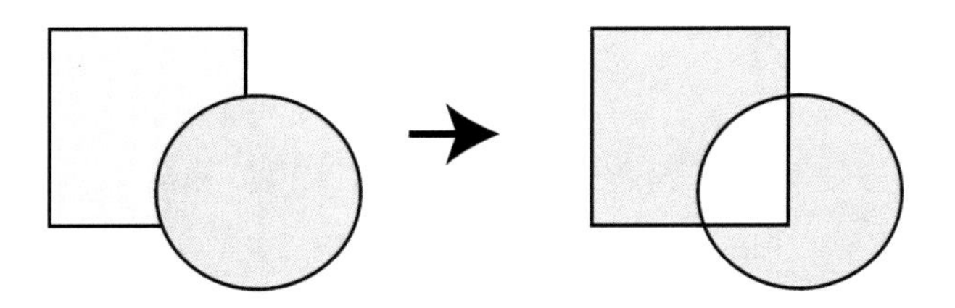

② Pathfinders

- Divide : object 중에서 겹쳐진 부분을 나누는 기능이다. 기능을 적용하고 나면 겹쳐진 부분에 선이 보여진다. 마우스 우클릭, 메뉴 중 Ungroup으로 그룹을 풀어주면 겹쳐진 부분이 나누어진 것을 확인 할 수 있다.

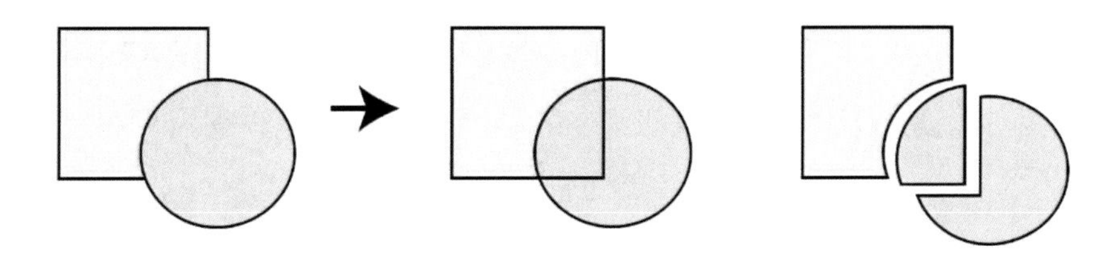

- Trim : 겹쳐진 object 중 가장 위에 있는 object 모양대로 object를 잘라낸다. 실행하고 나면 Stroke 컬러가 없음으로 표시된다.

- Merga : 두개의 object 병합시키는 기능으로 Trim 매우 흡사하다. 실행하고 나면 Stroke 컬러가 없음으로 표시된다.

- Crop : 두개의 object를 자르는 기능인데 서로 겹쳐진 부분과 상위 object만 남겨진 상태에서 나머지 부분은 삭제된다. 실행하고 나면 Stroke 컬러가 없음으로 표시된다.

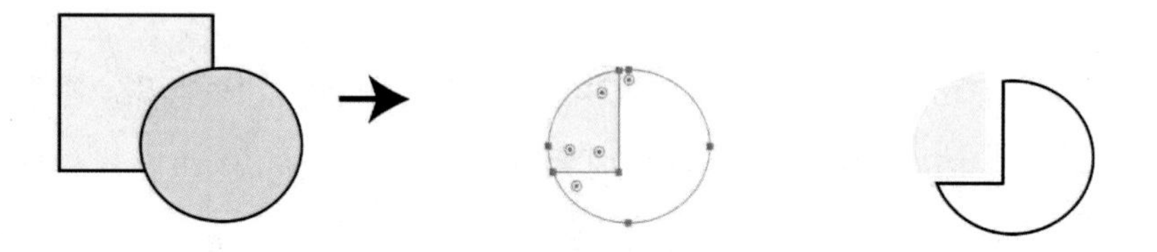

- Outline : 두개의 object 선택한 후 Outline 기능을 실행하면 외관선만 남는데 Stroke의 두께가 없어 희미하게 보여진다. Stroke의 두께감을 주면 형태가 나타나며 마우스 우클릭 메뉴 중 Ungroup으로 그룹을 풀어주면 겹쳐진 부분이 나누어진 것을 확인 할 수 있다.

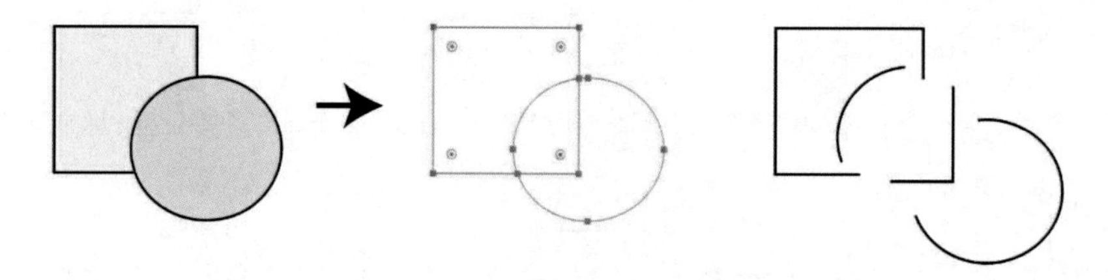

- Minus Back : object 중에서 겹쳐진 부분을 잘라내고 가장 위에 있는 도형을 제외한 모든 object를 삭제시킨다.

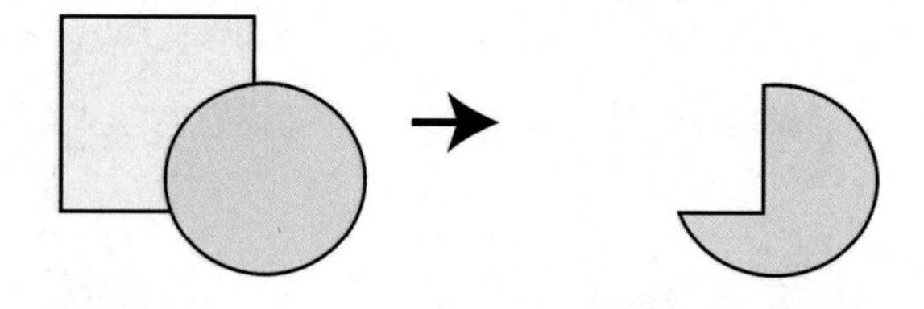

4) Pen Tool을 사용하기

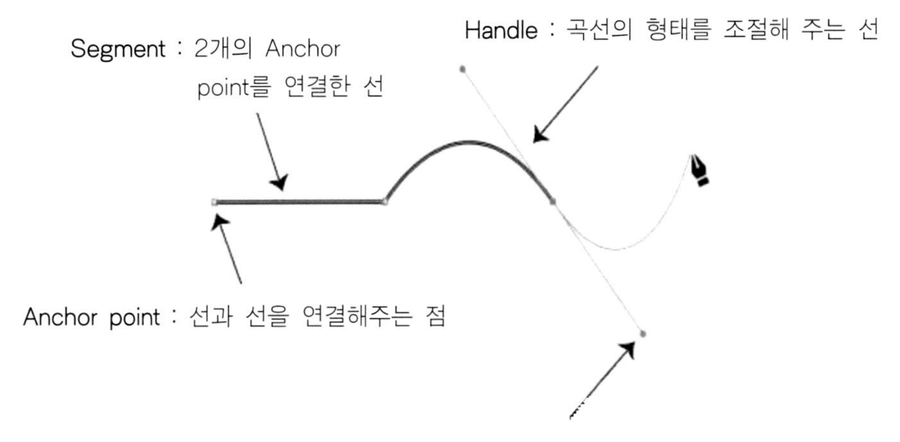

① 펜툴을 사용한 직선 그리기

클릭-클릭하여 Handle (방향선)을 만들지 않으면 직선이 그려진다. Shift 키를 누른 상태에서 클릭하면 90°, 45°, 180°, 270°로 직선을 그릴 수 있다. 선을 그리다 선을 끊고 다시 시작하고자 할 때는 Ctrl 키를 누르고 빈 공간을 클릭하면 된다.

② 펜툴을 사용하여 곡선 그리기

첫번째 Anchor point 는 클릭하여 Handle(방향선)을 만들지 않는다.

두번째 Anchor point는 클릭 드래그하여 Handle(방향선)을 만들어 곡선을 그린다.

'①' 번 Handle(방향선)은 왼쪽에 그려지는 곡선의 모양에 영향을 주며 '②' 번 Handle(방향선)은 오른쪽에 그려질는 곡선의 모양에 영향을 준다.

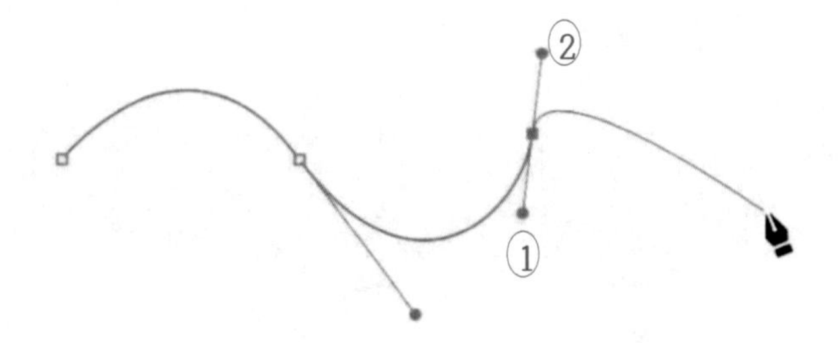

곡선을 원하는 형태로 그리거나 곡선을 그리다 직선을 그리고자 하면 마지막에 클릭하여 만든 Anchor point를 다시 클릭하여 오른쪽 Handle(방향선)을 삭제한다. Handle(방향선)이 없어지면 원하는 방향으로 곡선을 그리거나 직선을 그릴 수 있다.

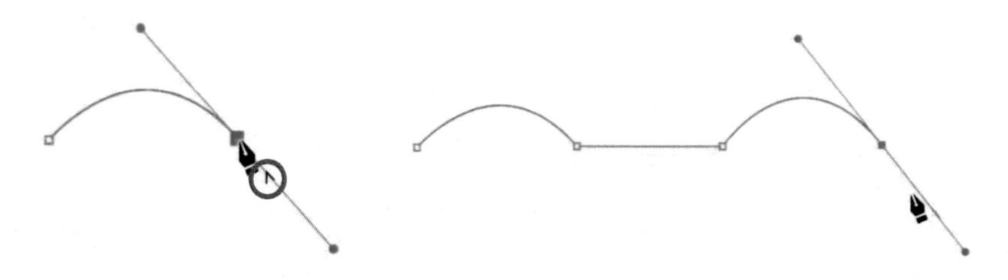

5) 작업 파일 저장하기

① File > Save를 선택 하면 You can do much if you save as a cloud document 라는 옵션 메뉴가 나온다. Save on your computer 또는 Save to Creative Cloud 로 저장 위치를 선택하여 저장 할 수 있다.

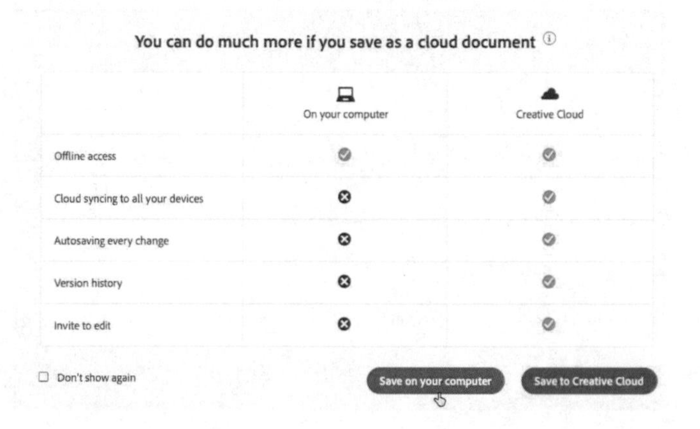

저장 할 위치를 선택 하고 나면 저장 형식을 선택 할 수 있는 옵션이 나온다. 파일명을 지정하고 파일 포맷을 선택 할 수 있는데 Illustrator 파일 저장 형식은 ' ai '이다.

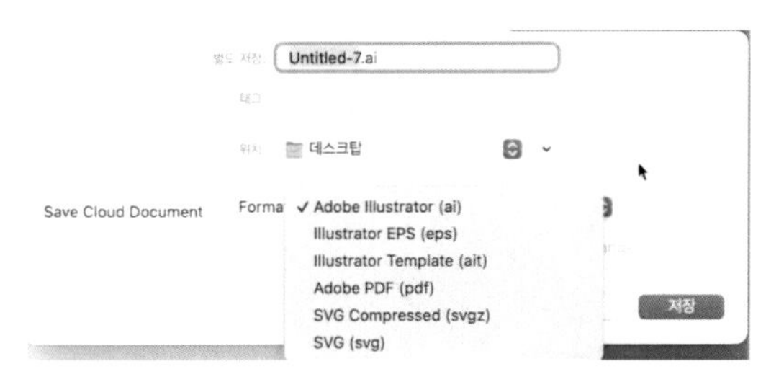

Illustrator의 경우 상위 버전으로 저장된 파일을 하위 버전에서 불러 들였을 때 파일이 제대로 열리지 않으므로 현재 작업한 파일을 하위 버전에서 불러 들여 작업 하고자 할 때는 작업하고자 하는 Illustrator 버전을 선택하여 저장해야 한다.

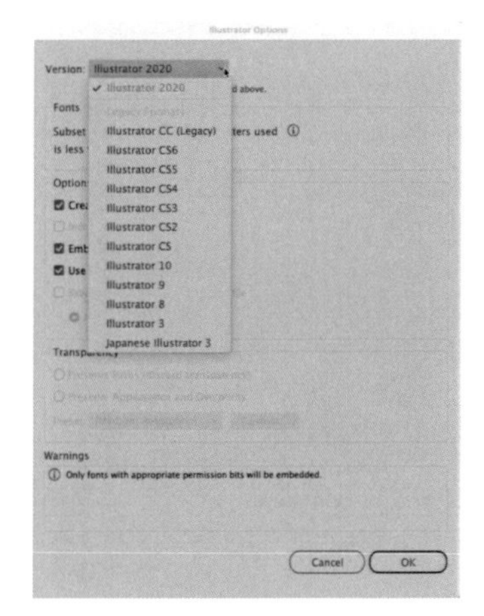

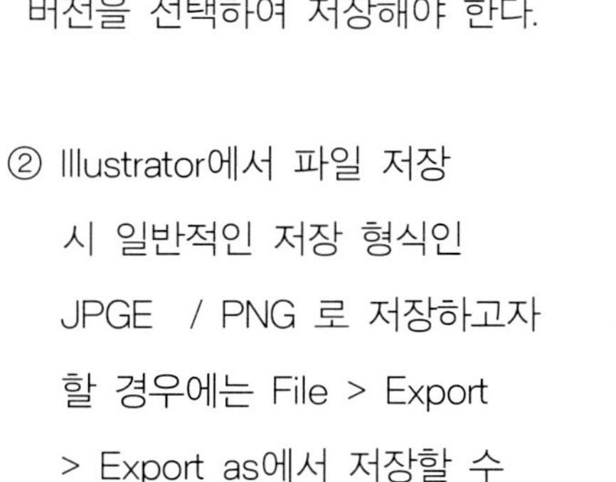

② Illustrator에서 파일 저장 시 일반적인 저장 형식인 JPGE / PNG 로 저장하고자 할 경우에는 File > Export > Export as에서 저장할 수 있다.

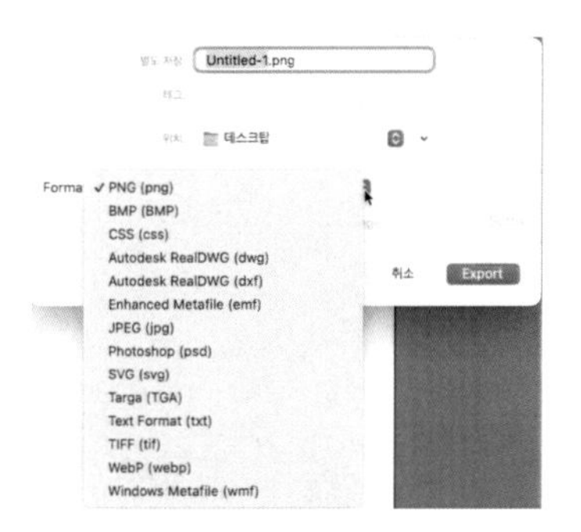

[본 교재에서는 도식화를 그리기 위한 가장 기본적인 툴에 대해서만 간략하게 정리하였고 도식화를 그리면서 패널과 필요한 툴에 대해 추가적으로 설명하면서 Illustrator의 사용 방법 및 도식화를 그리는 방법을 설명해 갈 것이다.]

PART Ⅱ

1. 도식화틀 그리기

도식화는 패션디자인의 구조를 상세하게 평면적인 그림으로 비율에 맞춰 상세하게 표현하는 것으로 8등신 인체 비율을 기준으로 그린다.

Illustrator 로 도식화를 그리기 위해서는 도식화를 그릴 때 사용 할 기본틀이 필요하다. 도식화 틀의 비율(8등신)은 일반적으로 손으로 그릴때 사용하는 도식화 비율(8등신) 과 동일하다.

도식화 기본틀은 그리는 사람에 따라 약간씩 틀리기는 하나 크게 차이가 없으므로 기본틀이 없는 경우 본인에게 익숙한 도식화 비율을 그려 도식화 기본틀로 사용하면 된다.

① File > New 에서 A4 선택하고 unit(단위)를 Centimeters로 설정한 후 새로운 작업창을 연다.

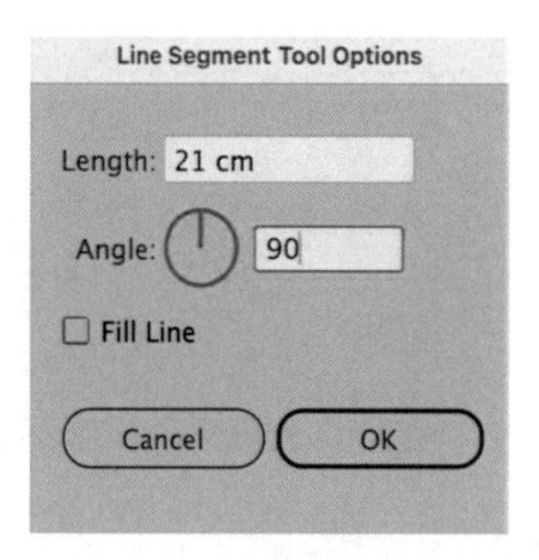

② Toolbox에서 Line segment Tool을 선택하고 작업창을 클릭하면 Line segment Tool Options 창이 나온다.
Length 에 도식화틀의 수직 길이를 입력한다.
Angle을 90으로 입력하고 OK를 클릭하여 수직선을 그린다.

③ 수직선을 Selection tool로 선택한 후 ToolBox 에서 Selection Tool 을 더블 클릭하여 Move option을 불러들인다.

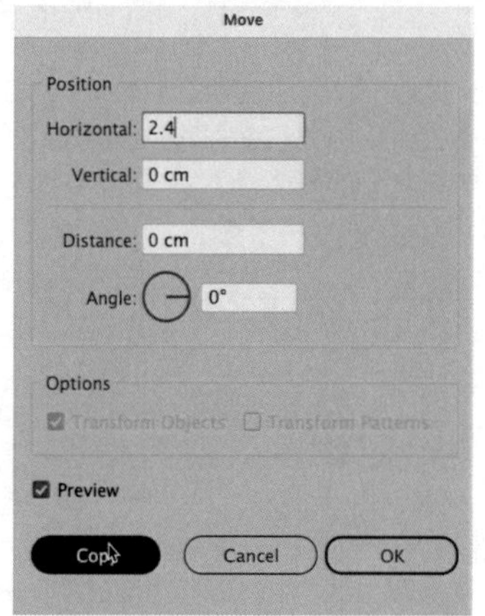

Position 부분의 Horizontal : 2.4
Vertical : 0 으로 입력한 후 Copy를 선택한다.

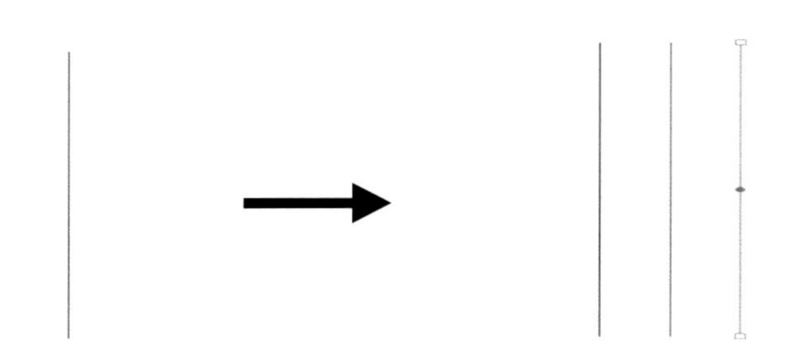

동일한 선이 가로로 2.4cm 떨어져 복사가 되고 Ctrl+D 를 클릭하면 반복해서 동일한 간격으로 선이 그려진다. 동일한 수직선 3개를 그려 준다.

④ Toolbox에서 Line segment Tool 을 선택하고 클릭 드래그하여 수직선 가장 위쪽에 가로로 선을 그려 준다. (Shift 키를 클릭한 상태에서 그리면 수직, 수평선을 그리기 용이하다)

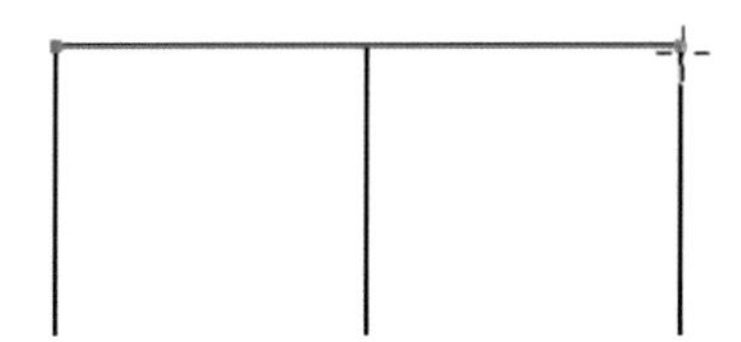

가로선을 Selection Tool로 선택한 후 ToolBox 에서 Selection Tool을 더블 클릭하여 Move option을 불러들인다.

Position 부분의 Horizontal : 0 , Vertical : 3 으로 입력한 후 Copy를 선택한다. Ctrl+D 를 실행하여 아래쪽으로 돈일한 간격의 선을 그려 도식화 기본틀 형태를 완성한다.

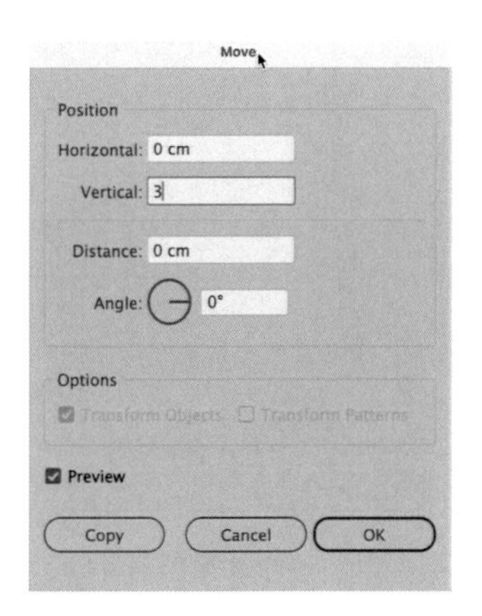

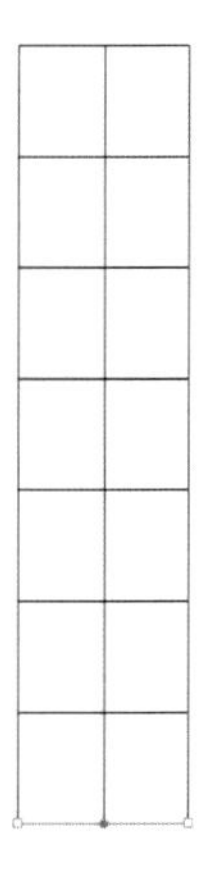

⑤ 도식화 기본틀이 완성되면 필요에 의해 네크라인이나 어깨, 밑위 위치 등을 표시하면 도식화를 그릴 때 도움이 된다. 기타 필요한 선의 위치는 Guide Line(안내선)을 기본틀 위치에 놓은 후 Move option 에서 원하는 수치 만큼 이동 시킨 후 Line segment Tool 선을 그린다. Guide Line(안내선)을 Selection Tool로 선택한 후 Delete키로 삭제한다.

완성된 도식화틀은 앞면 도식화를 그리는데 사용할 도식화틀로 이를 복사하여 (도식화 틀을 선택 한 후 Alt를 클릭한 상태에서 드래그하여 복사본을 만들어낸 후 추가로 Shift 을 클릭하면 수평 이동이 가능해진다.) 수평 이동 시켜 뒷면 도식화틀을 완성한다. 뒷면 도식화 틀의 경우 앞면 도식화틀에서 앞목점 위치를 이동시키면 된다.

⑥ 완성된 도식화틀을 Selection Tool로 선택한 후 Toolbox에서 Stroke 컬러를 레드 컬러로 바꾸고 옵션바에서 Opacity(투명도)를

50% 정도로 낮춰준다.

(기본틀을 바탕에 놓고 도식화를 그릴 것이므로 기본틀의 선명도를 조금 낮춰 주는 것이 도식화를 그릴때 더 용이하다.)

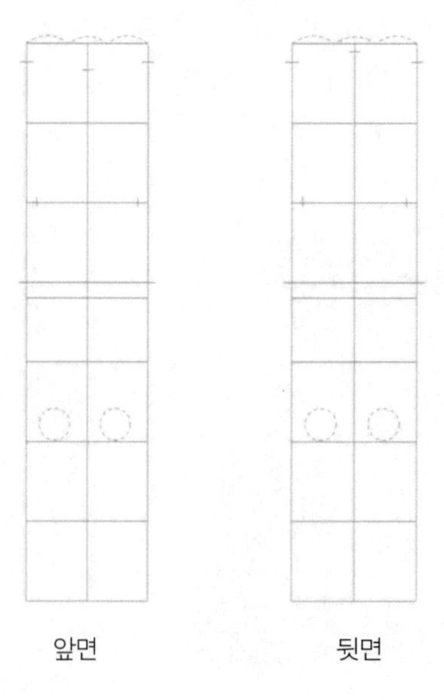

2. 타이트 스커트 그리기

① 도식화 기본틀 바디라인 Layer의 Toggles Lock을 클릭하여 Layer 를 잠가 사용하지 못하게 한다. ⊞ Create New Layer를 클릭하여 새 Layer를 추가하고 Layer 이름을 '몸판' 이라고 바꿔 준다.

Layer별로 작업한 내용에 맞는 이름을 만들어 주면 수정 시 Layer 선택이 용이하다.

② Toolbox에서 Fill 컬러 없음, Stroke 컬러 블랙, 옵션 바 또는 Stroke 패널에서 Weight 1pt(선의 두께)로 설정한다.

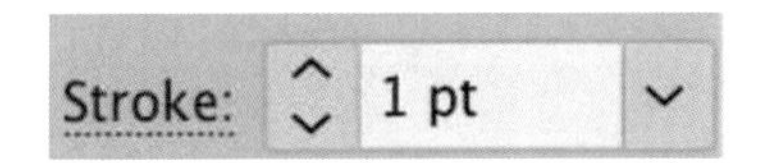

③ WL(허리선) 중앙(도식화틀 가운데)에서 시작하여 타이트 스커트를 반쪽만 그린다.

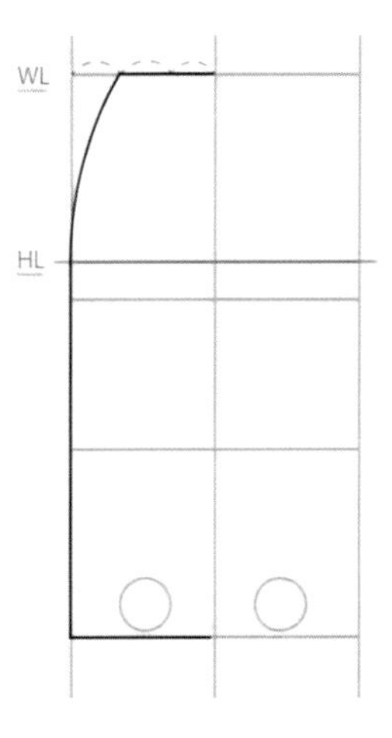

④ Toolbox에서 Selection Tool로 스커트 반쪽을 선택 한다. Toolbox에서 Reflect Tool을 선택하면 선택한 object 가운데 대칭축이 만들어진다. Alt 키를 누른 상태에서 도식화틀 중심을 클릭하면 클릭한 곳에 대칭축이

이동 되면서 Reflect Tool Option 창이 열린다. Axis > Vertical 선택하고 Preview를 체크하여 이동된 위치를 확인 한 후 Copy를 클릭하여 나머지 스커트 형태를 완성한다.

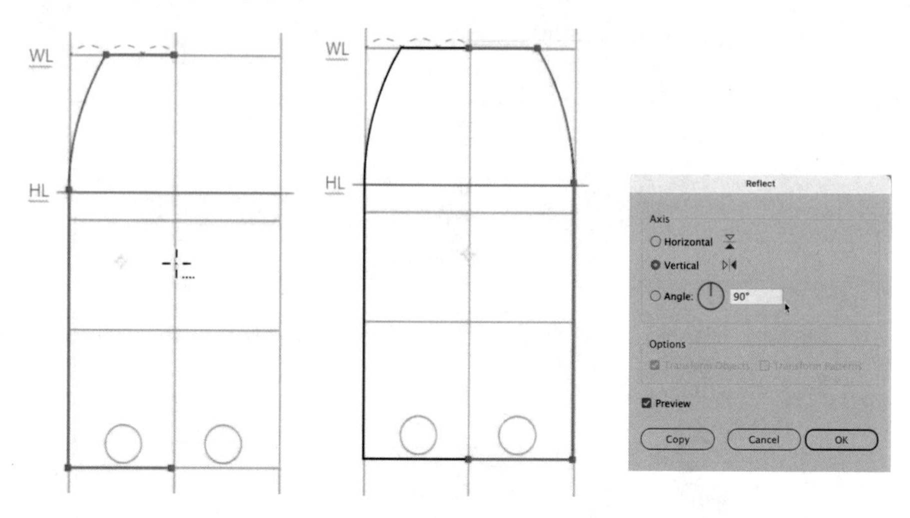

⑤ Toolbox에서 Direct Selection Tool을 선택한 후 드래그하여 스커트 허리 중앙에 있는 두개의 Anchor Point를 선택한다.
마우스 우클릭, 메뉴 중 Join을 선택하면 두개의 Anchor Point가 연결된다. 스커트 밑단 쪽도 동일한 방법으로 두개의 Anchor Point 를 연결시켜 두 개의 선을 하나의 Object로 만들어 준다.

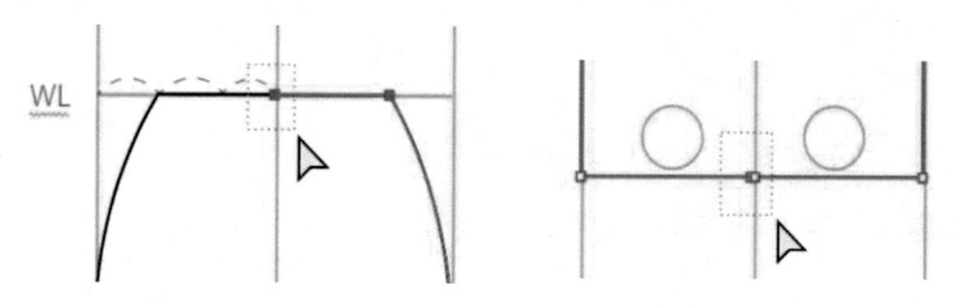

⑥ 스커트 앞면 기본형태가 완성되면 앞면을 선택 한다. Alt 키를 누른 상태에서 스커트 앞면에 마우스 커서를 가져가면 커서 모양이 바뀐다. 이때 드래그하면 복사본이 만들어져 나오는 것을 확인 할 수 있다. 복사본이 만들어지면 Shift 키를 같이 누르면 수평 이동이 가능하게 된다. 원하는 위치

에 복사본을 가져간 후 마우스 좌측 키를 먼저 떼고 키보드 Alt, Shift 키를 놓으면 원하는 위치에 복사본이 이동되어 진 것을 확인 할 수 있다.

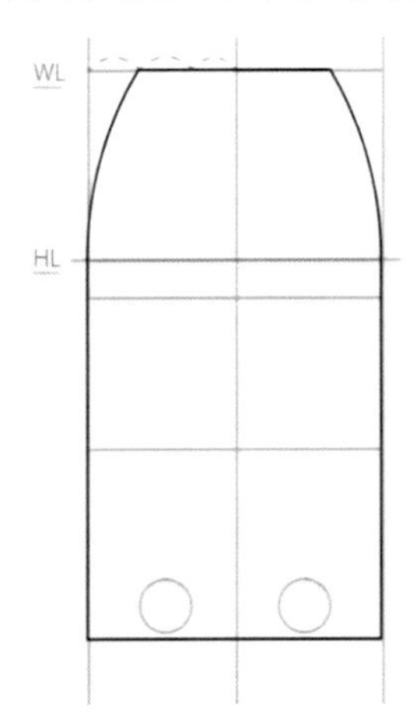

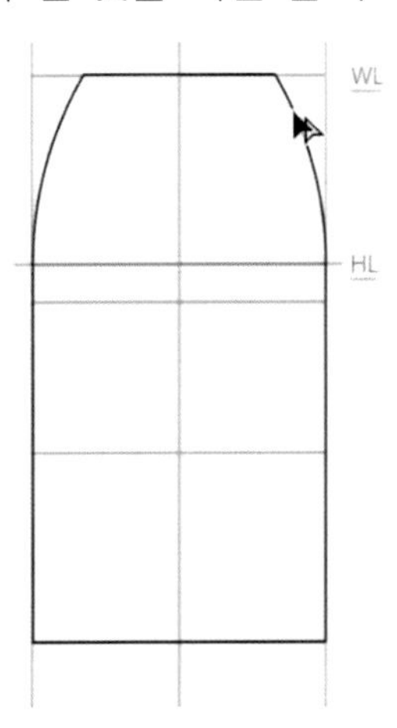

⑦ View > Rulers > Show Rulers 를 선택하여 위쪽과 좌측에 Ruler 불러들인다. Selection Tool로 위쪽 Rulers에서 드래그하여 스커트 허리 벨트선 위치에 수평 Guides Line(안내선)을 가져다 놓는다.

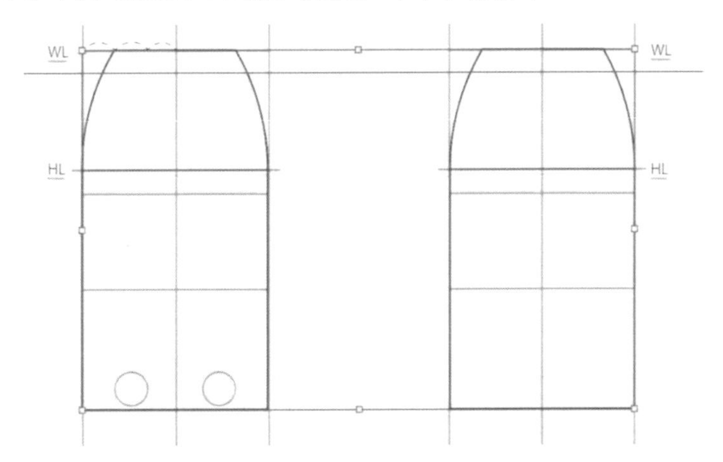

⑧ Selection Tool로 스커트 앞면 / 뒷면 Guides Line(안내선)을 선택 한 후 메뉴 중 Window > Pathfinder를 선택하여 Pathfinder 패널을 불러들인다.

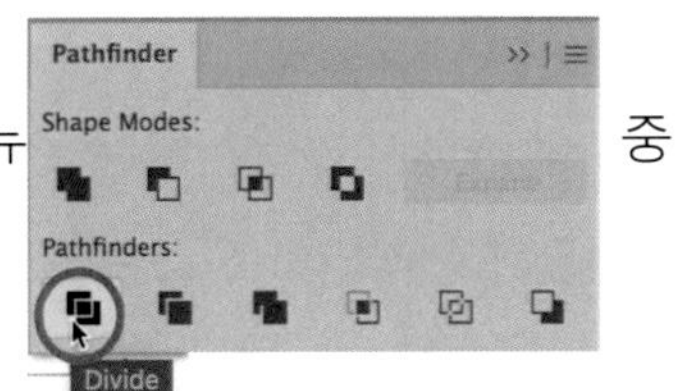

Pathfinders > Divide 를 선택하여 스커트 몸판과 벨트 부분을 나눠준다.

⑨ Selection Tool로 좌측 Rulers에서 드래그하여 뒷면 중심에 Guides Line(안내선)을 가져다 놓는다. 스커트 뒷면과 Guides Line(안내선)을 선택한 후 Pathfinder 패널에서 Pathfinders > Divide 를 선택하여 스커트 뒷중심을 절개한다.

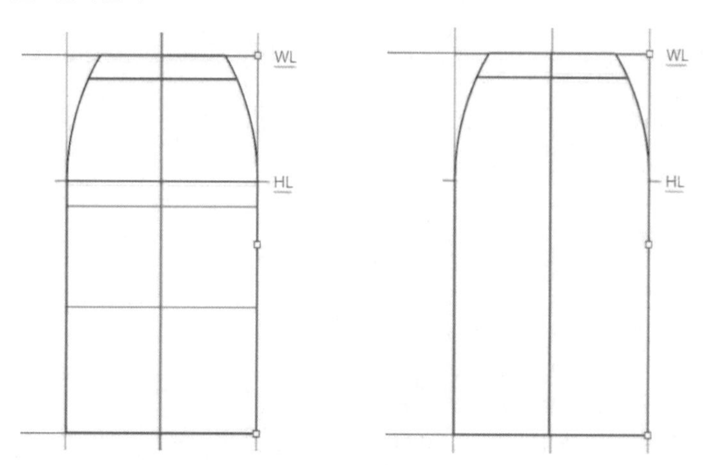

⑩ 앞면 / 뒷면 스커트를 Selection Tool로 선택 한 후 Toolbox에서 Fill 컬러 흰색, Stroke 컬러 블랙으로 설정한다.

⑪ 몸판 Layer의 Toggles Lock을 클릭하여 Layer를 잠가 사용하지 못하게 한다. Create New Layer를 클릭하여 새 Layer를 추가하고 Layer 이름을 '디테일' 이라고 바꿔 준다.

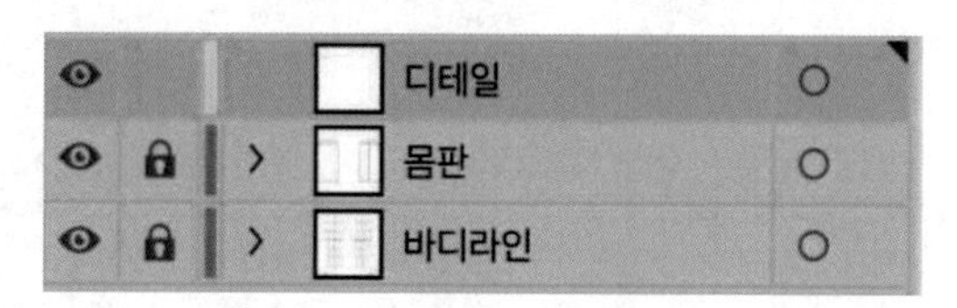

⑫ Toolbox에서 Rectangle Tool을 사용하여 주머니를 그린다.

W

⑬ Toolbox에서 Direct Selection Tool을 선택한 후 사각형 밑변에 있는 두개의 Anchor Point를 선택한다. 사각형 안쪽에 원이 보이고 원에 마우스 커서를 가져가면 마우스 커서 모양이 바뀐다. 이때 마우스를 클릭 드래그 하면 사각형 모서리 부분이 곡선으로 바뀐다.

⑭ Toolbox에서 Selection Tool을 선택 한 후 위쪽 Rulers에서 드래그 하여 수평 Guides Line(안내선)을 주머니 위쪽에 가져다 놓는다. 주머니와 Guides Line(안내선)을 선택 한 후 Pathfinder 패널에서 Pathfinders > Divide 를 선택하여 주머니 위쪽을 나눠준다.

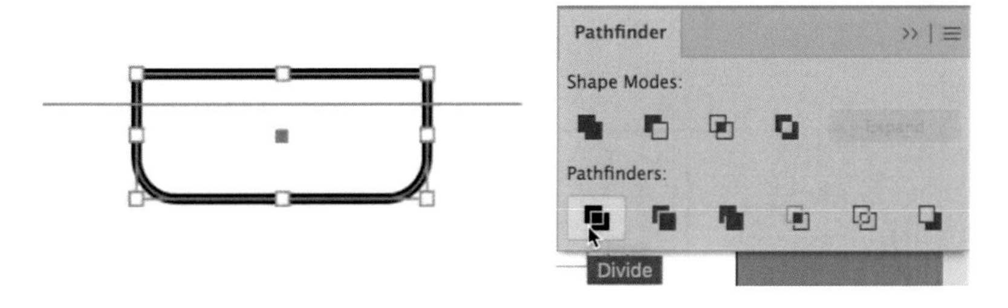

⑮ Selection Tool로 주머니를 선택 한 후 Bounding Box 모서리에 마우스 커서를 가져가면 라운드 화살표가 생기는데 이때 드래그하면 주머니를 회전시킬 수 있다. 주머니를 회전시켜 기울기를 만들어 주고 원하는 위치에 배치한다.

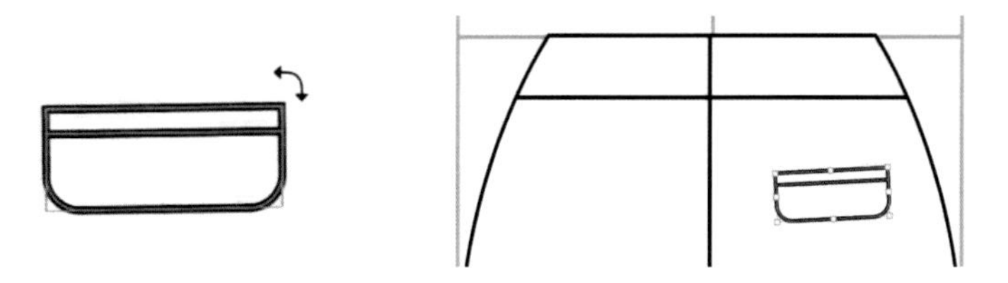

⑯ Toolbox에서 Pen Tool을 선택한 후 Toolbox에서 Fill 컬러 없음, Stroke 컬러 블랙으로 설정한다.

Pen Tool 허리선에서 주머니까지 다트선을 그린다.

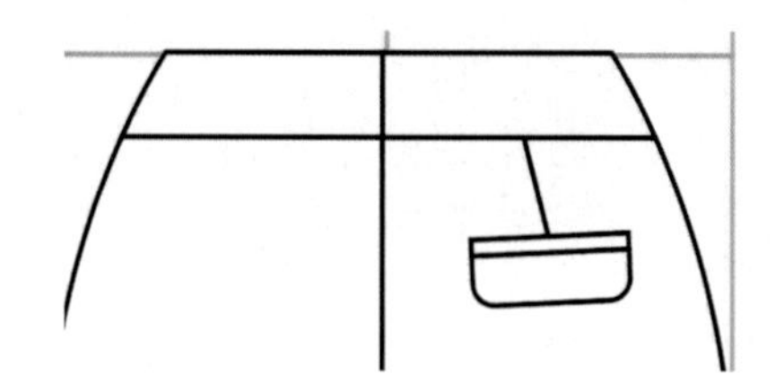

⑰ Selection Tool로 주머니와 다트선을 선택한다.

Toolbox에서 Reflect Tool을 선택한 후 Alt 키를 누른 상태에서 스커트 중심선을 클릭하여 Reflect Tool의 대칭 축을 옮겨 준다.
Reflect Tool Option 창이 나오면 Axis > Vertical 선택하고 Preview 를 체크하여 이동된 위치를 확인 한 후 Copy를 선택하여 반대쪽 주머니와 다트 형태를 완성한다.

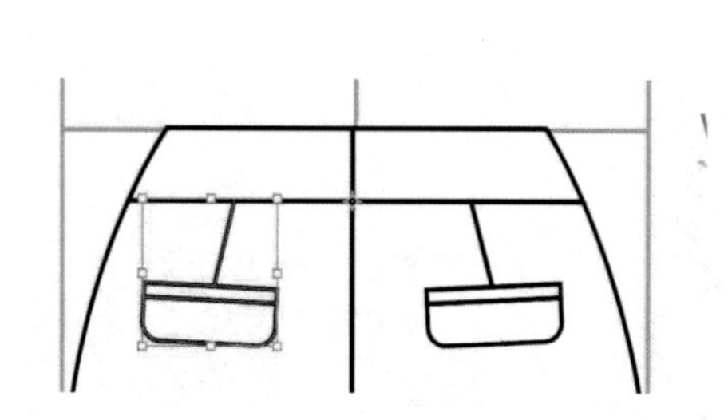

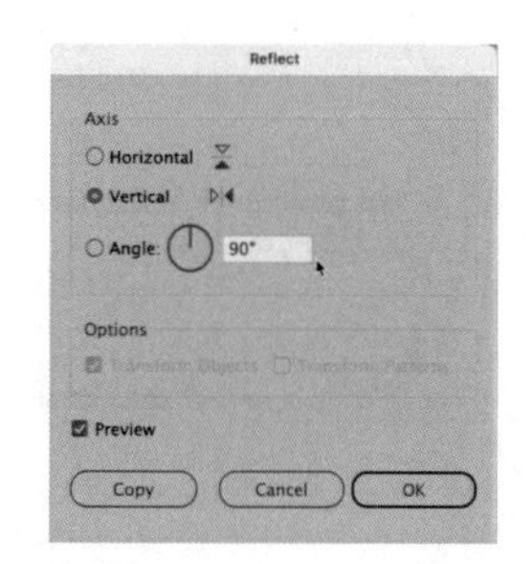

⑱ 디테일 Layer의 Toggles Lock을 클릭하여 Layer를 잠가 사용하지 못하게 한다. Create New Layer를 클릭하여 새 Layer를 추가하고 Layer 이름을 '스티치' 라고 바꿔 준다. Toolbox에서 Fill 컬러 없음, Stroke 컬러를 블랙 설정 한다.

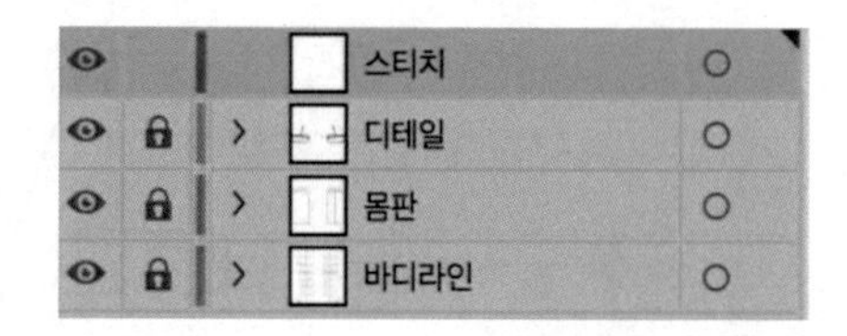

⑲ Stroke 패널에서 Weight (선의 두께) 0.75pt, Dashed Line 을 체크하고 Dash 값을 3~5pt로 설정한다. Toolbox에서 Pen Tool을 선택한 후 지

퍼 스티치 선을 그린다.

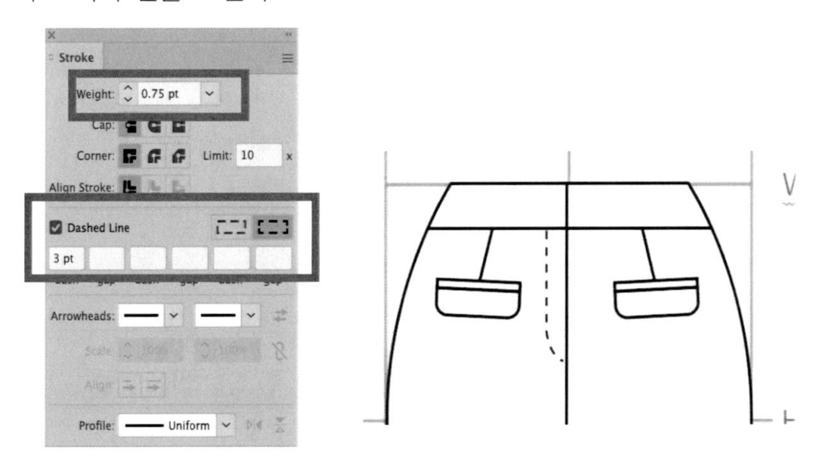

⑳ Dashed Line 체크를 해제하고 Pen Tool로 스커트 트임 위치를 사선으로 표시한다. 트임 방향을 표시하기 위해 곡선을 그린 후 Stroke 패널의 Arrowhead

에서 마지막 Anchor point의 모양을 화살표 모양으로 바꿔 스커트 트임 방향을 표시해 준다.

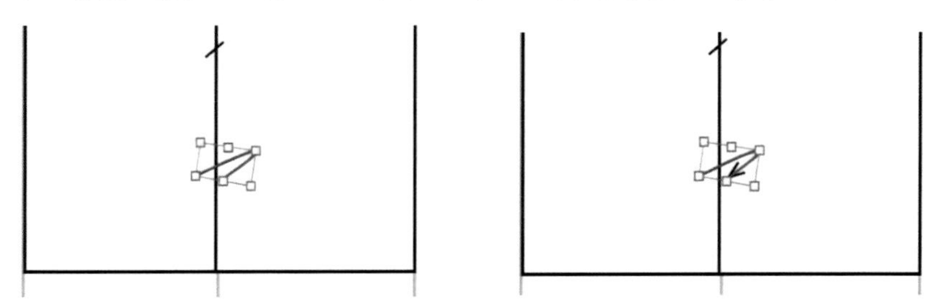

㉑ Toolbox에서 Ellipse Tool을 선택하고 Fill 컬러를 흰색, Stroke 컬러를 블랙 설정한다. Shift + Alt + 드래그하여 가운데부터 정원을 그려 단추를 완성한다.

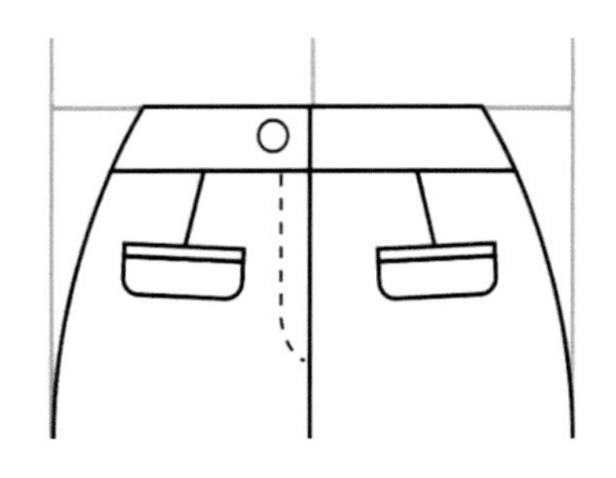

㉒ Layer 패널에서 바디라인 Layer 의 Toggles Visibility를 클릭하여 바디라인이 보이지 않게 가려 주면 스커트 도식화가 완성된다.

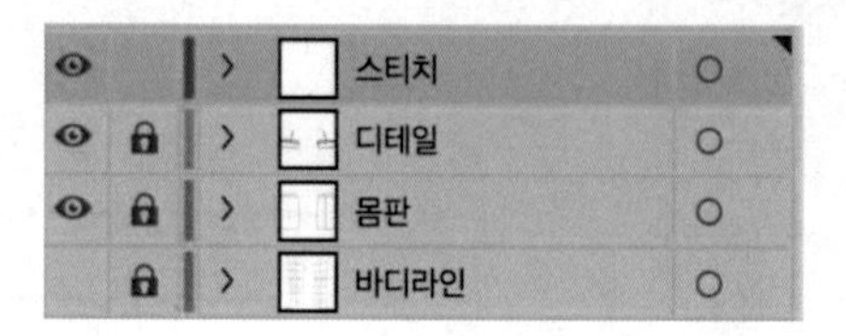

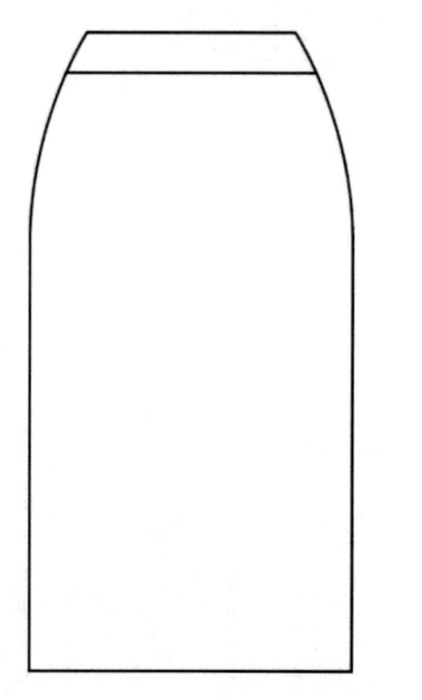

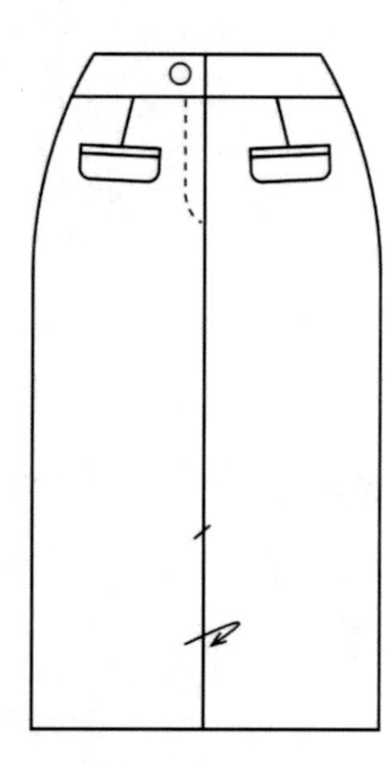

3. 플리츠 스커트 그리기

① 도식화 기본틀 바디라인 Layer의 Toggles Lock을 클릭하여 Layer를 잠가 사용하지 못하게 한다. Create New Layer를 클릭하여 새 Layer를 추가하고 Layer 이름을 '몸판'이라고 바꿔 준다.

Layer별로 작업한 내용에 맞는 이름을 만들어 주면 수정시 Layer선택이 용이하다.

② Toolbox에서 Fill 컬러를 없음, Stroke 컬러를 블랙, 옵션 바 또는 Stroke 패널에서 Weight 1pt(선의 두께)로 설정 한다.

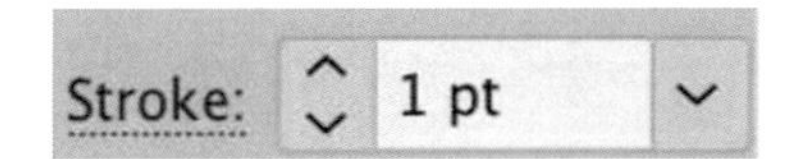

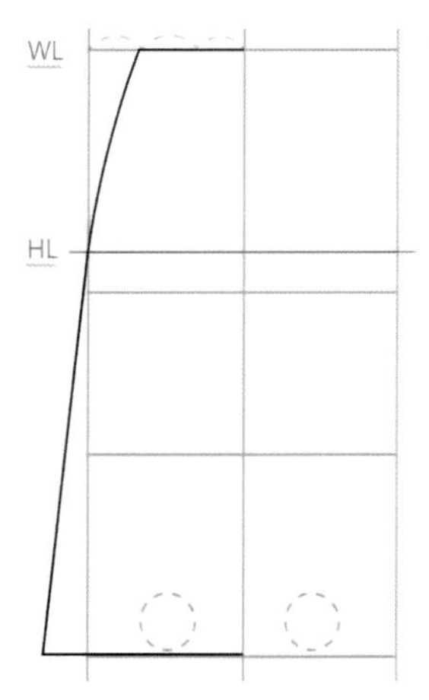

③ WL(허리선) 중앙(도식화틀 가운데)에서 시작하여 A라인 스커트를 반쪽만 그린다.

④ Toolbox에서 Selection Tool 스커트 반쪽을 선택한다.

Toolbox에서 Reflect Tool을 선택한 후 Alt 키를 누른 상태에서 도식화틀 중심을 클릭하여 Reflect Tool의 대칭 축을 옮겨 준다. Reflect Tool Option 창이 나오면 Axis > Vertical 선택하고 Preview를 체크하여 이동된 위치를 확인한 후 Copy를 클릭하여 나머지 스커트 형태를 완성한다.

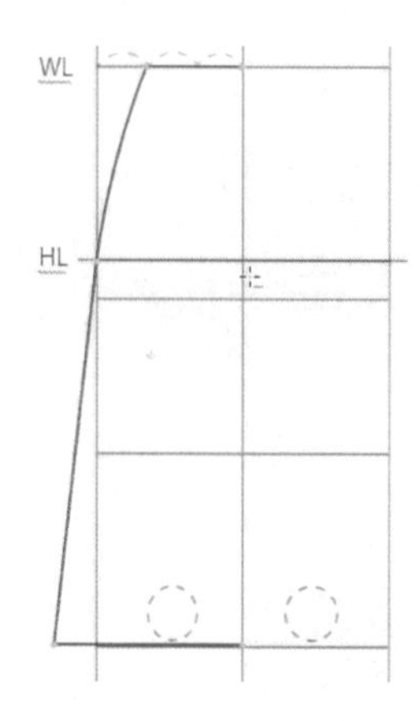

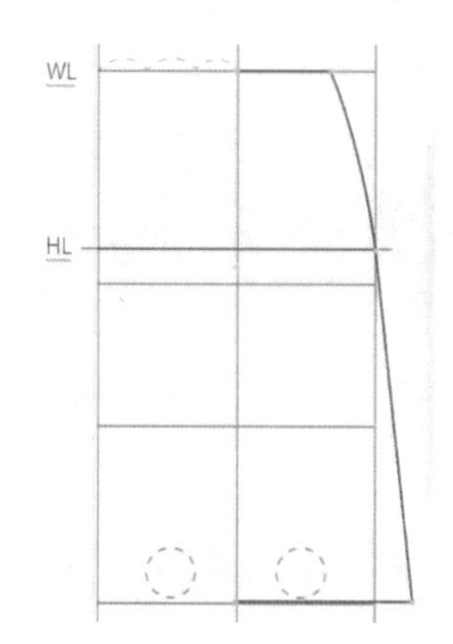

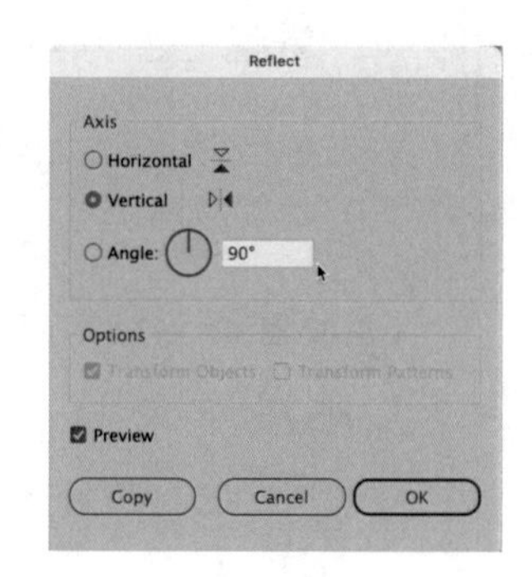

⑤ Toolbox에서 Direct Selection Tool을 선택한 후 드래그하여 스커트 허리 중앙에 있는 두개의 Anchor Point를 선택한다. 마우스 우클릭, 메뉴 중 Join을 선택하면 두개의 Anchor Point 가 연결된다.

스커트 밑단 쪽도 동일한 방법으로 두 개의 Anchor Point를 연결시켜 두 개의 선을 하나의 Object로 만들어 준다.

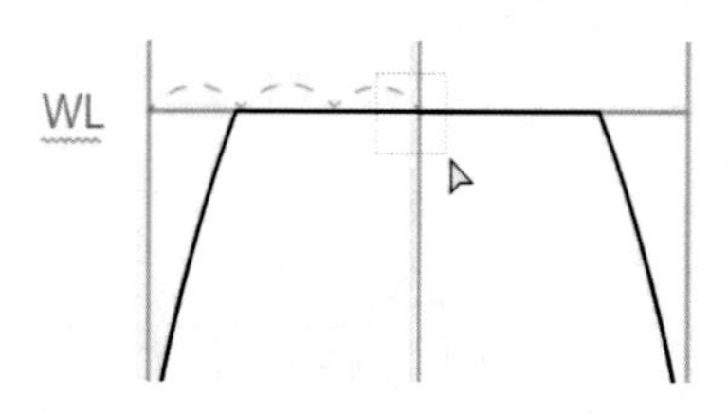

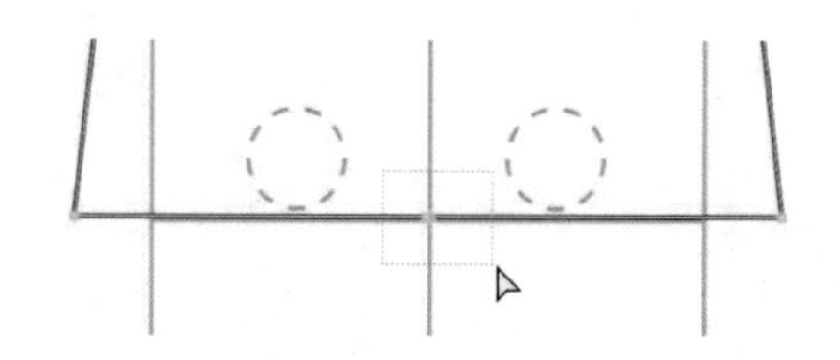

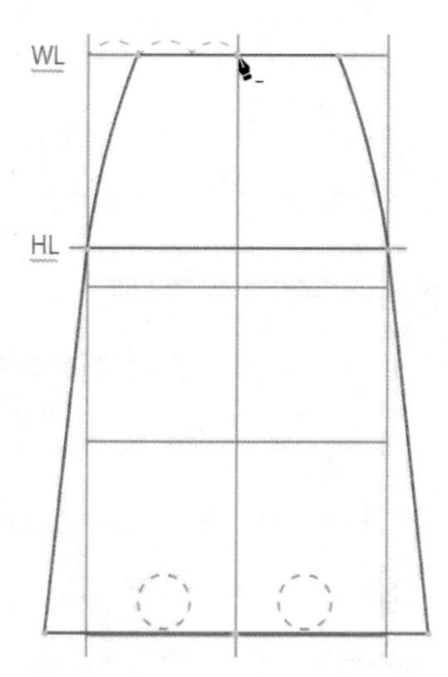

⑥ Toolbox에서 Direct Selection Tool을 선택한 후 Delect Anchor Point 툴로 허리, 밑단 중앙에 있는 Anchor Point를 클릭하여 삭제한다.

⑦ Pen Tool로 플리츠 주름의 넓이를 고려하여 스커트 형태 밖으로 선이 나가도록 플리츠 주름선 1개를 그린다. 이때 Fill 컬러는 없음으로 설정하고 그린다.

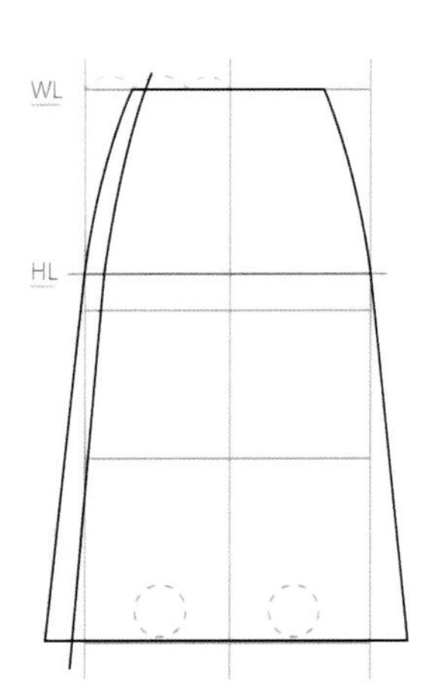

⑧ Toolbox에서 Selection Tool 플리츠 주름선을 선택한다.
Toolbox에서 Reflect Tool을 선택한 후 Alt 키를 누른 상태에서 도식화틀 중심을 클릭하여 Reflect Tool의 대칭 축을 옮겨 준다.
Reflect Tool Option 창이 나오면 Axis > Vertical 선택하고 Preview를 체크하여 이동된 위치를 확인한 후 Copy를 클릭하여 반대쪽에 플리츠 주름선 1개를 완성한다.

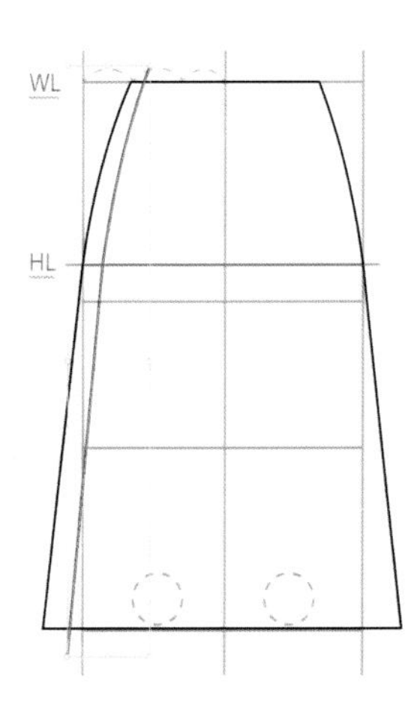

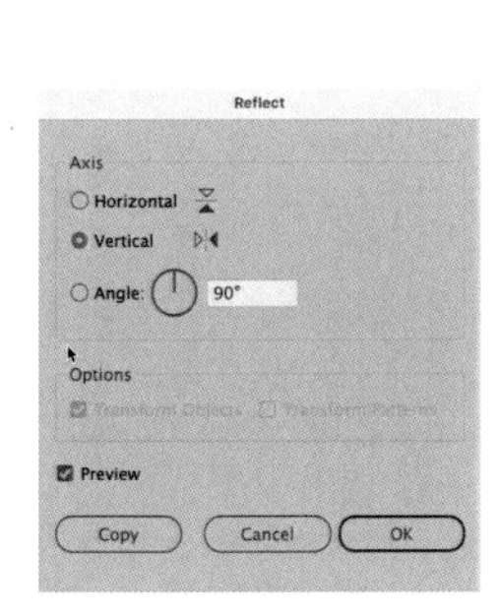

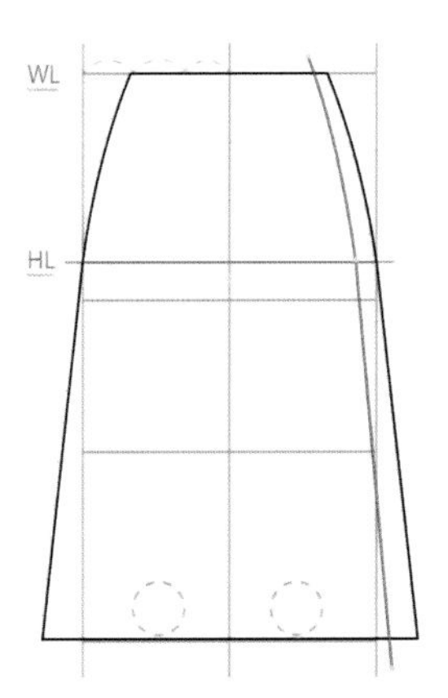

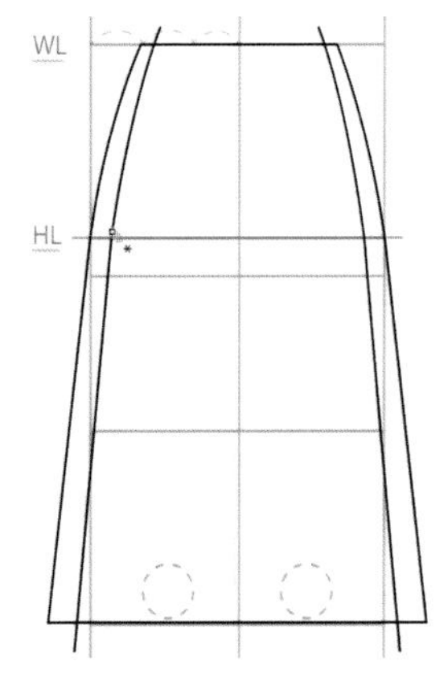

⑨ Toolbox에서 Blend Tool을 선택한 후 왼쪽 주름선에 마우스커서를 가져가면 마우스 커서 모양이 바뀐다. 이때 주름선을 선택한 후 오른쪽 주름선에 마우스 커서를 가져가 오른쪽 주름선을 선택한다.
양쪽 주름선 사이에 선이 생긴다.

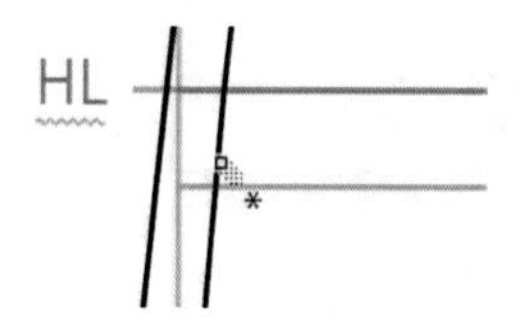

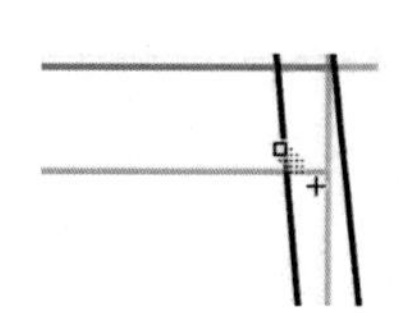

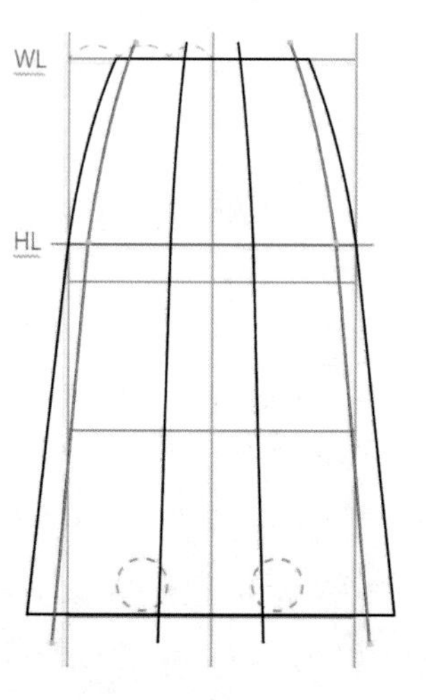

양쪽 주름선 중간에 선이 자동으로 만들어지는데 선의 수는 Blend Tool을 실행 할 때 마다 틀려질 수 있다.

⑩ Toolbox에서 Blend tool을 더블 클릭하면 Blend option 창이 열린다. Blend option 중 Spacing > Specified Steps을 선택하고 원하는 간격의 선의 수를 입력한다.
(Preview를 체크하여 선의 간격을 확인하면서 선의 갯수를 정하면 된다)

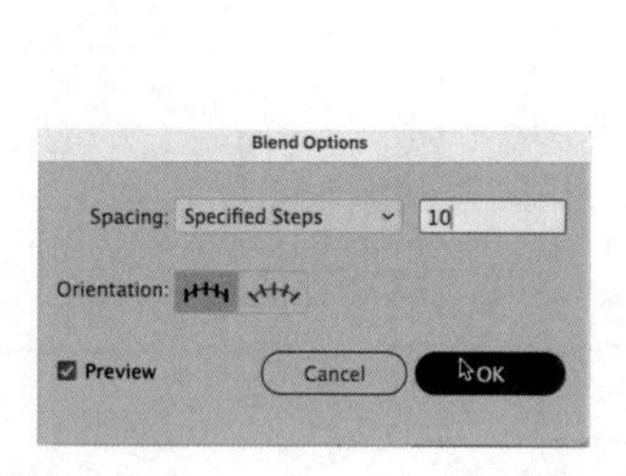

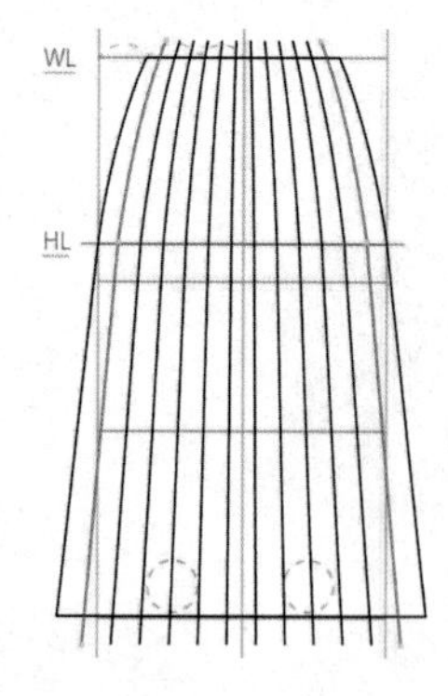

⑪ Blend Tool 로 중간 단계를 그리고 나면 중간 단계에 그려진 object는 개별적으로 선택이 되지 않는다. Blend Tool로 만들어진 선을 선택하고 메뉴에서 Obect > Expand를 선택하면 Expand option 창이 열린다. Expand Option 메뉴 중 Object, Fill, Stroke를 모두 체크한 상태에서 OK를 클릭하면 두선 중간에 Blend Tool로 만들어진 선들이 object로 전환된다. 이때 만들어진 object는 Group으로 묶어져 있다.

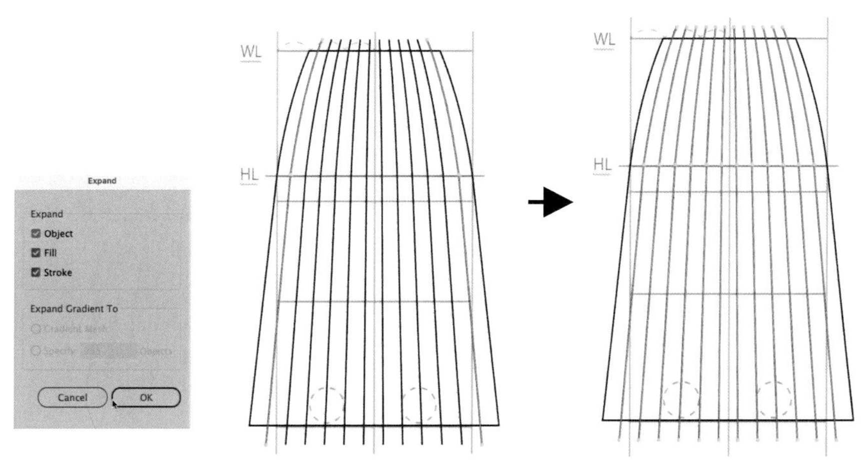

⑫ Toolbox에서 Selection Tool로 스커트와 완성된 주름선들을 모두 선택한 후 Pathfinder 패널에서 Pathfinders > Divide 로 스커트를 절개해 준 후 마우스 우클릭, 메뉴 중 Ungroup 으로 Group을 해제하고 Toolbox에서 Fill 컬러를 흰색으로 설정해 준다.

⑬ Toolbox에서 Direct Selection Tool로 플리츠 주름 하나를 선택한 후 우측 밑변의 Anchor Point를 선택한다. 키보드의 방향키 Page Down 키를 사용하여 선택한 Anchor Point를 밑으로 이동시켜 준다. 나머지 주름도 같은 방법으로 밑단의 Anchor Point를 이동시켜 플리츠 스커트 밑단의 모양을 완성해 준다.

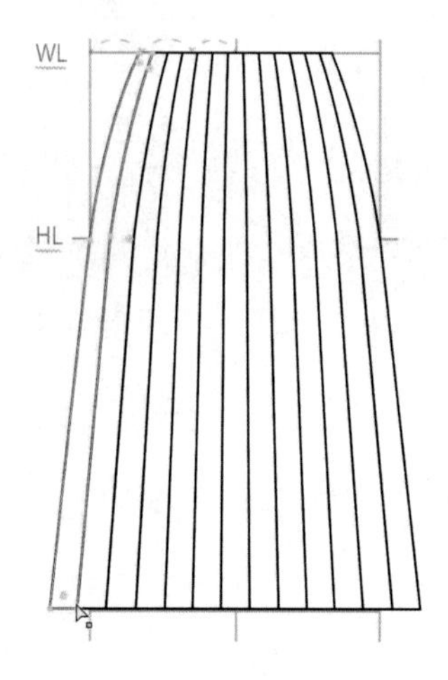

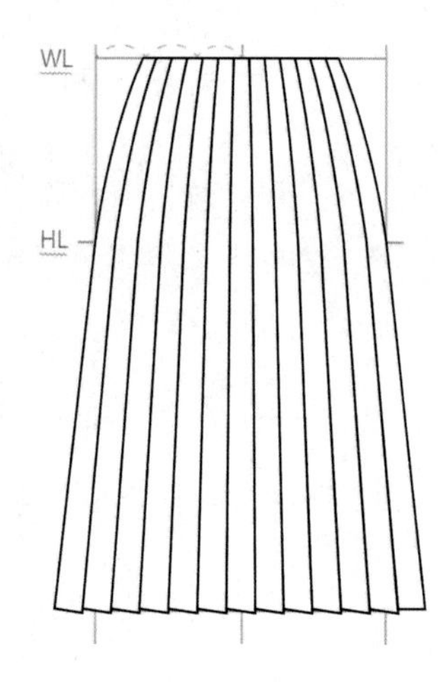

⑭ Toolbox에서 Fill 컬러를 흰색으로 설정해 준 후 Rectangle Tool을 사용하여 벨트 부분을 그린다.
Fill 컬러를 없음으로 재 설정 한 후 혼솔 지퍼를 그려 준다.

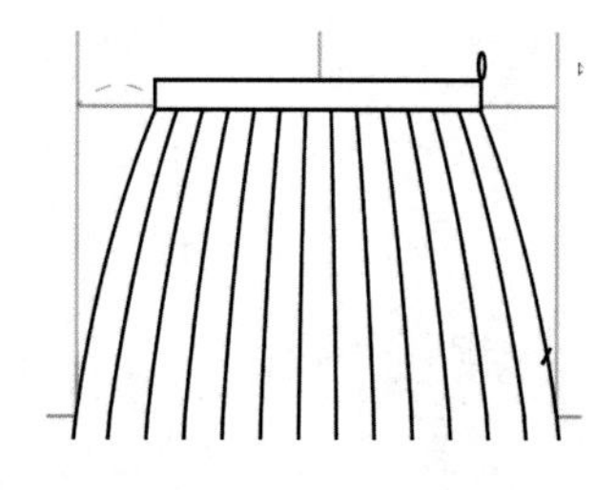

⑮ 스커트 앞면을 선택 한 후 Toolbox에서 Reflect Tool을 선택한다. Alt 키를 누른 상태에서 앞 스커트 옆 빈 공간을 클릭하여 Reflect Tool의 대칭 축을 옮겨 준다. Reflect Tool Option 창이 나오면 Axis > Vertical 선택하고 Preview 를 체크하여 주름 방향이 반대인 뒷면 플리츠 스커트 형태를 확인하고 Copy 를 클릭하여 플리츠 스커트 뒷면을 완성한다.

⑯ Layer패널에서 바디라인 Layer 의 Toggles Visibility를 클릭해서 바디라인이 보이지 않게 가려 주면 플리츠 스커트 도식화가 완성된다.

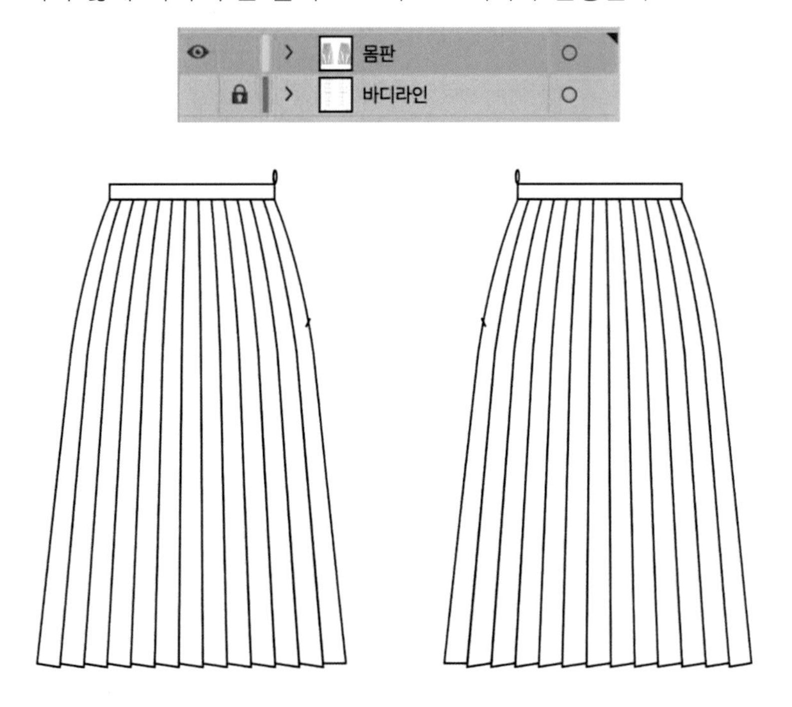

5. 슬랙스 그리기

① 도식화 기본틀 바디라인 Layer의 Toggles Lock을 클릭하여 Laye를 잠가 사용하지 못하게 한다. Create New Layer를 클릭하여 새 Layer를 추가하고 Layer 이름을 '몸판'이라고 바꿔 준다.

② Toolbox에서 Fill 컬러 없음, Stroke 컬러 블랙, 옵션 바 또는 Strok 패널에서 Weight 1pt(선의 두께)로 설정한다.

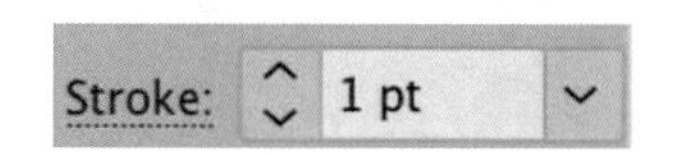

③ 도식화 기본틀 가운데를 중심으로 반쪽만 그린다.

골반 / 반골반 슬래스의 경우 WL과 HL 사이를 4등분 했을 때 1/4 공간 안에 허리 라인을 위치하는 것이 좋다.

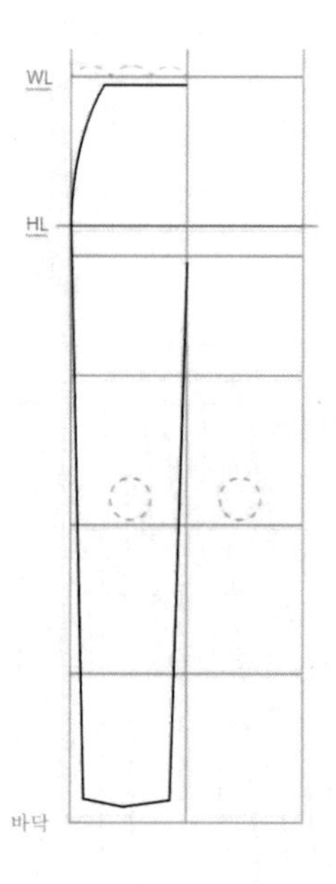

④ Toolbox에서 Selection Tool 슬랙스 반쪽을 선택한다.

Toolbox에서 Reflect Tool을 선택한 후 Alt 키를 누른 상태에서 도식화 틀 중심을 클릭하여 Reflect Tool의 대칭 축을 옮겨 준다. Reflect Tool Option 창이 나오면 Axis > Vertical 선택하고 Preview 를 체크하여 이동된 위치를 확인 한 후 Copy를 클릭하여 나머지 반쪽 형태를 완성한다.

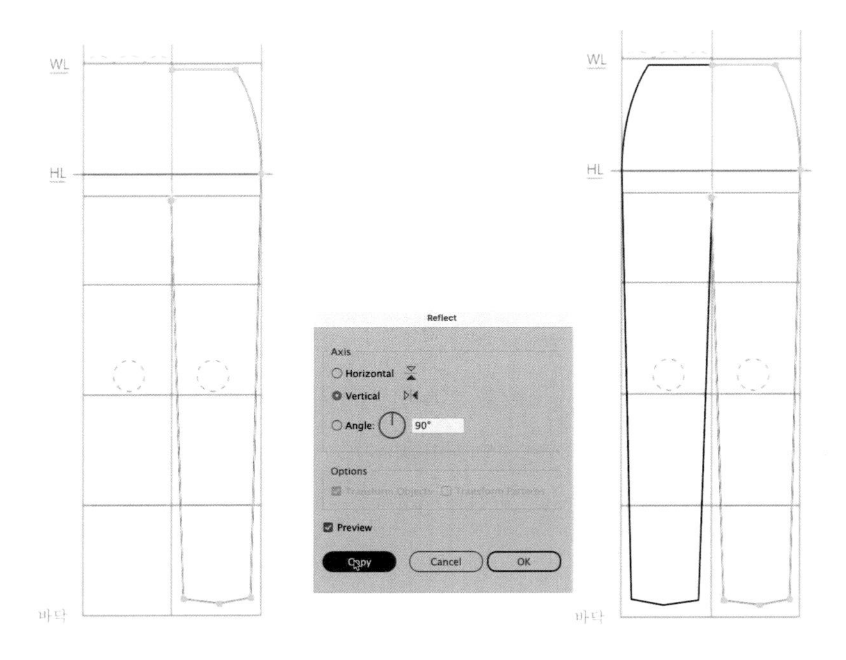

⑤ Toolbox에서 Direct Selection Tool을 선택한 후 드래그하여 슬랙스 허리 부분 중앙에 있는 두개의 Anchor Point를 선택한다. 마우스 우클릭, 메뉴 중 Join을 선택하여 두개의 Anchor Point 를 연결한다. 슬랙스 가랑이 부분에 있는 두개의 Anchor Point도 동일한 방법으로 연결시켜 두개의 선을 하나의 Object로 만들어 준다.

(Join은 두 개점 이외 다른 것들이 선택되면 실행되지 않는다)

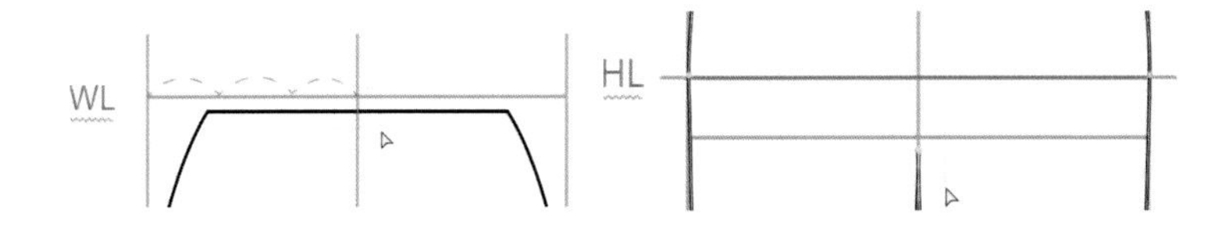

⑥ View > Rulers > Show Ruler 를 선택하여 화면 위쪽과 좌측에 Ruler를 불러 들인다. Selection Tool 위쪽 Ruler를 클릭한 후 드래그하여 수평 Guide Line (안내선)을 만들어 슬랙스 벨트라인 위치를 설정한다.

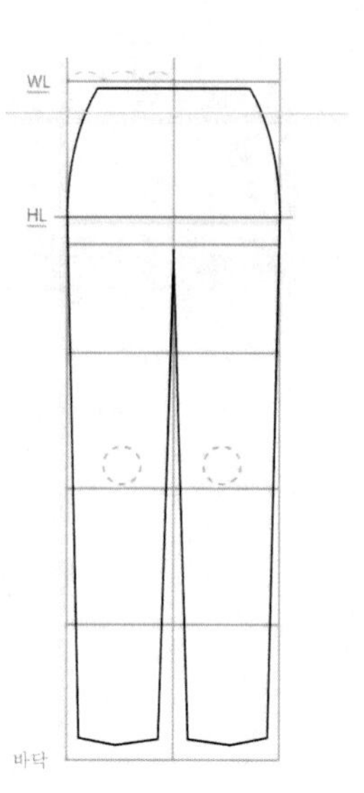

⑦ Selection Tool 로 Guide Line (안내선) 1개와 슬랙스 앞면을 선택한 후 Pathfinde 패널에서 Pathfindes > Divide를 선택하여 벨트와 슬랙스 부분을 나눠준다.

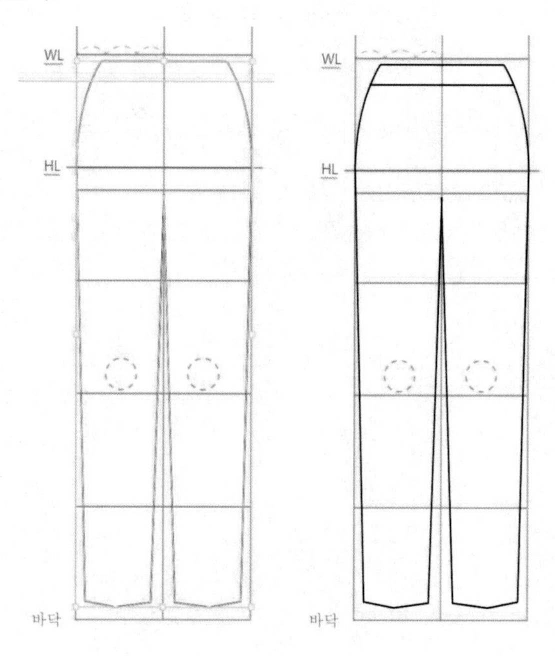

⑧ 앞면을 Selection Tool 로 선택한 후 Al t키를 누른 상태에서 드래그(선택한 오브젝트가 복사 된다) 하여 뒷면 도식화 기본틀에 가져가 뒷면 슬랙스 기본 형태를 완성한다.

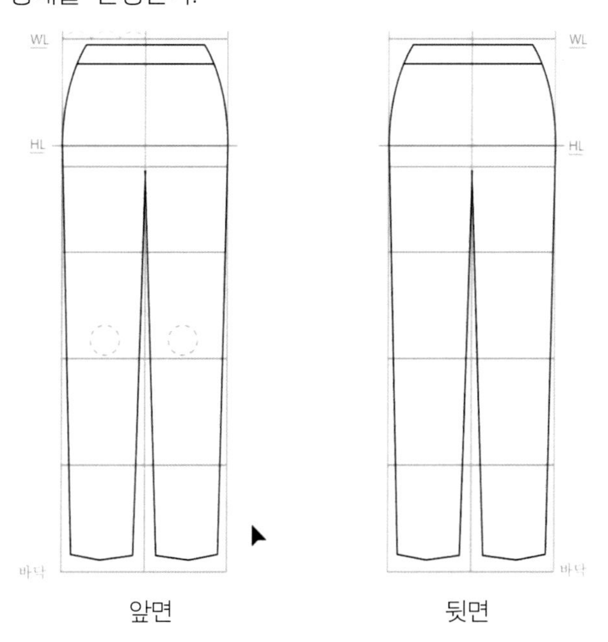

앞면 뒷면

⑨ 앞면 / 뒷면 슬랙스 가랑이 교차점에 맞춰 Guide Line (안내선) 위치를 설정한다. 앞면의 경우 Selection Tool 로 Guide Line (안내선) 1개와 앞면 전체를 선택하여 Pathfinde 패널, Pathfindes > Divide로 슬랙스 나눠준다.

뒷면의 경우는 Selection Tool 뒷면을 선택한 후 마우스 우클릭, 메뉴중 Ungroup을 선택하여 group을 해제한다. 벨트 부분을 제외한 슬랙스 부분(벨트 부분이 선택되면 안된다)과 Guide Line(안내선) 1개 를 선택 한 후 Pathfinde 패널, Pathfindes > Divide 로 슬랙스 엉덩이 부분을 절개하여 슬랙스 형태를 완성한다.

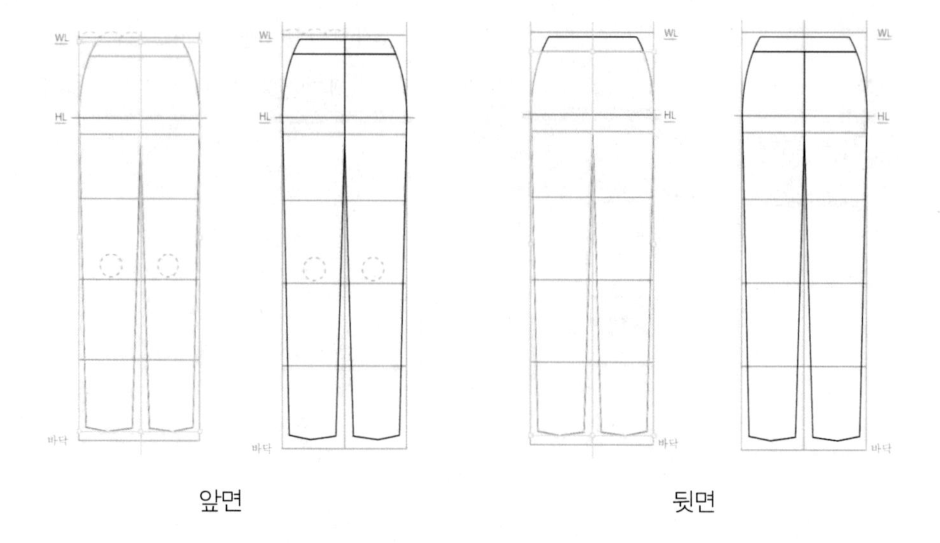

앞면　　　　　　　　　　　　　　뒷면

⑩ 앞면 주머니를 만들기 위해 Fill 컬러 없음으로 설정하고 Pen Tool을 사용하여 한쪽 주머니 입구선을 그린 후 Refect Tool을 사용하여 반대쪽 주머니 입구선을 완성한다. 슬랙스 앞면을 선택한 후 마우스 우클릭, 메뉴 중 Ungroup을 선택하여 Group을 해제한다.

Selection Tool 로 벨트 부분을 제외한 앞면 슬랙스와 주머니 입구선 2개를 선택한 후 Pathfinde 패널에서 Pathfindes > Divide로 슬랙스 앞면 주머니를 완성한다. 완성되면 Toolbox에서 Fill 컬러를 흰색으로 설정한다.

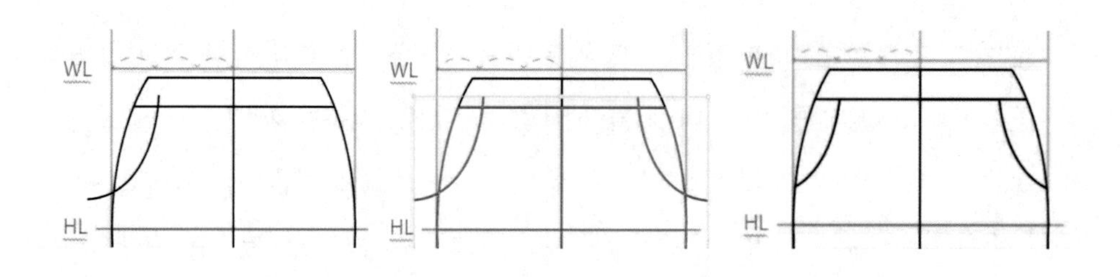

⑪ 몸판 Layer의 Toggles Lock을 잠그고 Create New Layer 클릭하여 새 Layer를 추가하고 Layer 이름을 '디테일' 이라고 바꿔준다.

⑫ Toolbox에서 Fill 컬러 흰색, Stroke 컬러 블랙, Stroke 두께는 1P로 설정 한 후 Rectangle Tool을 사용하여 한쪽 뒷주머니를 그린다.

Fill 컬러를 없음으로 설정하고 Pen Tool을 사용하여 한쪽 뒷면 다트 라인을 그린다. 주머니와 다트를 Selection Tool 로 선택 한 후 Refect Tool을 사용하여 반대쪽 주머니와 다트선을 완성한다.

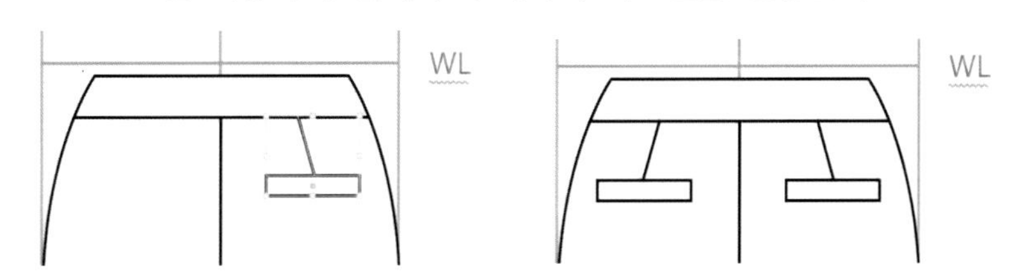

⑬ Toolbox에서 Fill 컬러를 흰색, Stroke 색은 블랙, Stroke 두께는 1P로 설정한다. Rectangle Tool을 사용하여 뒷면 슬랙스 가운데 벨트 고리를 그린다. 가운데 그린 벨트고리를 Selection Tool 로 선택한 후 Alt 키를 누른 상태에서 드래그하여 옆쪽 벨트 고리 위치에 가져다 놓는다. Toolbox에서 Direct Selection Tool을 선택한 후 옆쪽 벨트 고리 하단의 Anchor Point 두 개를 선택한다. 키보드의 우측 방향키(Home키)를 사용하여 옆선 곡선 기울기에 맞춰 사각형에 기울기를 주어 벨트 고리 형태를 완성한다. 옆쪽 벨트 고리 Selection Tool 로 선택한 후 Refect Tool 을 사용하여 반대쪽 벨트 고리를 완성한다.

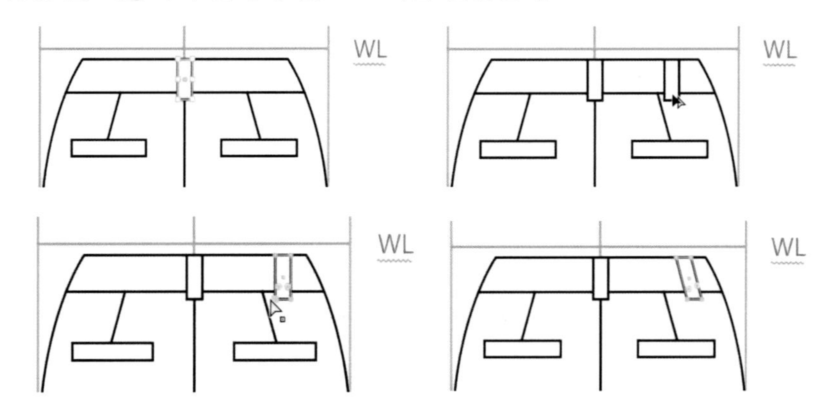

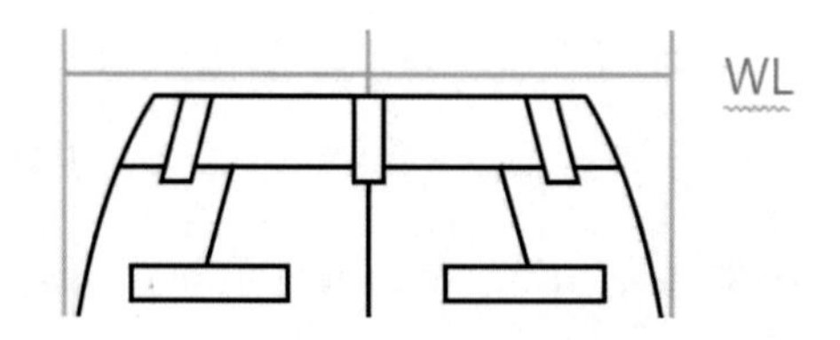

⑭ 양쪽 측면 벨트 고리를 복사한 후 앞면으로 이동시켜 앞면 벨트 고리를 완성한다.

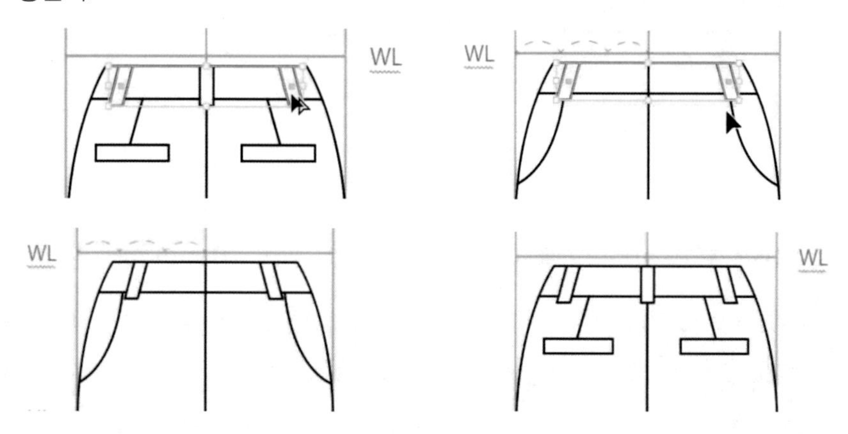

⑮ 디테일 Layer의 Toggles Lock을 잠그고 Create New Layer 클릭하여 새 Layer를 추가하고 Layer 이름을 '스티치'라고 바꿔준다.
Stroke 패널에서 Weight 0.75pt, Dashed Line을 체크, dash 4pt로 설정한다. (dash 수치는 3~5pt 사이로 설정하는 것이 좋다)

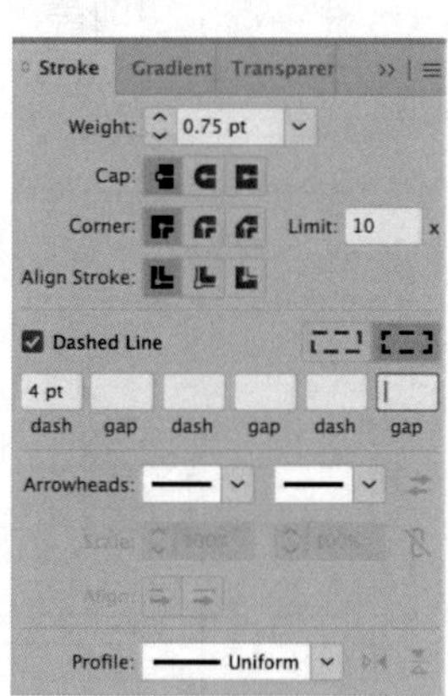

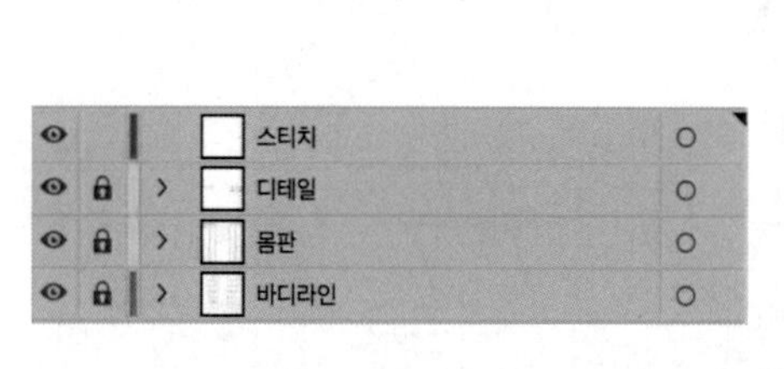

⑯ 벨트, 벨트고리, 주머니, 지퍼 부분에 Pen Tool을 사용하여 스티치를 그린다.

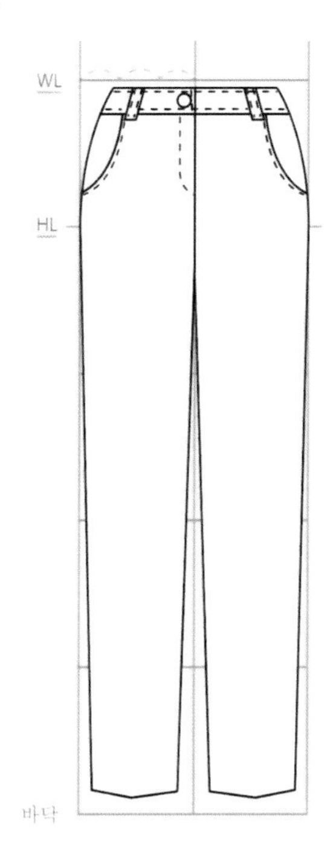

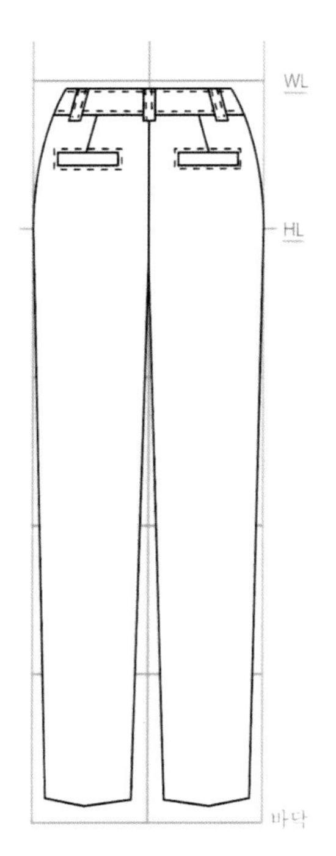

⑰ Fill 컬러 없음으로 설정하고 바지 주름 선을 그리는데 앞면 허리쪽의 주름선은 위에서 아래 방향으로 앞면 / 뒷면 바지통 부분의 주름선은 밑에서 위로 방향으로 Pen Tool을 사용하여 직선을 그린다. 그려진 주름선을 Selection Tool 로 선택한 후 Stroke 패널에서 Weight 0.75pt로 설정하고 Profile 에서 Width profile 4를 선택하여 시작점은 굵고 끝나는 지점은 가늘어지게 선의 모양을 바꿔 주름 선을 자연스럽게 만들어 준다.

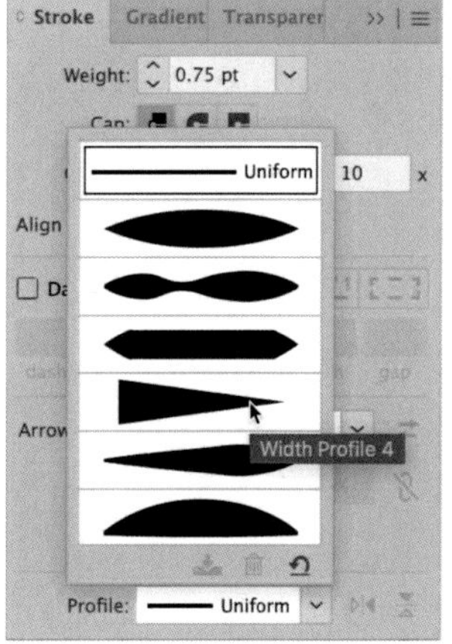

⑱ Layer 패널에서 바디라인 Layer 의 Toggles Visibility를 클릭하여 바디라인이 보이지 않게 가려 주면 슬랙스 도식화가 완성된다.

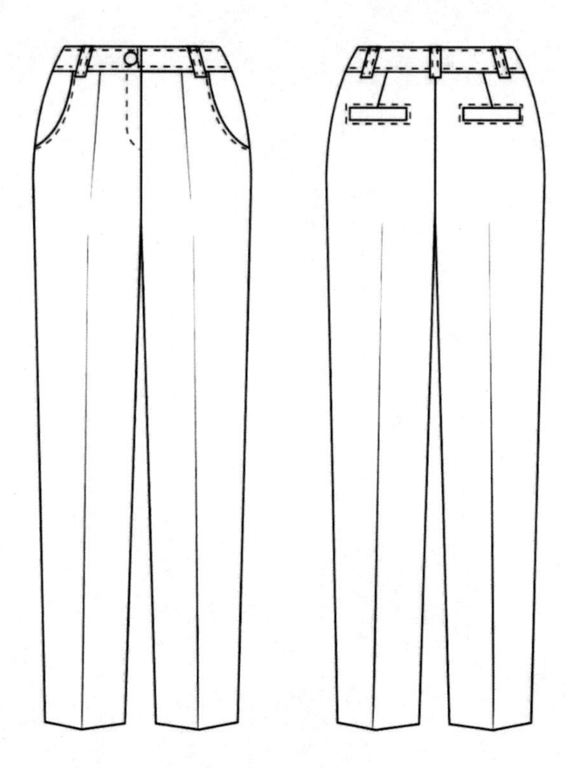

5. 티셔츠 그리기

① 도식화 기본틀 바디라인 Layer의 Toggles Lock을 클릭하여 Layer 를 잠가 사용하지 못하게 한다. ⊞ Create New Layer를 클릭하여 새 Layer를 추가하고 Layer 이름을 '몸판'이라고 바꿔준다.

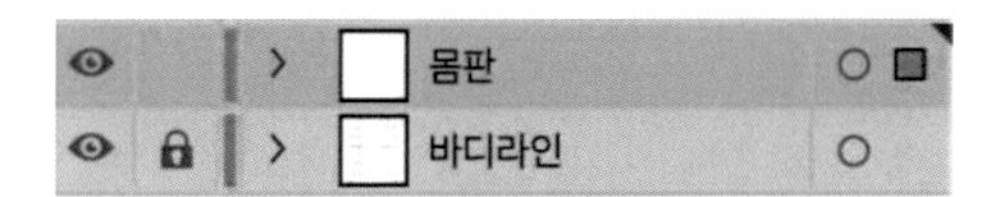

② Toolbox에서 Fill 컬러 없음, Stroke 컬러 블랙, 옵션 바 또는 Stroke 패널에서 Weight 1pt(선의 두께)로 설정 한다.

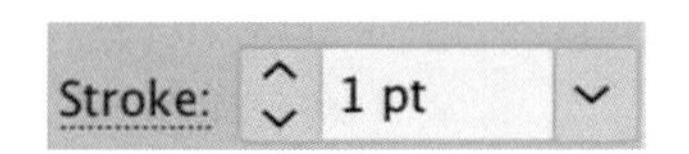

③ 도식화 기본틀 가운데를 중심으로 반쪽만 그린다.

네크라인은 기본틀 중심에서 옆목점을 연결하여 직선으로 그린 후 어깨, 진동, 옆선, 밑단 순서로 반쪽만 그린다.

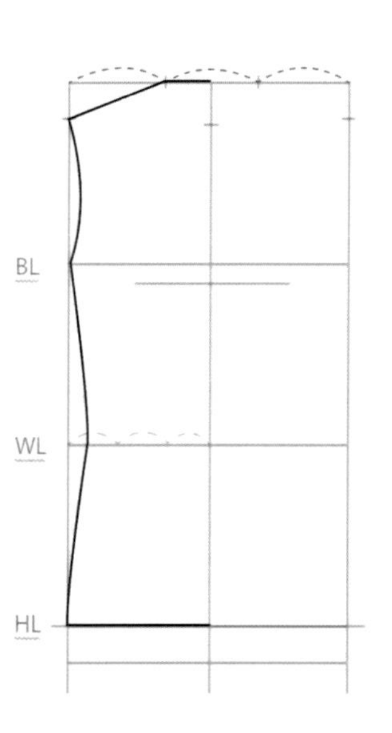

④ Toolbox에서 Selection Tool 티셔츠 반쪽을 선택한다.

Toolbox에서 Reflect Tool을 선택한 후 Alt 키를 누른 상태에서 도식화틀 중심을 클릭하여 Reflect Tool의 대칭축을 옮겨 준다.

Reflect Tool Option 창이 나오면 Axis > Vertical 선택하고 Preview 를 체크하여 이동된 위치를 확인 한 후 Copy를 클릭하여 나머지 반쪽 형태를 완성한다.

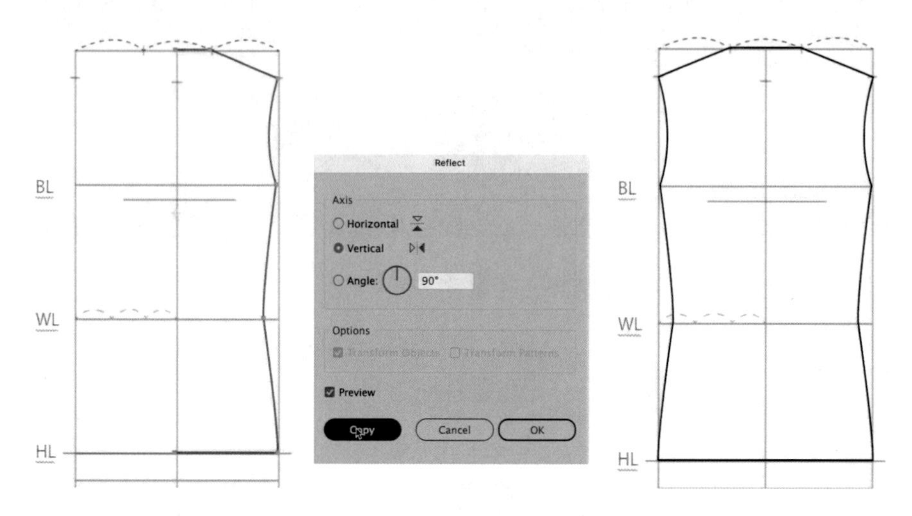

⑤ Toolbox에서 Direct Selection Tool을 선택한 후 드래그하여 티셔츠 위쪽 직선 중앙에 있는 두개의 Anchor Point를 선택한다.
마우스 우클릭, 메뉴 중 Join을 선택하면 두개의 Anchor Point 가 연결된다. 티셔츠 밑단 부분에 있는 Anchor Point 를 선택한 후 동일한 방법으로 두개의 Anchor Point 를 연결시켜 두개의 선을 하나의 Object로 만들어 준다.
(Join은 두 개점 이외 다른 것들이 선택되면 실행되지 않는다)

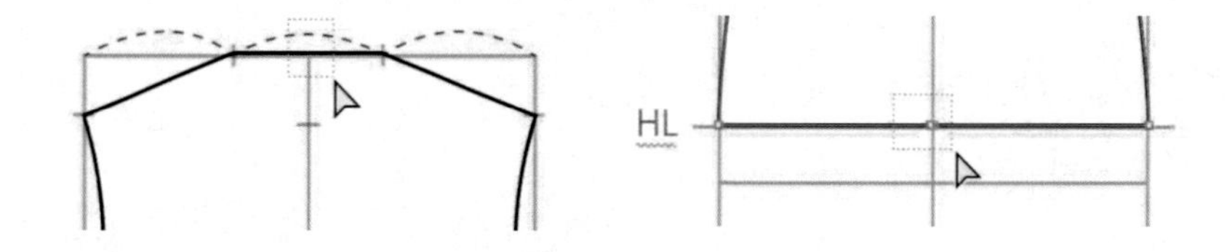

⑥ 티셔츠 앞면 기본 형태가 완성되면 Selection Tool 로 선택한 후 Alt 키를 누른 상태에서 드래그(선택한 오브젝트가 복사 된다) 하여 뒷면 도식화 틀에 가져가 티셔츠 뒷면 기본 형태를 완성한다.

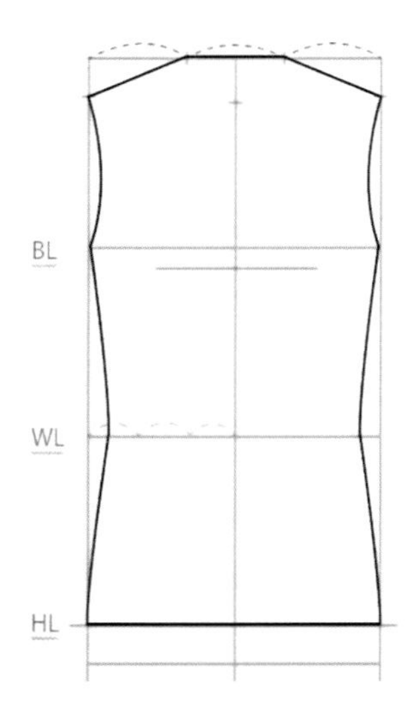

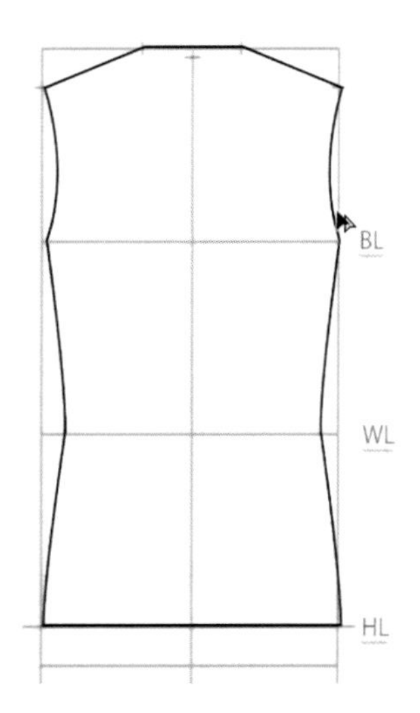

⑦ 수평 Guide Line(안내선) 사용하여 옆목점에서 어깨선 사이에 네크라인 시작 위치를 결정한다. (옆목점을 네크라인 위치로 사용 할 때는 Guide Line(안내선)을 설정하지 않아도 된다.)
앞 중심쪽은 앞목점을 기준으로 네크라인 위치를 결정한 후 앞 네크라인 선을 몸판 밖으로 길게 그린다.

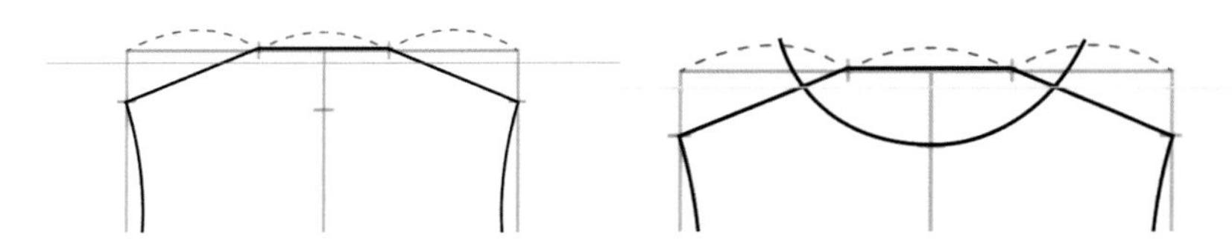

⑧ 앞 네크라인 선을 Selection Tool 로 선택한 후 Object > Path > Offset path 를 선택한다. 옵션창이 나오면 Preview를 선택한 후 Offset 수치를 입력하여 원하는 티셔츠 네크라인의 밴드 부분의 넓이를 설정해 준다.
일정한 간격의 동일한 선이 필요할 때 사용하는 기능으로 메뉴에서 Object > Path > Offset path 로 네크라인 밴드 넓이를 동일하게 그리는 데 용이하다.
(Offset path 적용 시 도형의 경우는 옵션에 입력한 수치에 따라 일정한

간격을 유지하며 도형이 1개 그려진다. 반면 선의 경우는 선을 중심으로 사방으로 일정한 간격의 도형이 그려진다.)

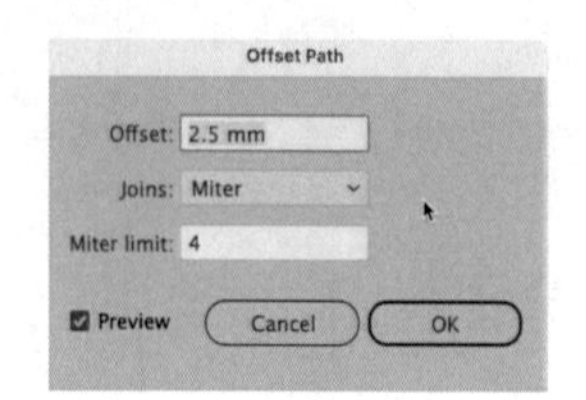

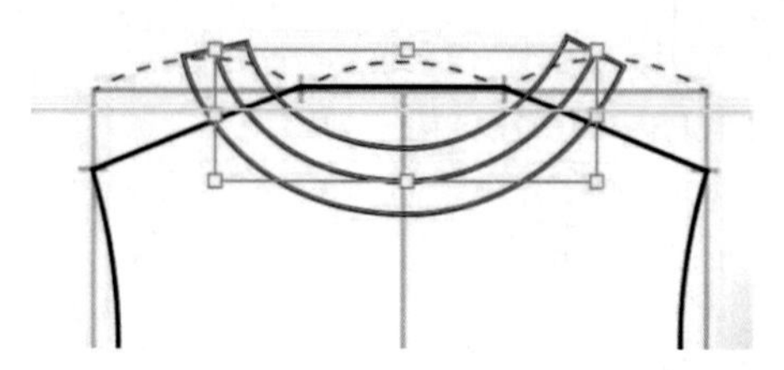

⑨ Direct Selection Tool을 사용하여 필요 없는 선을 삭제한다.

(선의 경우 Offset path를 실행하면 사방으로 동일한 넓이의 선을 그려 주는데 네크라인을 그리는데 필요한 선은 아랫 부분선으로 필요 없는 선을 Direct Selection Tool 로 선택한 후 Delete키를 사용하여 삭제한다.

Direct Selection Tool 로 선을 클릭하면 클릭한 선만 선택되어지고 Anchor Point를 선택하면 Anchor Point와 연결된 두개의 선이 선택된다.)

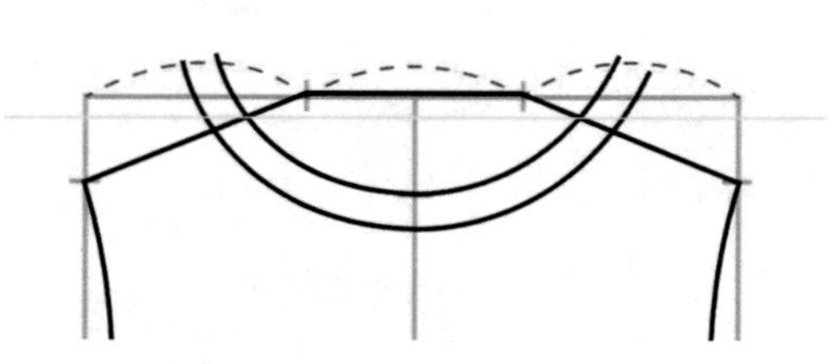

⑩ Selection Tool 로 앞면 몸판과 네크라인 선 2개를 선택한 후 Pathfinde 패널, Pathfindes > Divide로 몸판을 절개하여 앞면 네크라인 형태를 완성한다. 마우스 우클릭, 메뉴에서 Ungroup를 택하여 Group을 해제한다.

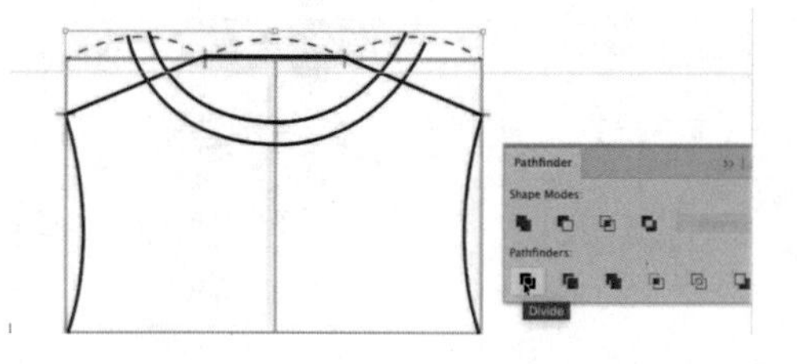

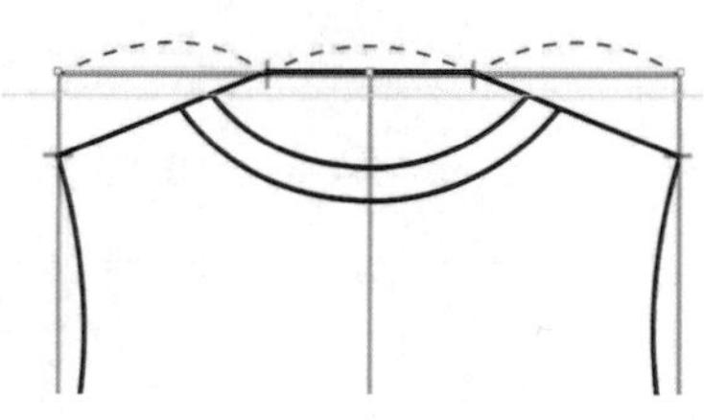

⑪ 앞면 네크라인이 완성이 되면 Guide Line (안내선)에 맞춰 뒤 네크라인 선을 그린다. 뒤 네크라인 선을 Selection Tool 로 선택 한 후 Object > Path > Offset path 를 선택한다. 옵션창이 나오면 Preview를 선택한 후 Offset 수치(앞판과 동일한 수치 사용)를 입력하여 원하는 네크라인 밴드 두께를 만들어 준다.

Direct Selection Tool을 사용하여 필요 없는 선들은 삭제한다.

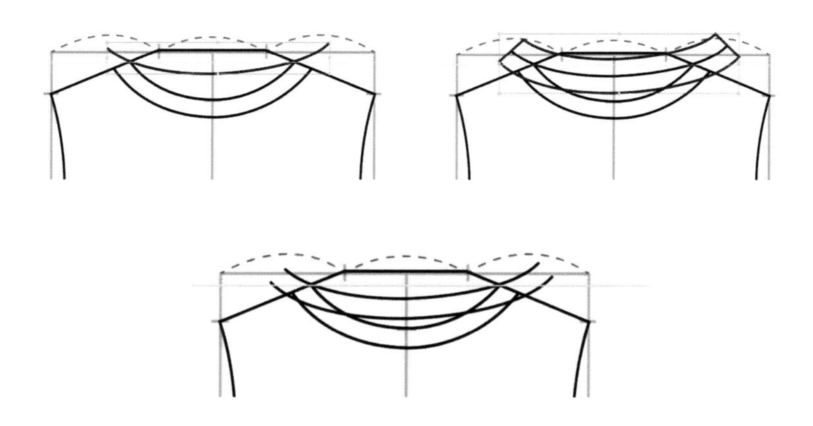

⑫ 앞면에 그려진 뒤 네크라인 형태가 완성되면 Selection Tool 로 선택한 후 Alt 키를 누른 상태에서 드래그(선택한 오브젝트가 복사된다) 하여 뒷면 네크라인 위치에 가져다 놓는다.

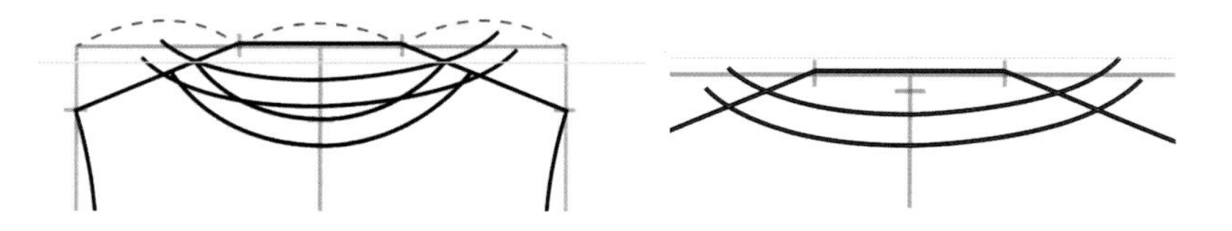

⑬ 앞면의 경우 Selection Tool 로 앞 네크라인 위쪽부분과 뒤 네크라인 선 두 개를 선택한 후 Pathfinde > Pathfindes > Divide로 뒤쪽 네크라인을 나눠준다. 마우스 우클릭, 메뉴 중 Ungroup를 선택하여 Group을 해제한 후 필요 없는 부분을 Selection Tool 선택하여 삭제한다.

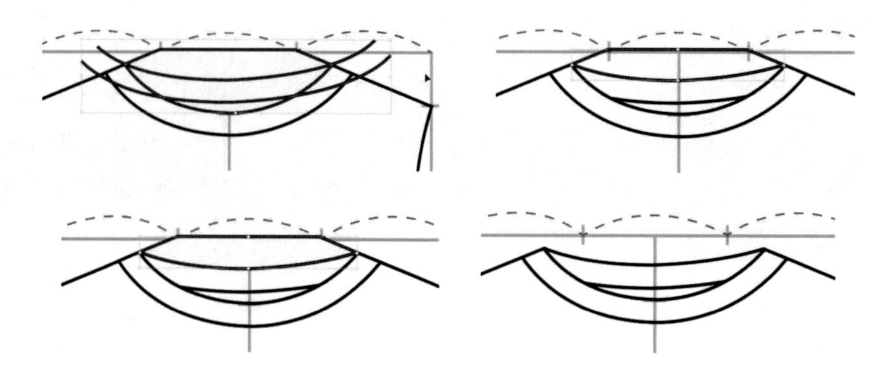

⑭ 뒷면의 경우 뒤 몸판과 네크라인선 2개를 선택 한 후 Pathfinde 패널, Pathfindes > Divide로 뒤쪽 네크라인 형태를 절개한다. 마우스 우클릭, 메뉴 중 Ungroup를 선택하여 Group를 해제한다. 필요 없는 부분을 Selection Tool 선택한 후 삭제하여 네크라인 형태를 완성한다.

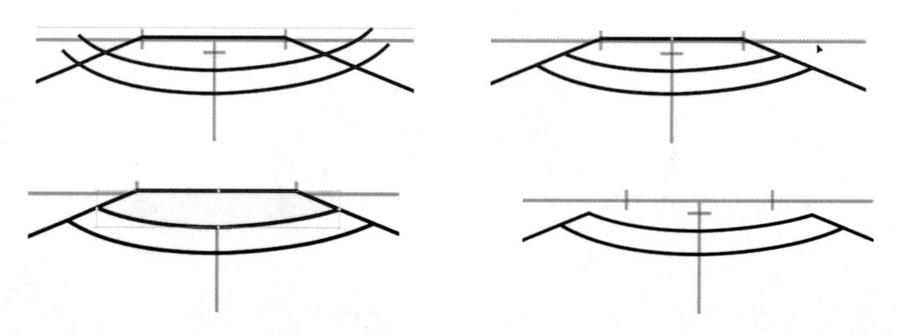

⑮ 네크라인 완성되면 앞/뒤 몸판 전체를 선택 후 Fill 컬러를 흰색으로 설정하여 티셔츠의 몸판 형태를 확인한다.

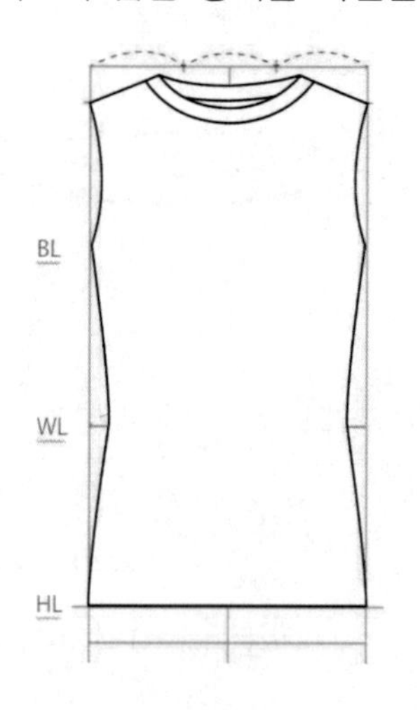

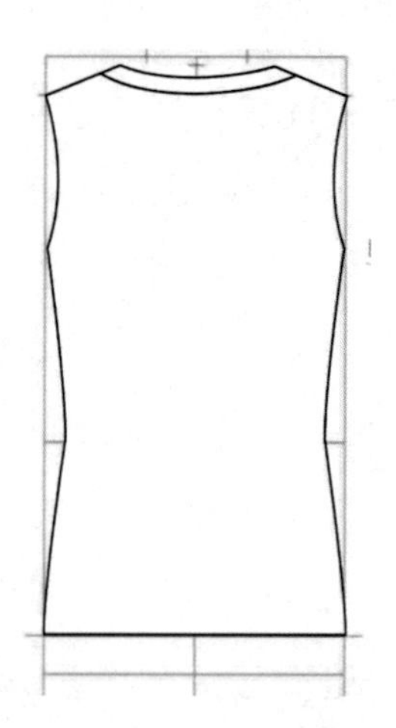

⑯ 몸판 Layer의 Toggles Lock을 잠그고 Create New Layer 클릭하여 새 Layer를 추가하고 Layer 이름을 '소매' 라고 바꿔준다.

⑰ 어깨 끝점에서 시작하여 진동위치까지는 소매 형태를 정확히 그린다. 몸판과 겹쳐지는 부분은 자유롭게 그린 후 어깨점에서 마무리하여 도형으로 완성한다. 소매 부리는 소매선 라인에 직각이 되게 그린다.

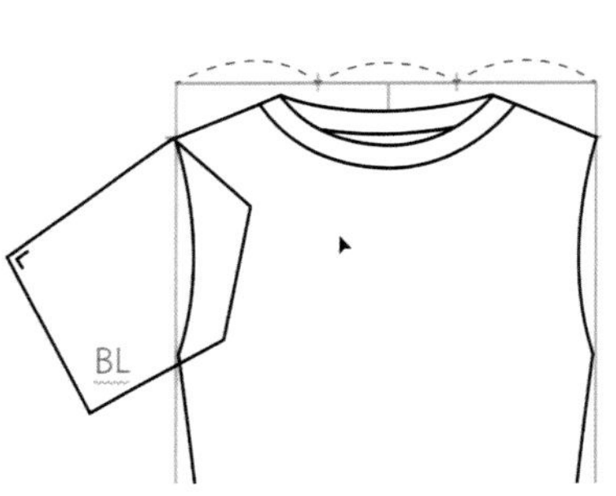

⑱ Toolbox에서 Selection Tool 로 한쪽 소매를 선택한다.

Toolbox에서 Reflect Tool을 선택한 후 Alt 키를 누른 상태에서 도식화틀 중심을 클릭하여 Reflect Tool의 대칭 축을 옮겨준다.

Reflect Tool Option 창이 나오면 Axis > Vertical 선택하고 Preview를 체크하여 이동된 위치를 확인 한 후 Copy를 클릭하여 반대쪽 소매를 완성한다.

⑲ 앞면 양쪽 소매 형태가 완성되면 Selection Tool 로 양쪽 소매를 선택한 후 Alt 키를 누른 상태에서 드래그(선택한 오브젝트가 복사 된다)하여 뒷면 몸판 소매 위치에 가져가 뒷면 소매 형태를 완성한다.

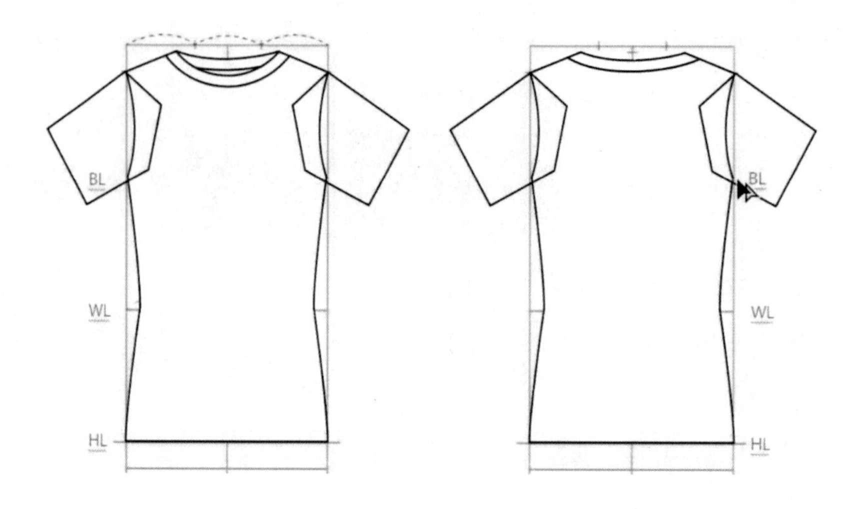

⑳ 소매가 완성되면 소매 Layer를 드래그하여 몸판 Layer 밑으로 이동시킨다. (Layer를 선택하여 드래그하여 이동하고자 하는 위치에 가져간다. Layer와 Layer 사이에 선이 표시 되어질 때 마우스 버튼을 놓으면 Layer가 이동된다)

앞/뒤 소매를 선택 후 Fill 컬러를 흰색으로 설정하여 소매 형태를 완성한다.

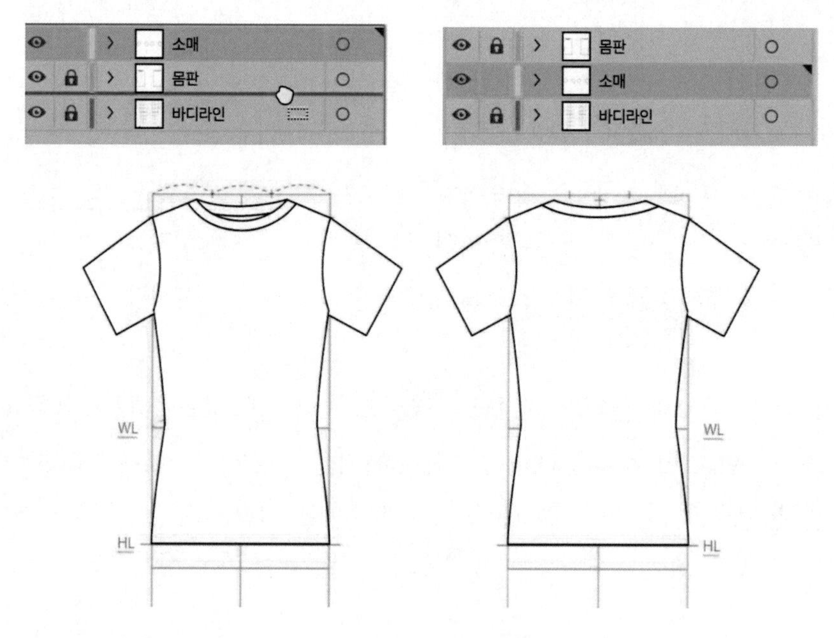

㉑ 몸판 Layer의 Toggles Lock을 잠그고 Create New Layer 클릭하여 새 Layer를 추가하고 Layer 이름을 '스티치' 라고 바꿔준다. Stroke 패널에서 선의 Weight 를 0.75pt, Dashed Line을 체크하고 dash 4pt로 설정한다. (dash 수치는 3~5pt 사이로 설정하는 것이 좋다)

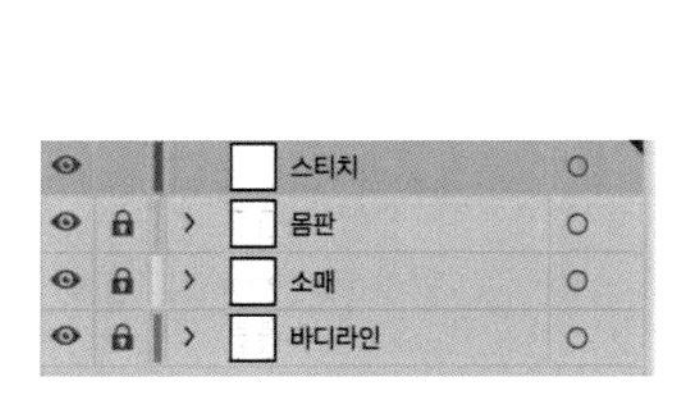

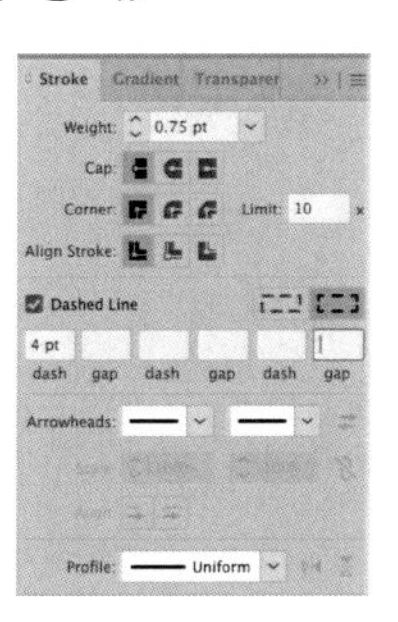

㉒ 소매부리와 밑단 스티치의 경우 한줄을 그리고 그려진 스티치를 Ctrl + C 복사 / Ctrl + V 붙여넣기 한 후 원하는 위치에 가져가 두줄 스티치 모양을 완성한다. 소매부리의 경우 좌우 대칭이므로 Reflect Tool을 사용하여 반대쪽 소매부리 스티치를 완성한다. 소매부리와 밑단에 완성된 스티치를 Selection Tool 로 선택한 후 Alt 키를 누른 상태에서 드래그(선택한 오브젝트가 복사 된다)하여 뒷면 몸판 스티치 위치에 가져가 뒷면 소매 부리와 밑단 스티치 형태를 완성한다.

앞/뒤 네크라인 부분의 스티치를 그려 티셔츠 스티치를 완성한다.

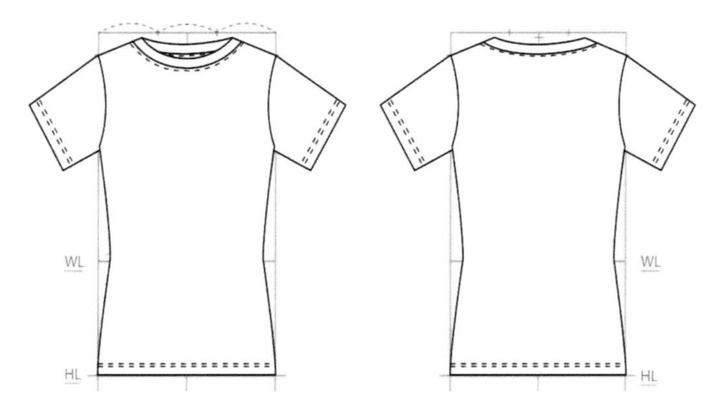

㉓ 앞/뒤 네크라인에 립 형태를 그려 준다.

㉔ 네크라인의 립 형태가 완성되면 Layer 패널에서 바디라인 Layer 의 Toggles Visibility를 클릭해서 바디라인이 보이지 않게 가려 주면 티셔츠 도식화가 완성된다.

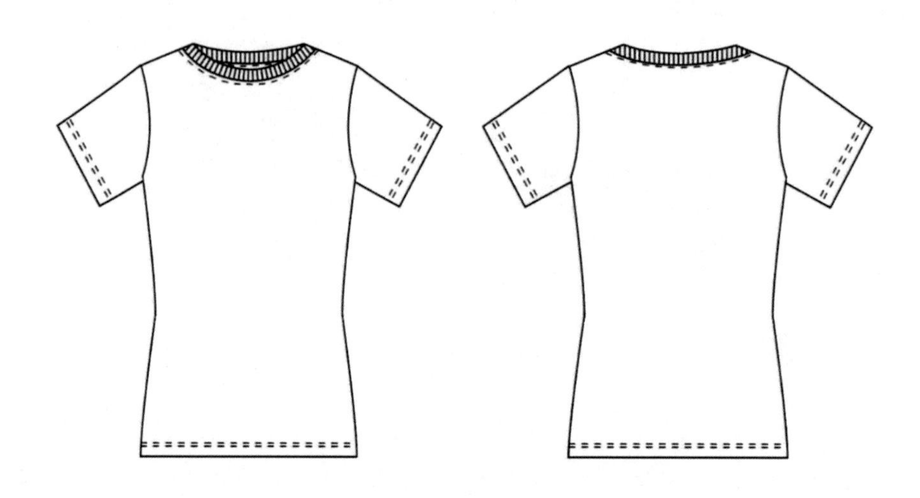

[립 형태 표현 방법 I : Stroke 패널 사용]

- 스티치 layer를 선택하고 Pen Tool을 사용하여 립이 들어갈 부분에 Fill 컬러 없음, Stroke 컬러 블랙으로 설정한 후 네크라인 한 가운데 지나가게 곡선을 그린다.

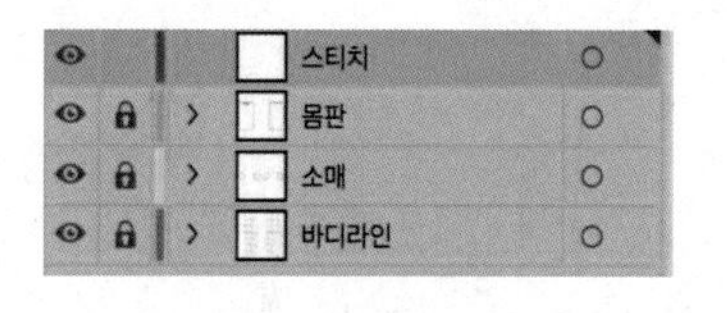

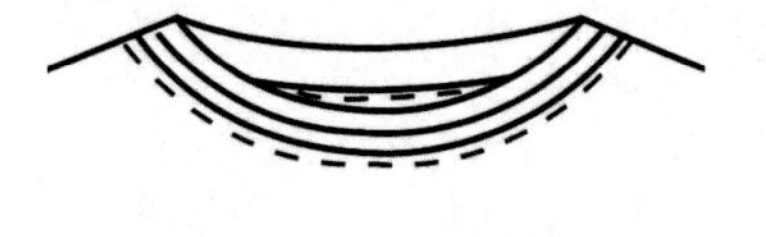

- 그려진 곡선을 Selection Tool로 선택 한 후 Stroke 패널의 Weight를 립이 들어갈 공간의 폭과 동일하게 설정한다. Dashed line을 클릭하고 dash 1pt, gap 2pt 로 설정하여 적용시켜 립 모양을 완성한다.

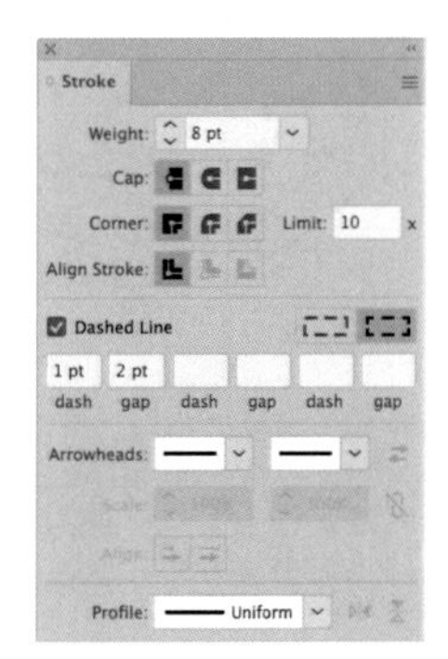

- 양 사이드 빈 공간의 경우 Stroke 패널에서 Dashed line 해제, Weight를 1pt로 설정한 후 . Pen Tool 을 사용하여 빈 공간에 선을 그려서 모양을 완성한다.

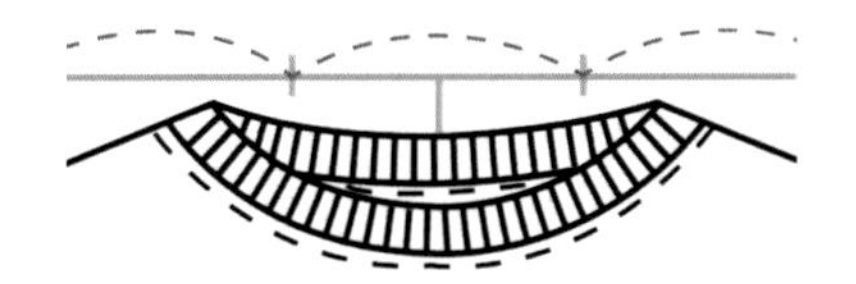

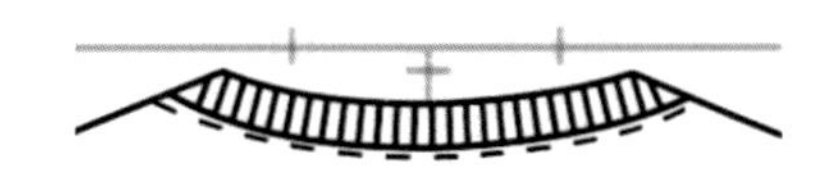

[립 형태 표현 방법 II : 브러쉬 사용]

- Fill 컬러 없음, Stroke 컬러는 블랙으로 설정한 후 앞 네크라인 립이 들어갈 곳 한 가운데 수직으로 선을 그린다.
- 수직으로 그린 선을 Selection Tool로 선택 한 후 드래그하여 Brushes 패널의 빈 공간으로 마우스 가져가면 마우스 커서 모양이 바뀐다. 이때 마우스를 놓으면 New Brush 창이 열린다. Pattern Brush를 선택하고 OK를 클릭하면 Pattern Brush Option 창이 열리는데 우선은 OK를 클릭하고 나온다. Brushes 패널에 보면 선택한 수직선이 Brush로 등록 된 것을 확인 할 수 있다.

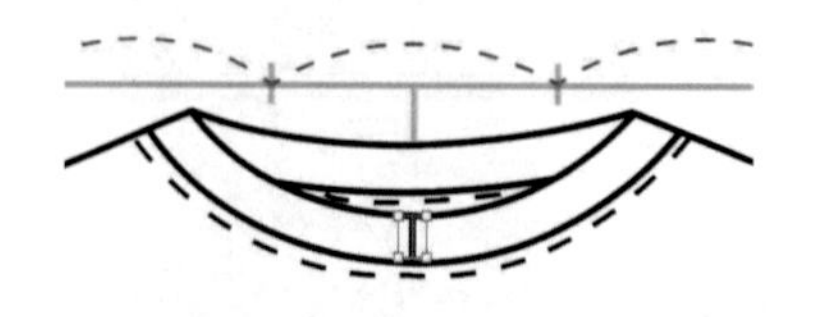

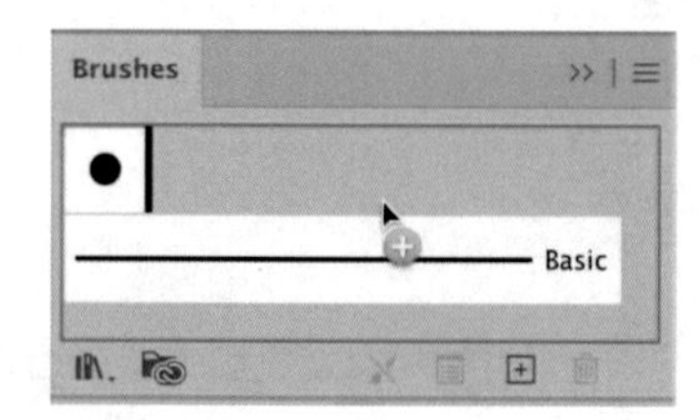

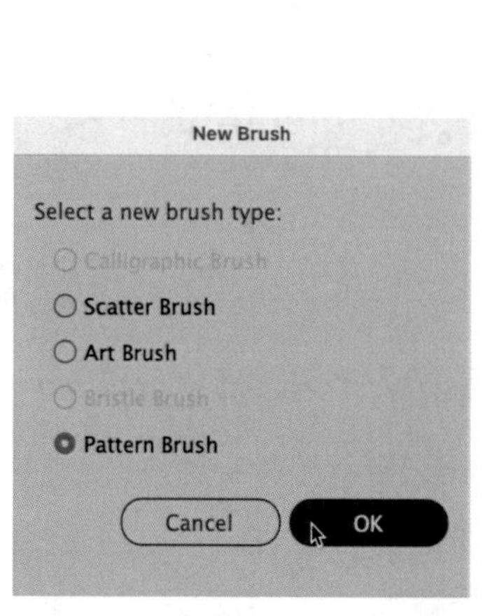

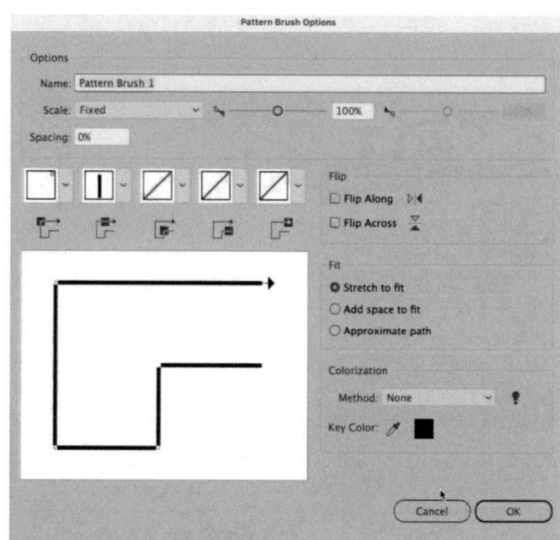

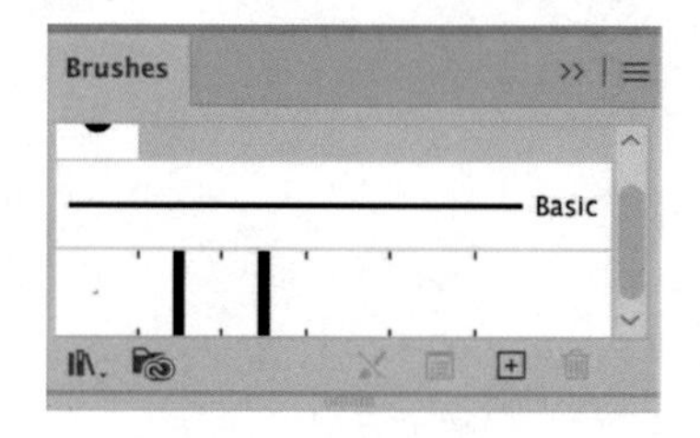

- Fill 컬러 없음, Stroke 컬러는 블랙으로 설정한 후 Pen Tool을 사용하여 립이 들어갈 부분 한 가운데 지나가게 곡선을 그린다.
- 곡선을 Selection Tool로 선택 한 후 Brushes 패널에서 방금 등록한 Brush를 선택하여 적용시킨다. 적용시킨 Brush를 더블클릭하여 Pattern Brush Option 창을 불러들인 후 Space 수치를 조절하여 Brush 간격을 원하는 간격으로 설정한 후 OK를 클릭한다. 적용 여부를 확인하는 창이 뜨면 Apply to Strokes Brush를 클릭하여 원하는 Brush 모양을 적용시킨다.

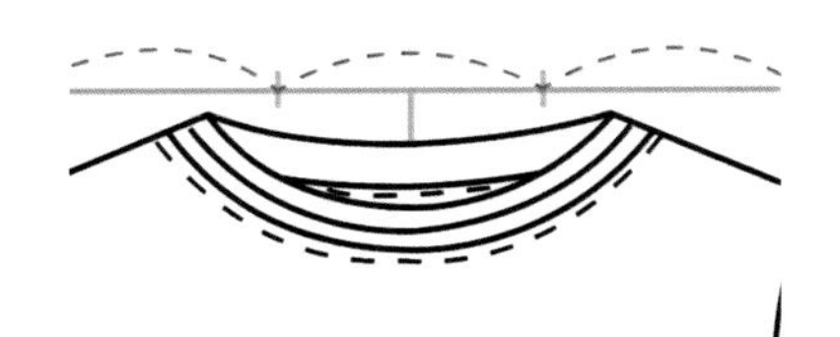

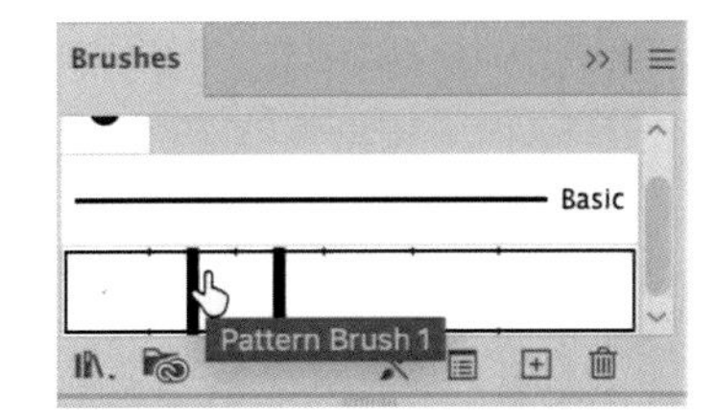

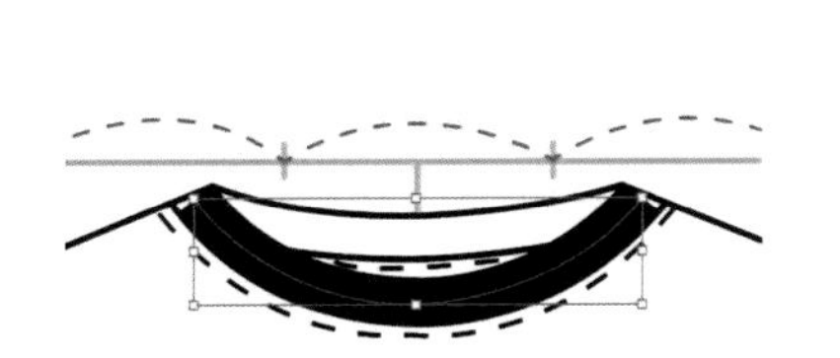

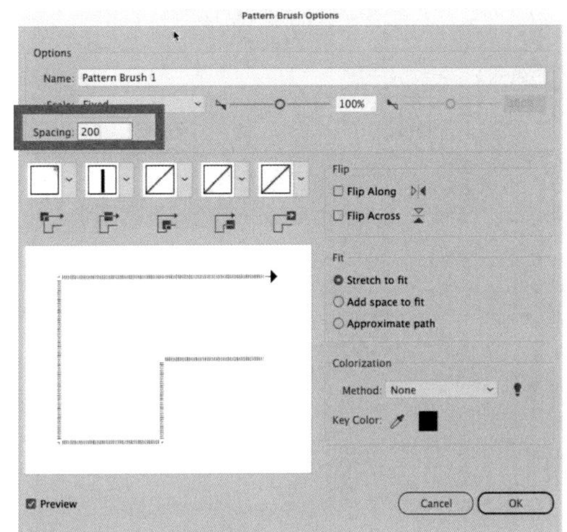

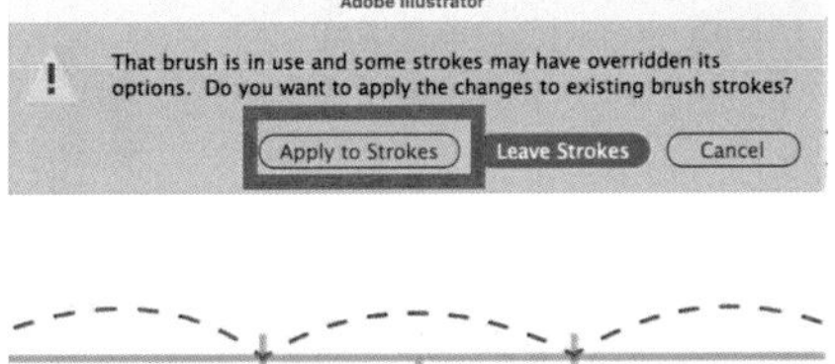

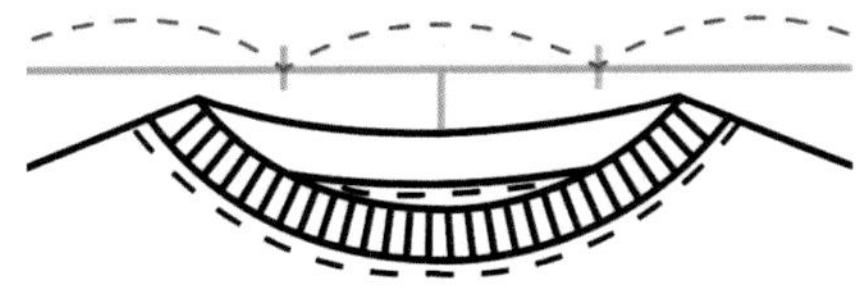

- 나머지 네크라인 부분의 경우 가운데 지나가게 곡선을 그린 후 Selection Tool로 곡선을 선택 한 후 Brushes 패널에서 방금 등록한 Brush를 선택하면 Pattern Brush Option 창의 Space 수치가 적용 된 상태가 그대로 적용되어 별도로 Pattern Brush Option를 조정 할 필요가 없다.

(Pattern Brush의 경우 Pattern Brush Option을 한번 변경하면 다

른 선에도 그대로 적용이 된다. 같은 모양인데 Pattern Brush Option을 다르게 적용하고 싶을 때에는 동일한 모양의 Brush를 복사하여 Brushes 패널에 등록한 후 Pattern Brush Option을 재 설정해서 사용해야 된다.)

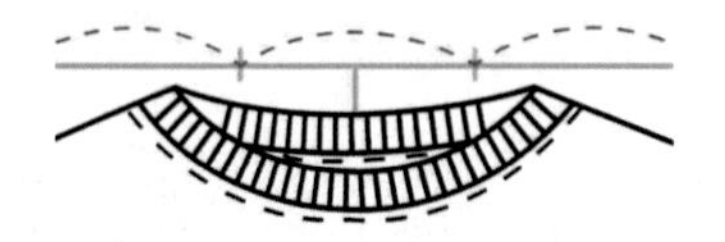
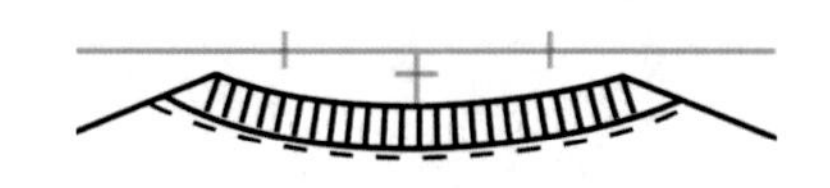

- 양 사이드에 빈 공간의 경우 Stroke 패널의 Weight를 1pt로 설정한 후 Pen Tool을 사용하여 빈공간에 선을 그려서 모양을 완성한다.

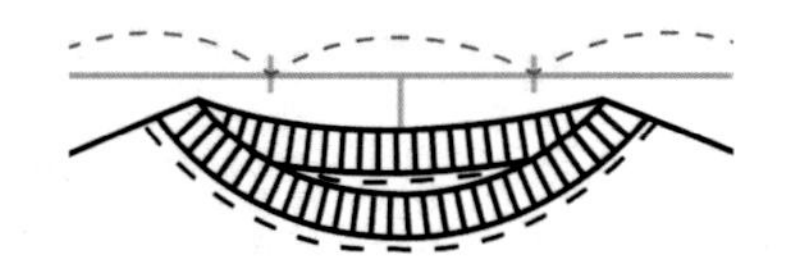
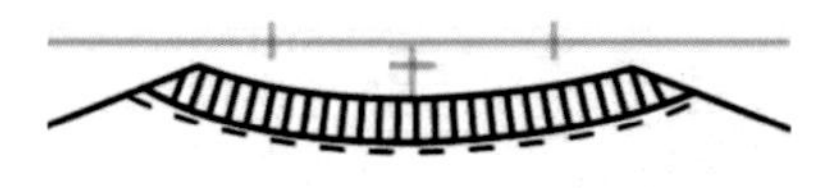

[립 형태 표현 방법 Ⅲ : 클리핑 마스크 사용]

- 스티치 layer의 Toggles Lock을 잠그고 Fill 컬러 없음, Stroke 컬러는 블랙으로 설정한 후 화면 빈 공간에 립이 들어갈 곳의 길이 보다 길게 수직선을 그린다.
- 수직으로 그린 선을 Selection Tool로 선택 한 후 드래그하여 Brushes패널의 빈 공간으로 드래그하여 등록하면 New Brush 창이 열린다. 여기서 Pattern Brush를 선택하고 OK를 클릭하면 Pattern Brush Option 창이 열리는데 우선은 OK를 클릭하고 나온다.
  Brushes 패널에 보면 선택한 수직선이 Brush로 등록 된 것을 확인 할 수 있다.

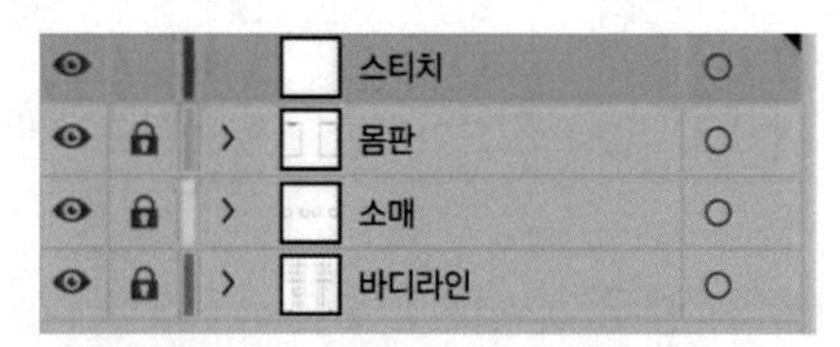

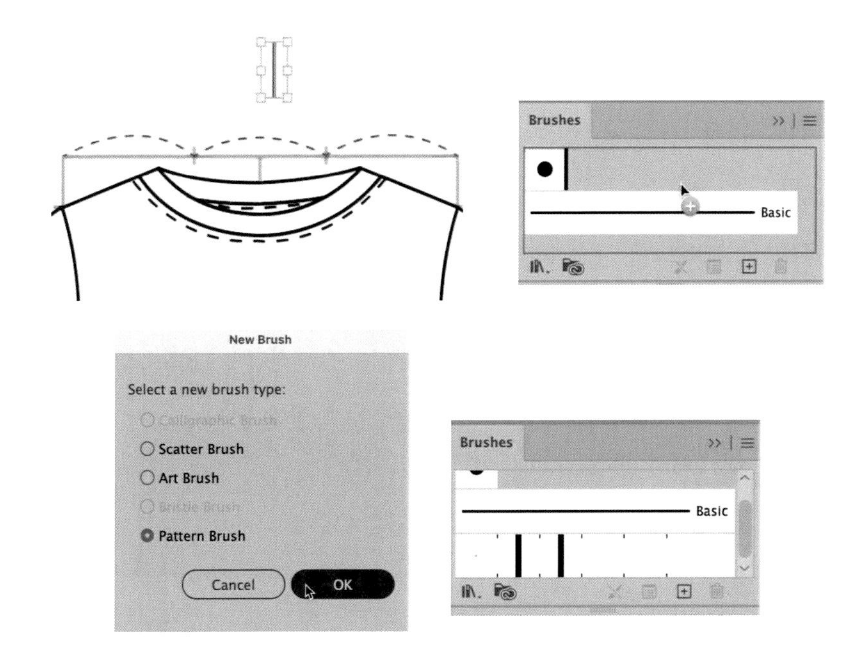

- Fill 컬러 없음, Stroke 컬러는 블랙으로 설정한 후 Pen Tool을 사용하여 빈 공간에 직선과 곡선을 그린다.
- 그려진 선을 Selection Tool로 선택 한 후 Brushes패널에서 방금 등록한 Brush를 선택하여 적용시킨다. 적용시킨 Brush를 더블클릭하여 Pattern Brush Option 창을 불러들인 후 Space 수치를 조절하여 Brush 간격을 원하는 간격으로 설정한 후 OK를 클릭한다. 적용여부를 확인하는 창이 뜨면 Apply to Strokes Brush를 클릭하여 원하는 Brush 모양을 적용시킨다.

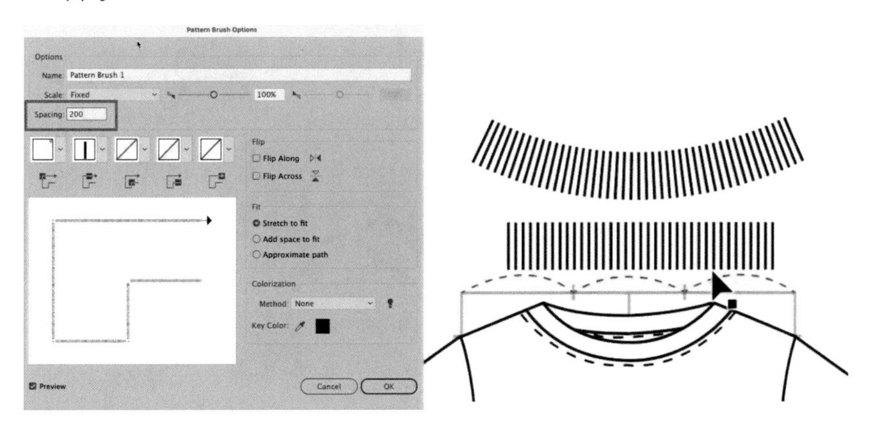

- Selection Tool로 Brush가 적용된 직선을 선택한 후 뒤 네크라인 위에 가져다 놓고 마우스 우클릭, 메뉴 중 Arrange > Send to Back 을 선택하여 뒤 네크라인 밑에 위치시킨다.
- Selection Tool로 Brush가 적용된 선과 립모양을 적용시킬 Object를 같이 선택 한 후 마우스 우클릭, 메뉴 중 Make Clipping Mask를 적용시킨다.

  (Make Clipping Mask 의 경우 Object 가 위쪽에 있고 Object 안에 들어갈 패턴이 아래쪽에 위치해 있어야 원하는 패턴이 적용된다. 또한, Object 1개와 패턴 1개만 선택하여야 Make Clipping Mask 실행이 된다)

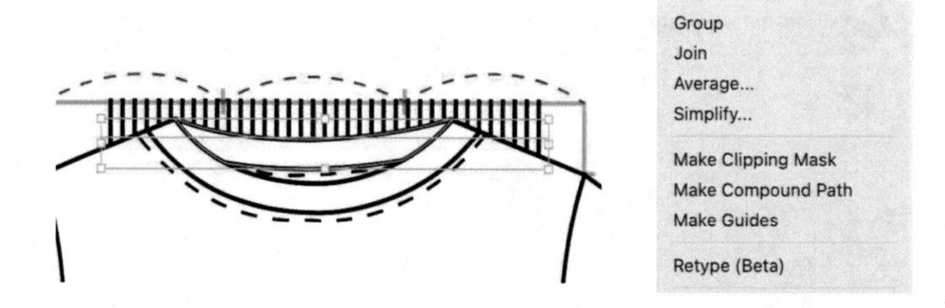

- Clipping Mask가 적용되면 Fill / Stroke 컬러가 없음으로 자동 설정이 되어진다. Clipping Mask가 적용된 부분을 선택하고 Fill 컬러 흰색, Stroke 컬러 검정으로 설정해 준다.

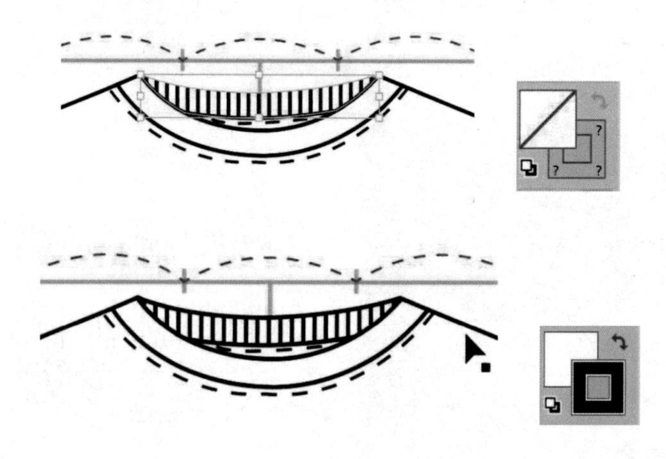

- 나머지 네크라인 부분도 동일한 방법으로 립 모양을 완성해 주면 된다.

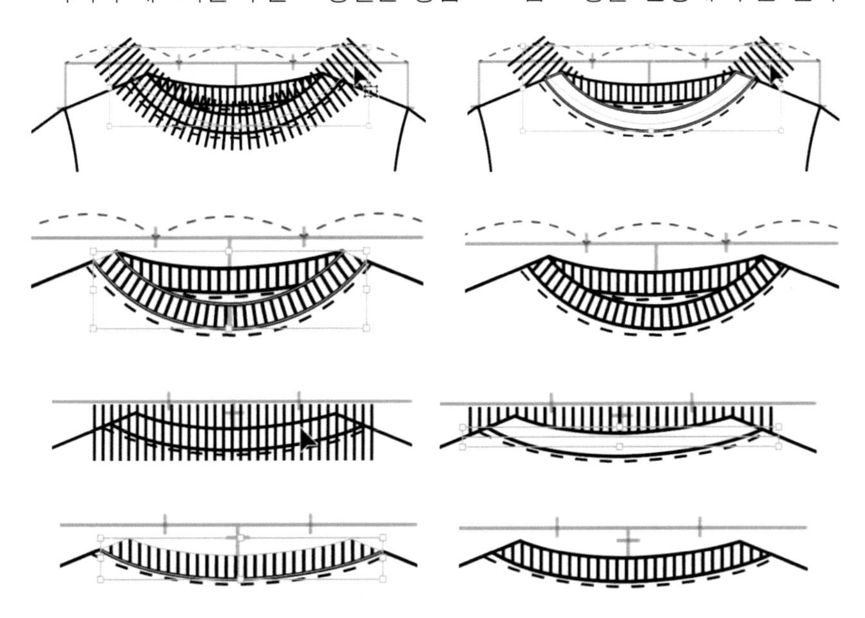

6. 셔츠 그리기

① 도식화 기본틀 바디라인 Layer의 Toggles Lock을 클릭하여 Layer 를 잠가 사용하지 못하게 한다. Create New Layer를 클릭하여 새 Layer를 추가하고 Layer 이름을 '몸판' 이라고 바꿔 준다.

② Toolbox에서 Fill 컬러 없음, Stroke 컬러 블랙, 옵션 바 또는 Stroke 패널에서 Weight 1pt(선의 두께)로 설정 한다.

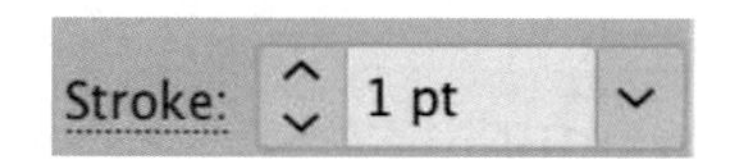

③ Pen Tool로 도식화 기본틀 가운데를 중심으로 반쪽만 그린다.
네크라인은 앞목점에서 옆목점을 연결하여 곡선으로 그린 후 어깨, 진동, 옆선, 밑단 순서로 반쪽만 그린다.

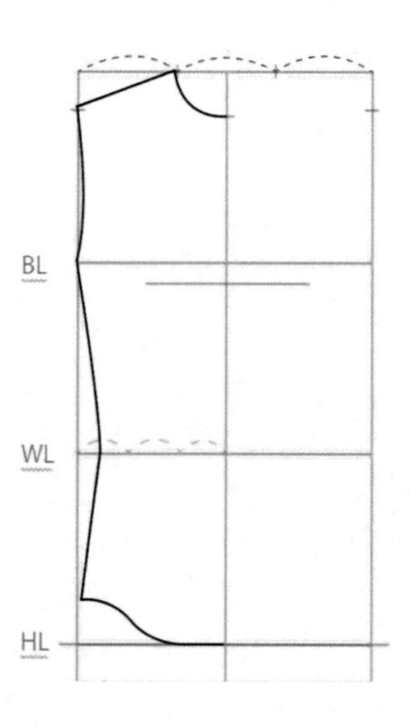

④ Toolbox에서 Selection Tool 셔츠 반쪽을 선택 한다.

Toolbox에서 Reflect Tool을 선택한 후 Alt 키를 누른 상태에서 도식화틀 중심을 클릭하여 Reflect Tool의 대칭 축을 옮겨 준다. Reflect Tool Option 창이 나오면 Axis > Vertical 선택하고 Preview 를 체크하여 이동된 위치를 확인 한 후 Copy를 클릭하여 나머지 반쪽 형태를 완성한다.

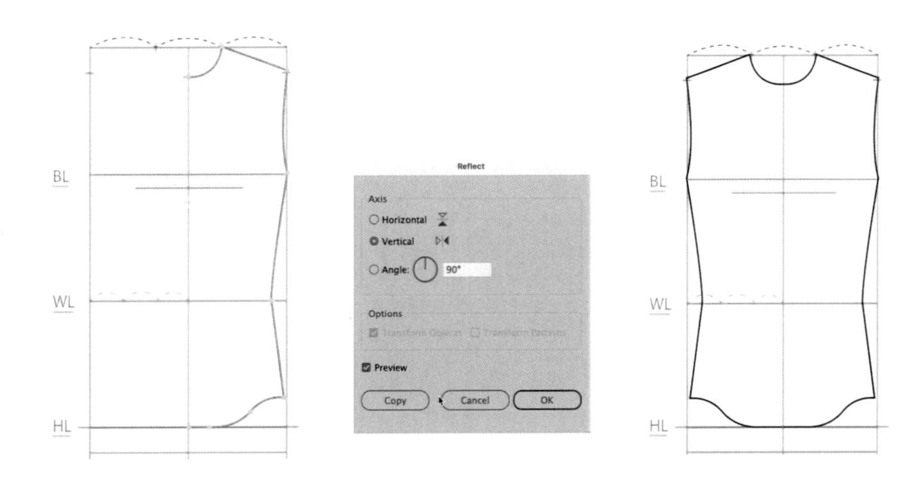

⑤ Toolbox에서 Direct Selection Tool을 선택한 후 드래그하여 셔츠 네크라인 중앙에 있는 두개의 Anchor Point를 선택한다. 마우스 우클릭, 메뉴 중 Join을 선택하면 두개의 Anchor Point 가 연결된다.
셔츠 밑단 부분에 있는 두개의 Anchor Point를 선택한 후 동일한 방법으로 연결시켜 두개의 선을 하나의 Object로 만들어 준다.
(Join은 두 개점 이외 다른 것들이 선택되면 실행되지 않는다)

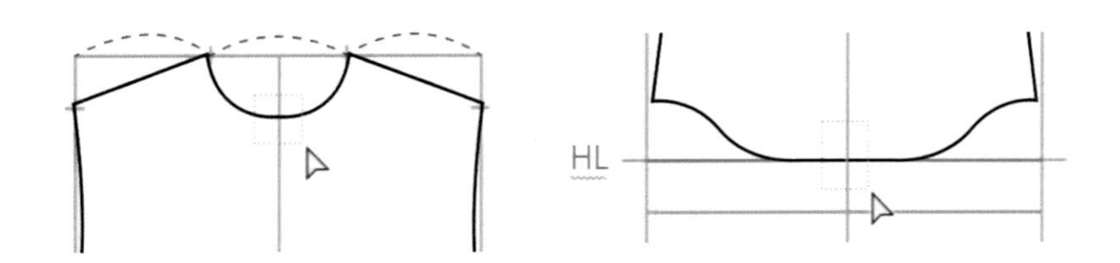

⑥ 앞면 몸판 기본 형태가 완성되면 Selection Tool 로 선택한 후 Alt 키를 누른 상태에서 드래그(선택한 오브젝트가 복사 된다)하여 뒷면 도식화 틀에 가져가 뒷면 기본 형태를 완성한다.

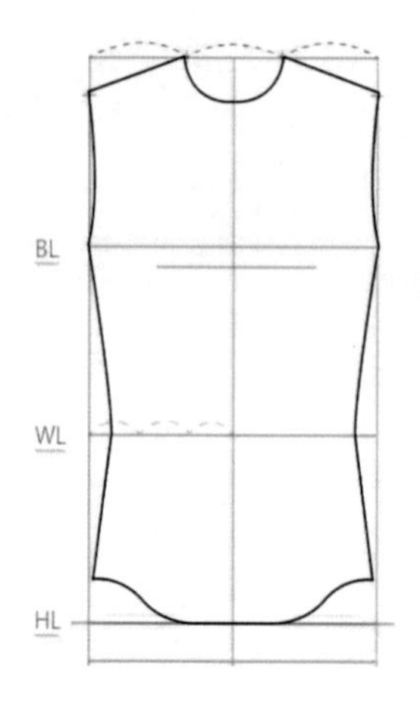

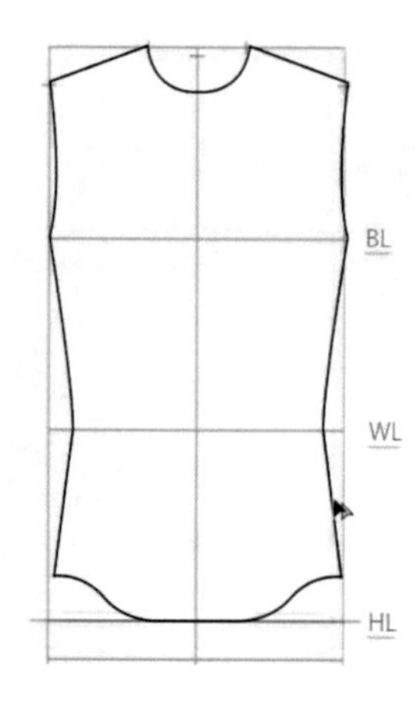

⑦ 앞면 중심선을 기준으로 양쪽으로 같은 넓이로 수직 Guide Line(안내선) 2개의 위치를 설정한다.

Selection Tool 로 Guide Line (안내선) 2개와 앞면을 선택하여 Pathfinde 패널, Pathfindes > Divide로 절개하여 앞면 여밈부분을 완성한다.

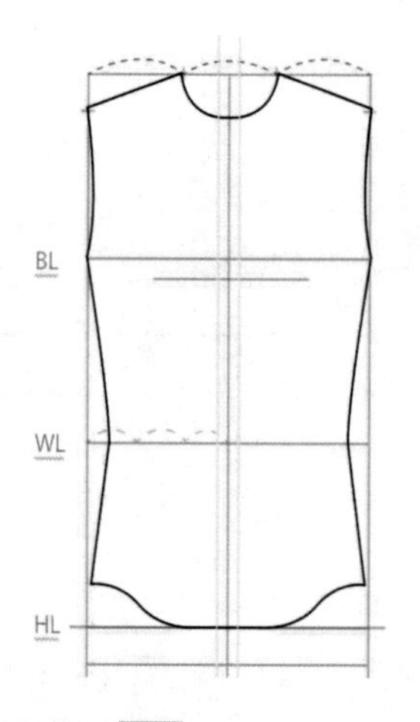

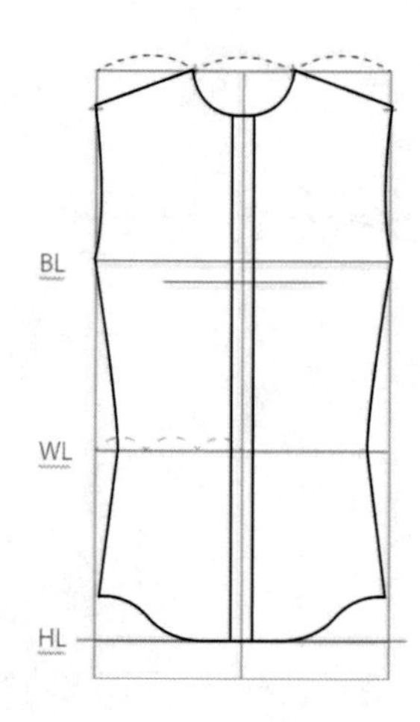

⑧ 뒤 몸판을 Direct Selection Tool을 선택한 후 네크라인 중앙에 있는 점을 Delet Anchor Point Tool 로 삭제한다. Direct Selection Tool 로 옆목점에 있는 점을 선택하여 곡선을 모양을 수정하기 위한

Handle(방향선)을 보여지게 한 후 Handle(방향선)을 움직여 네크라인 곡선 모양을 수정한다.

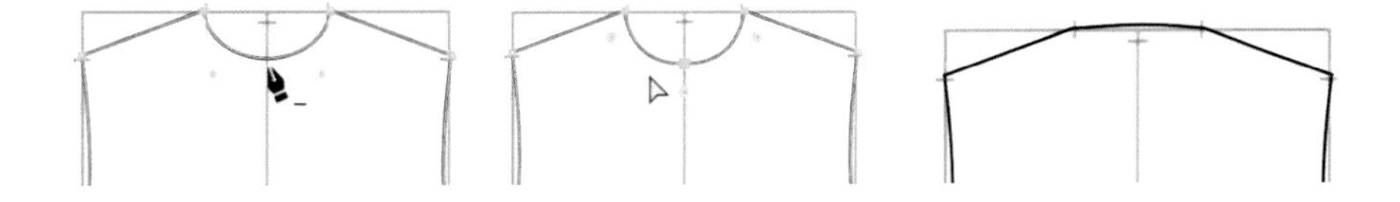

⑨ 뒷면 중심선에 맞춰 수직 Guide Line(안내선)의 위치를 설정한다.

Selection Tool 로 Guide Line (안내선)과 뒷면을 선택하여 Pathfinde 패널, Pathfindes > Divide로 뒷면 중앙 절개라인을 완성한다.

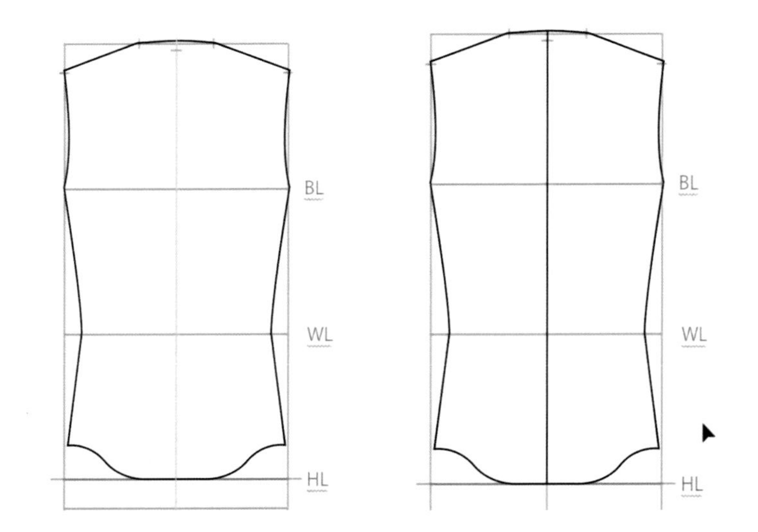

⑩ Pen Tool로 뒷면 암홀 다트 라인을 몸판 보다 더 밖으로 선이 나가게 그린다. Selection Tool로 한쪽 암홀 다트선을 선택한다. Reflect Tool을 선택한 후 Alt 키를 누른 상태에서 도식화틀 중심을 클릭하여 Reflect Tool의 대칭 축을 옮겨 준다.

Reflect Tool Option 창이 나오면 Axis > Vertical 선택하고 Preview 를 체크하여 이동된 위치를 확인 한 후 Copy를 클릭하여 반대쪽 다트라인을 완성한다.

Selection Tool 로 암홀 다트라인 2개와 뒷면을 선택하여 Pathfinde

패널, Pathfindes > Divide를 클릭하여 뒤판 암홀 다트 라인을 완성한다.

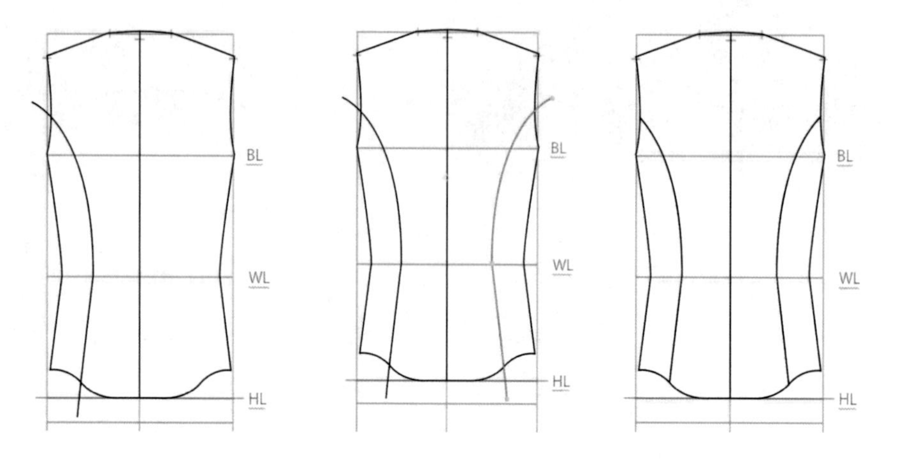

⑪ 앞/뒤 몸판 전체를 선택 후 Fill 컬러를 흰색으로 설정하여 앞/뒤 몸판 형태를 확인한다.

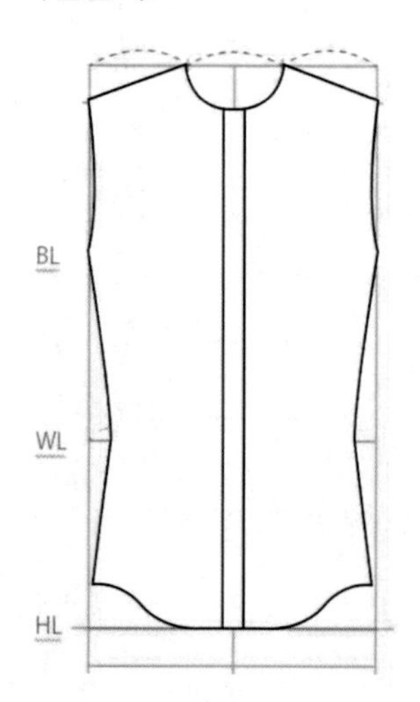

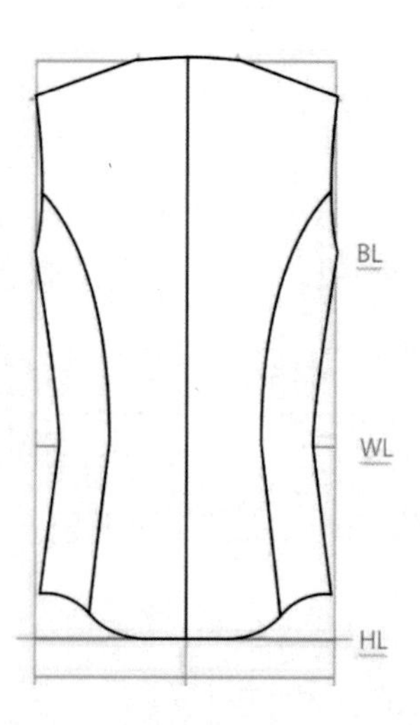

⑫ 몸판 Layer의 Toggles Lock을 잠그고 Create New Layer 클릭하여 새 Layer를 추가하고 Layer 이름을 '소매' 라고 바꿔준다.

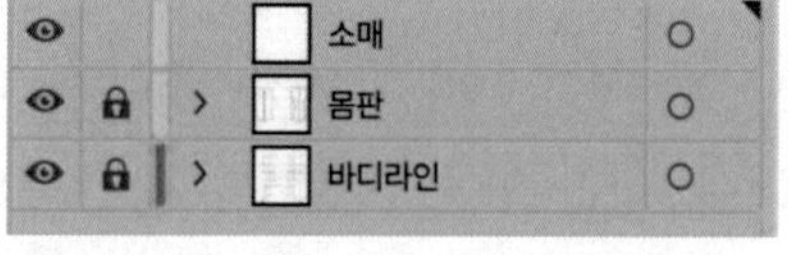

⑬ Pen Tool 로 어깨 끝점에서 시작하여 소매길이 1/4 지점에 점을 클릭 드래그하여 어깨 끝점 부분이 곡선이 되게 그리고 나머지 부분은 직선으로 그린다. 소매 길이는 커프스가 있으므로 원래 소매 길이보다 조금 길게 그린다. 진동위치까지는 소매 형태를 정확히 그리고 몸판과 겹쳐지는 부분은 자유롭게 그린다. 소매 부리는 소매선 라인에 직각이 되게 그린다.
(소매길이는 어깨점을 중심으로 밑위선 위치까지를 반지름으로 원을 그렸을 때 지나가는 원의 위치가 소매길이가 된다)

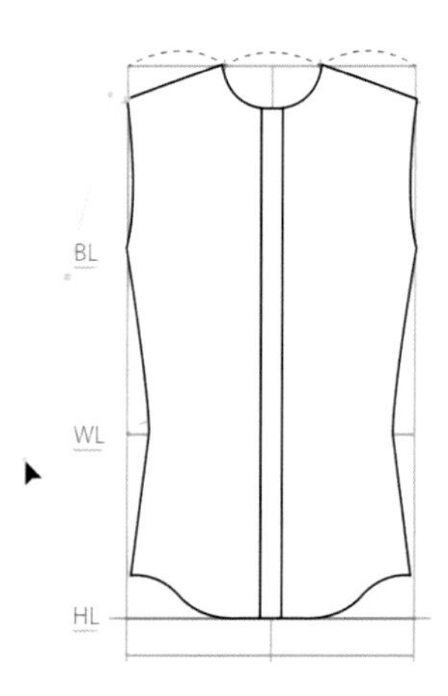

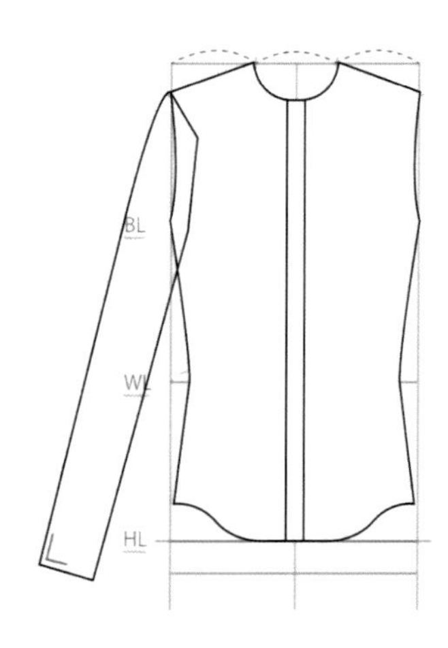

⑭ Pen Tool로 커프스 위치에 소매 부리와 평행하게 선을 그린다.
Selection Tool 로 소매와 커프스 선을 선택 한 후 Pathfinde 패널, Pathfindes > Divide로 소매 부분과 커프스 부분을 나눠 소매 형태를 완성한다.

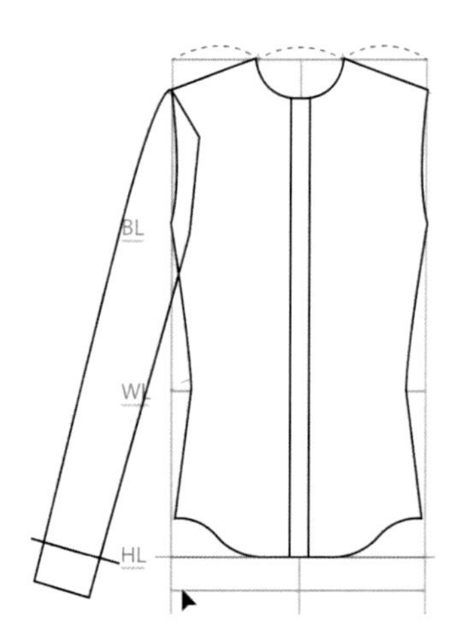

⑮ Selection Tool 한쪽 소매를 선택 한다. Reflect Tool을 선택한 후 Alt 키를 누른 상태에서 도식화틀 중심을 클릭하여 Reflect Tool의 대칭 축을 옮겨준다. Reflect Tool Option 창이 나오면 Axis > Vertical 선택하고 Preview 를 체크하여 이동된 위치를 확인 한 후 Copy를 클릭하여 반대쪽 소매를 완성한다.

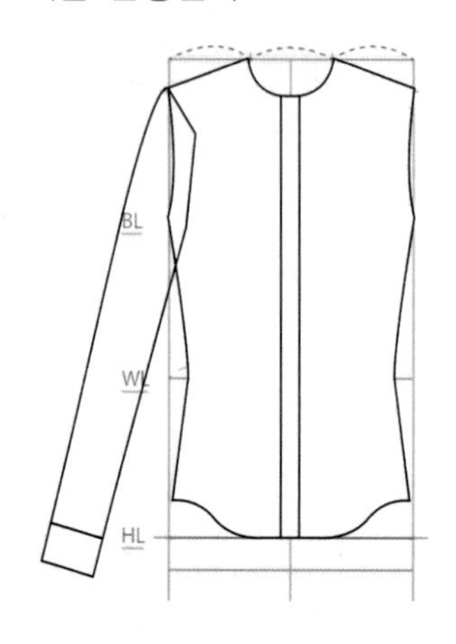

⑯ 앞판 양쪽 소매 형태가 완성되면 Selection Tool 로 양쪽 소매를 선택 한 후 Alt 키를 누른 상태에서 드래그(선택한 오브젝트가 복사된다)하여 뒤몸판 소매 위치에 가져가 뒷면 소매 기본 형태를 완성한다.

⑰ 뒷면 소매 커프스 부분에 Pen Tool로 트임선을 그리는데 트임이 끝나는 위치부터 시작하여 커프스 밖으로 나가게 직선을 길게 그린다. Selection Tool로 트임선을 선택한 후 Reflect Tool을 사용하여 반대쪽 소매에 트임선을 복사해 놓는다. Selection Tool 로 양쪽 소매와 트임선 2개를 선택 한 후 Pathfinde 패널에서 Pathfindes > Divide 클릭하여 트임선을 완성한다.

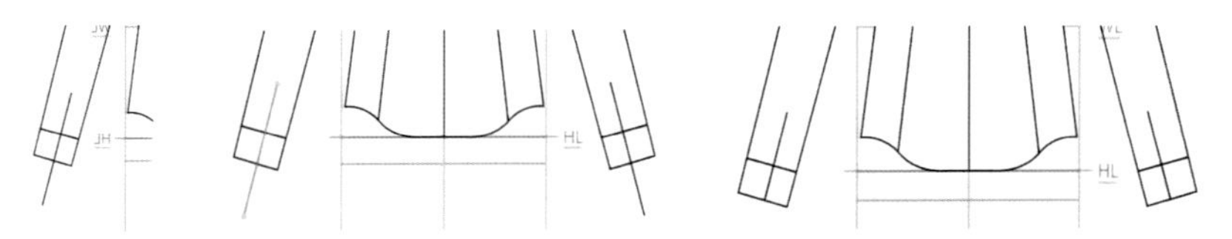

⑱ 소매가 완성되면 앞/뒤 소매 Layer를 드래그하여 몸판 Layer 밑으로 이동시킨다. (Layer를 선택하여 드래그하여 원하는 위치에 선이 표시 되어질 때 마우스버튼을 놓으면 Layer가 이동된다)
앞/뒤 소매를 선택 후 Fill 컬러를 흰색으로 설정하여 소매 형태를 확인한다.

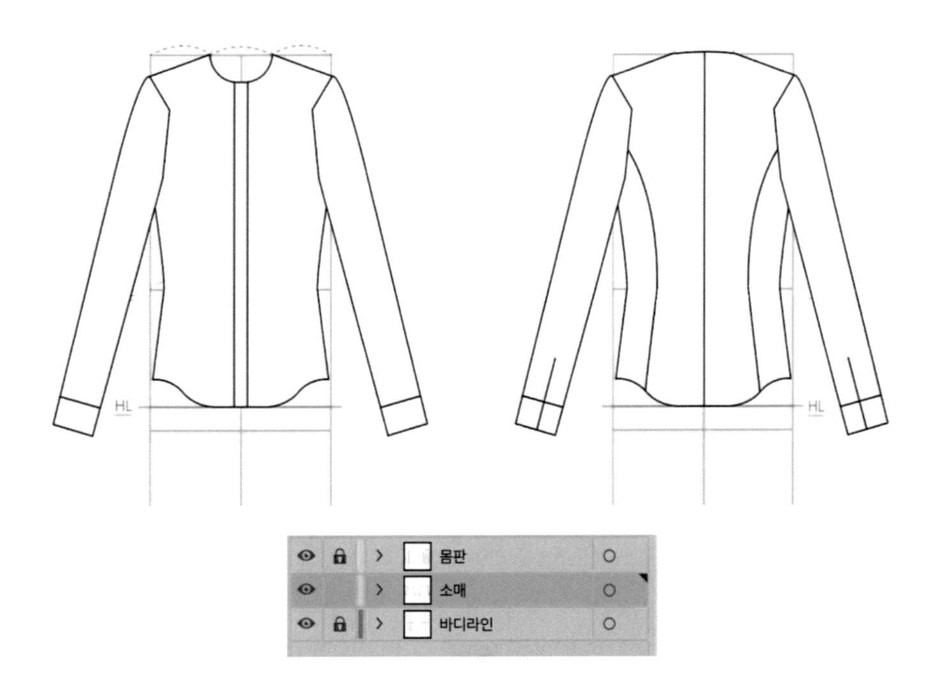

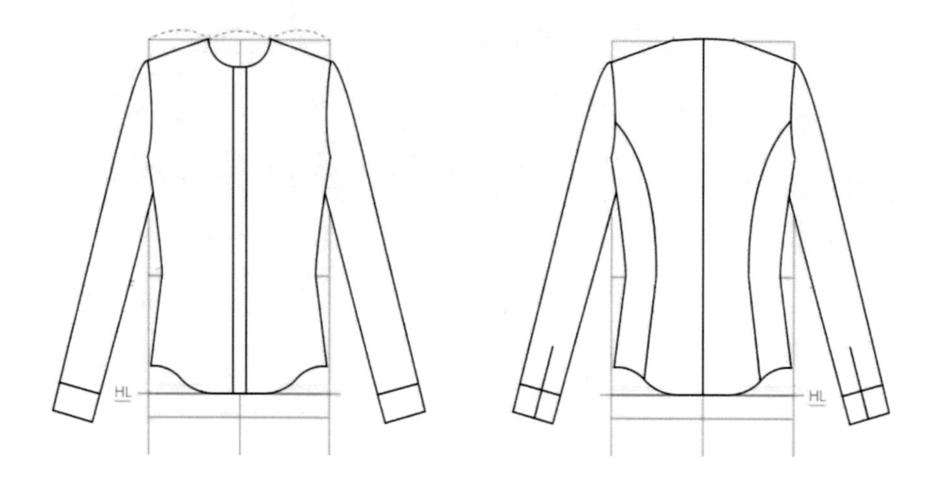

⑲ 몸판 Layer의 Toggles Lock을 잠그고 Create New Layer 클릭하여 새 Layer를 추가하고 Layer 이름을 '칼라' 라고 바꿔준다.

⑳ Pen Tool로 한쪽 밴드 칼라를 그린다. 여밈분 앞쪽 모서리 Anchor point를 Direct Selection Tool로 선택 한 후 원모양에 커서를 가져가 드래그하여 원하는 곡선으로 만들어 준다.

한쪽 밴드 칼라를 Selection Tool로 선택한다. Reflect Tool을 선택 한 후 Alt 키를 누른 상태에서 도식화틀 중심을 클릭하여 Reflect Tool의 대칭축을 옮겨준다. Reflect Tool Option 창이 나오면 Axis > Vertical 선택하고 Preview 를 체크하여 이동된 위치를 확인 한 후 Copy를 클릭하여 반대쪽 밴드 칼라를 완성한다.

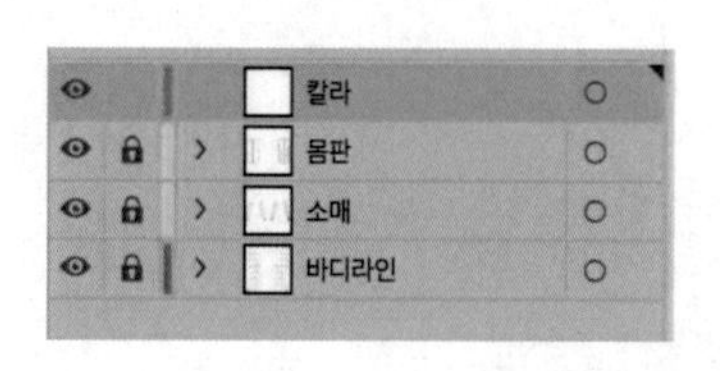

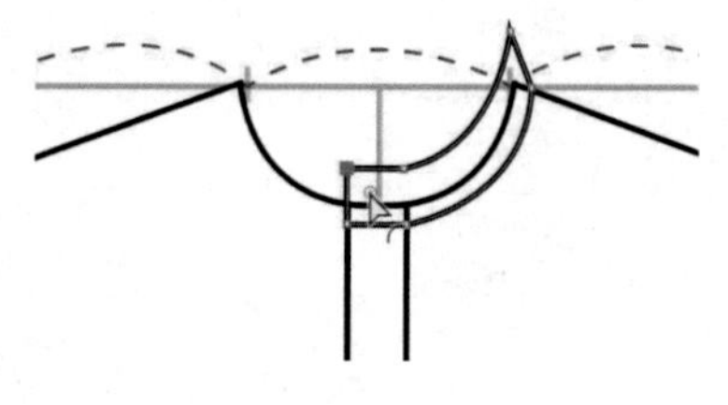

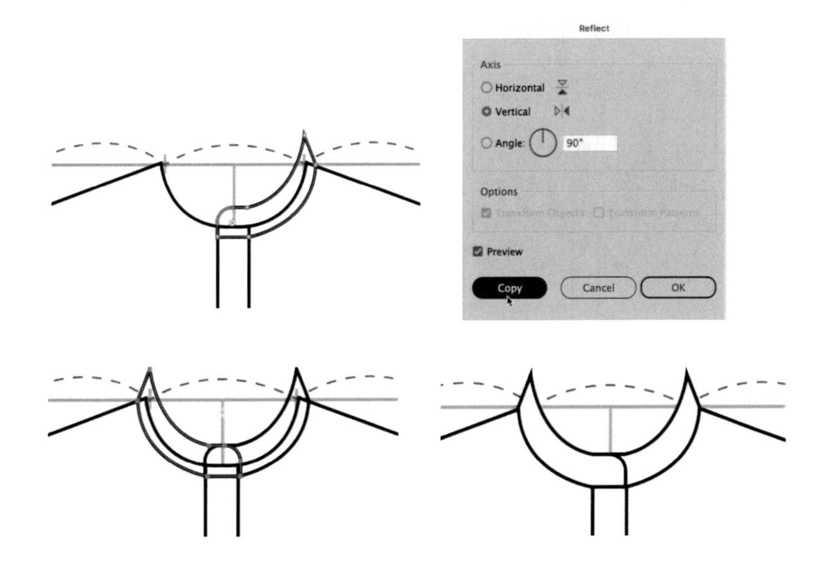

㉑ Selection Tool로 양쪽 밴드 칼라를 선택 한 후 메뉴에서 Object > Look > Selection 을 선택하여 밴드 칼라가 선택되어 지지 않게 잠가 준다. (Object > Look > Selection 메뉴의 경우 추가적으로 원하는 Object를 사용하지 못하게 잠가 줄 수 있다. 단, 잠금 해제는 Object > Unlook 으로 풀어 줄 수 있는데 잠금 처리된 Object 전체가 잠금 해제된다)

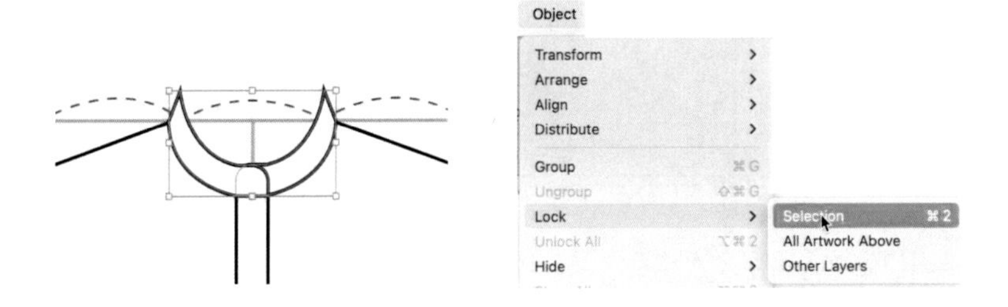

㉒ Pen Tool로 앞 밴드 칼라와 도식화 중심선이 만나는 지점에서 시작하여 한쪽 칼라 모양을 완성한다.

완성된 한쪽 칼라를 Selection Tool로 선택한다. Reflect Tool을 선택한 후 Alt 키를 누른 상태에서 도식화틀 중심을 클릭하여 Reflect Tool의 대칭축을 옮겨준다. Reflect Tool Option 창이 나오면 Axis > Vertical

선택하고 Preview 를 체크하여 이동된 위치를 확인 한 후 Copy를 클릭하여 반대쪽 칼라를 완성한다.

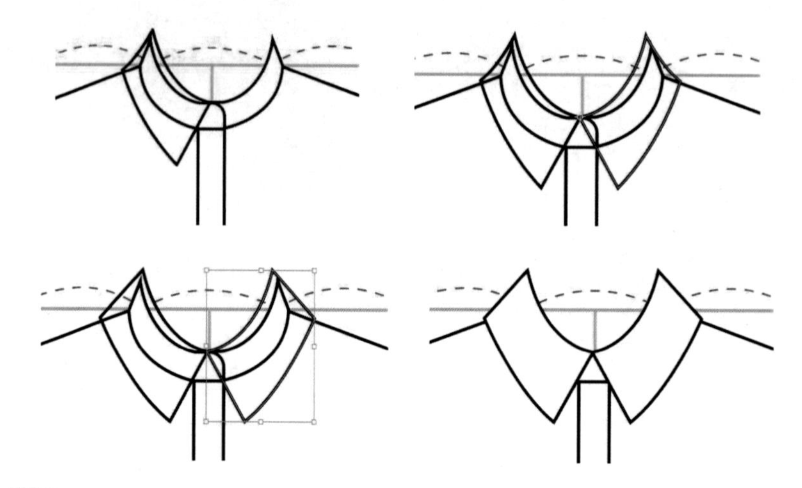

㉓ Pen Tool로 칼라 뒤쪽 부분 그린다. 단 앞쪽 칼라 모양에서 벗어나지 않게 그린다. Fill 컬러를 흰색으로 설정 한 후 마우스 우클릭, 메뉴 중 Arrange > Send to Back 으로 아래쪽 위치로 이동시킨 후 칼라 형태를 확인한다.

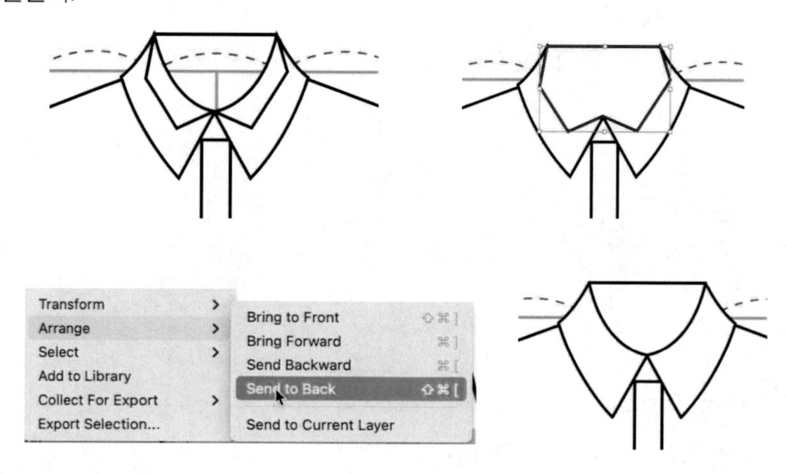

㉔ 칼라 뒤쪽 부분의 밴드 칼라의 모양을 그리기 위해 수평 Guide Line(안내선) 2개의 위치를 설정한다. 칼라 뒤쪽 부분 object와 Guide Line(안내선) 2개를 선택 한 후 Pathfinde 패널, Pathfindes > Divide를 클릭하여 칼라

뒷 부분의 밴드 칼라 형태를 완성한다.

(Illustrator의 경우 기본 세팅이 마지막으로 작업한 Object가 맨 위에 위치하게 되어져 있다. 마우스 우클릭 메뉴 중 Arrange > Send to Back 으로 아래쪽 위치로 이동시킨다.)

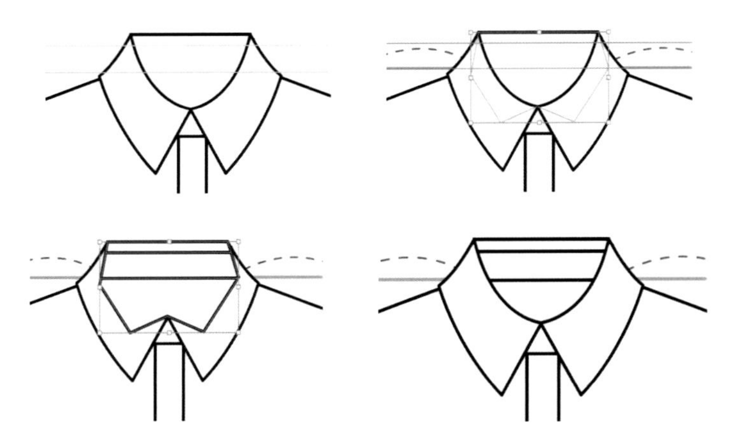

㉕ 뒷면 몸판 칼라 모양을 그리기 위해 앞 칼라 높이에 맞춰 수평 Guide Line(안내선) 2개를 설정한다. Guide Line(안내선)에 맞춰 Pen Tool로 뒷면 칼라 형태를 완성한다.

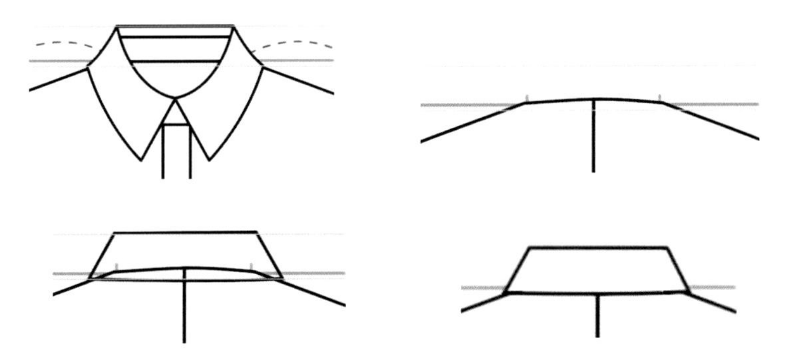

㉖ 칼라 Layer의 Toggles Lock을 잠그고 Create New Layer 클릭하여 새 Layer를 추가하고 Layer 이름을 '디테일' 이라고 바꿔준다.

Ellipse Tool을 선택하고 Shift + Alt + 드래그(가운데부터 정원이 그려진다) 하여 밴드칼라 위치에 첫번째 단추를 그린다.

첫번째 단추를 Selection Tool로 선택하고 Ctrl+C 로 복사한 후 Ctrl+F

로 앞쪽에 붙이기를 한다. 키보드 방향키 중 Page Down 키(아래로 내리는 방향)를 이용하여 두번째 단추 위치로 이동시킨다. 두번째 단추와 동일한 방법으로 맨 아래 단추를 그린다.

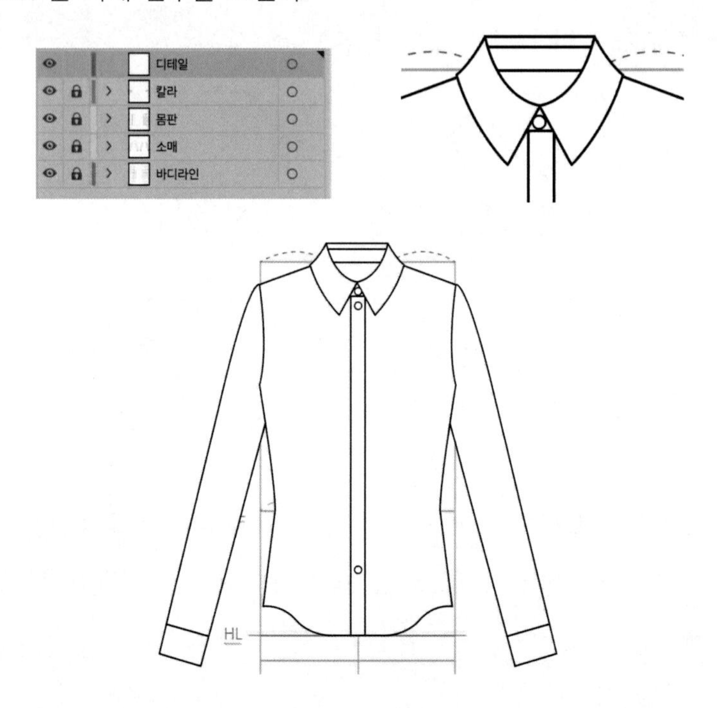

㉗ Toolbox에서 Blend Tool을 선택한다. 첫번째 단추 한가운데를 선택한 후 마지막 단추 한 가운데를 선택한다. 두 단추 사이에 여러개의 단추가 생성되면 Blend Tool을 더블 클릭하여 Blend Option창을 불러 들인다. Spacing 메뉴 중 Specified Steps에 두 단추 사이에 들어갈 숫자 4를 입력하면 두 개의 단추 사이에 4개의 단추가 그려진 것을 확인 할 수 있다. OK를 클릭하여 단추 갯수를 확정한다.

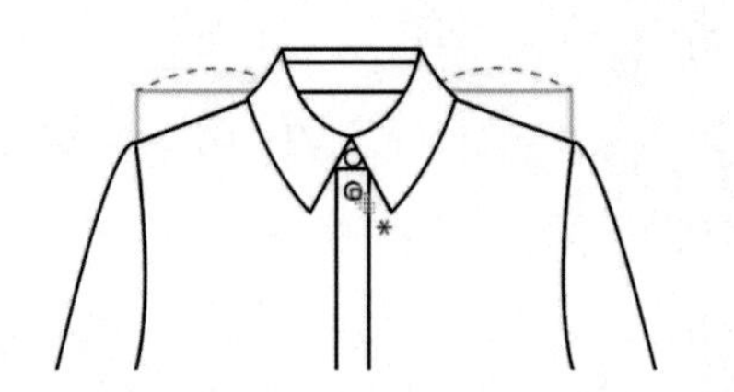

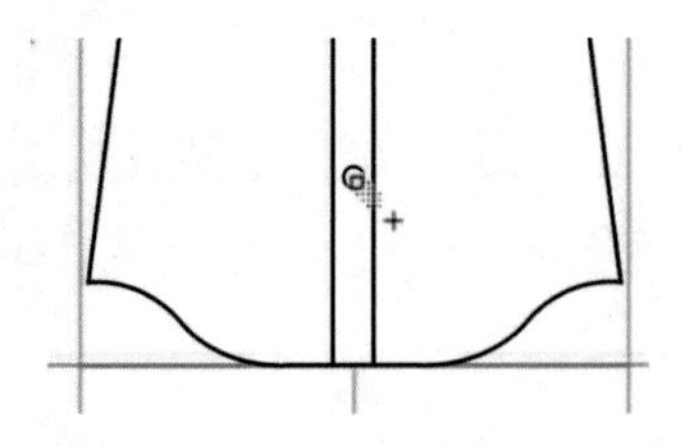

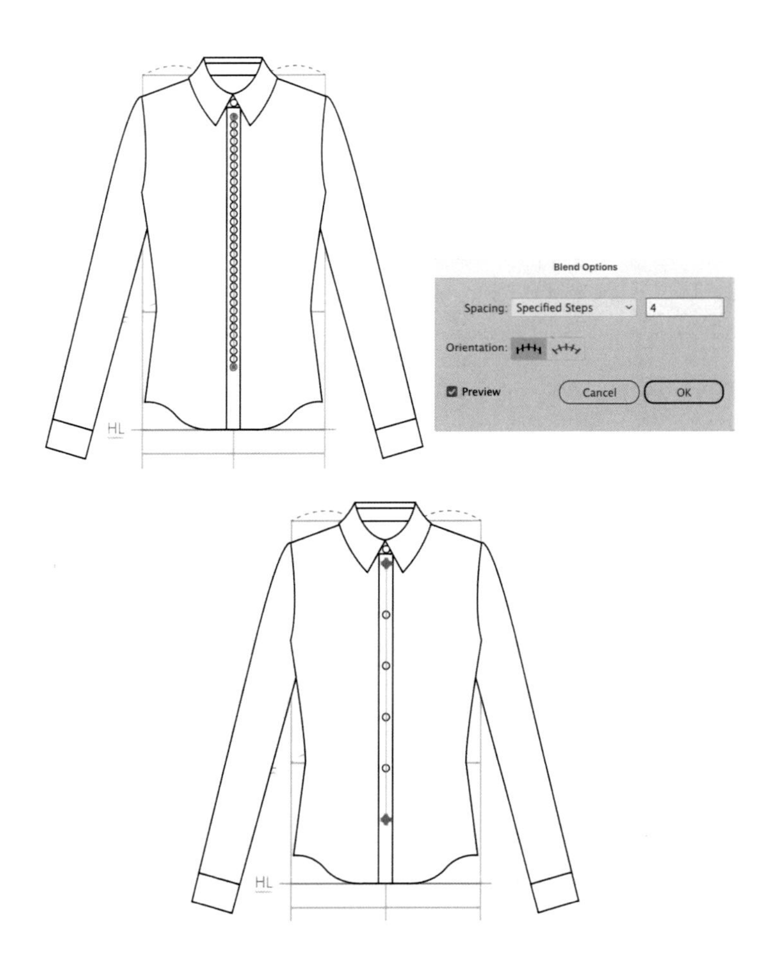

㉘ Blend Tool로 만들어진 Object는 개별 선택이 되지 않는다. Blend Tool로 만들어진 단추를 선택 한 후 Object > Expend 를 선택하면 Expend 창이 열리면 Object, Fill, Stroke 를 체크한 후 OK 를 클릭하고 나오면 Blend Tool로 만들어진 Object가 개별 Object로 변환 되어진 것을 확인 할 수 있다.

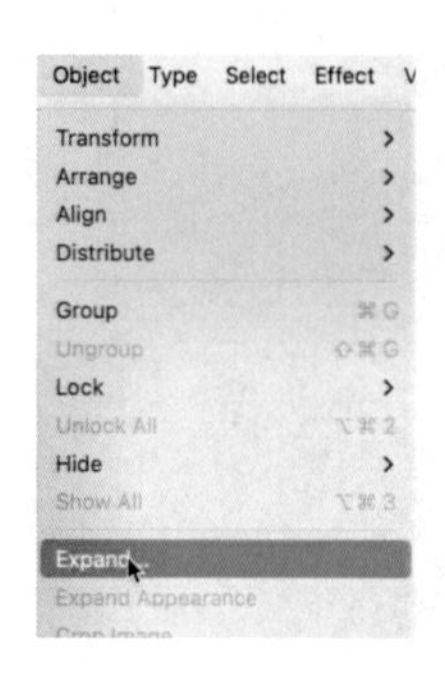

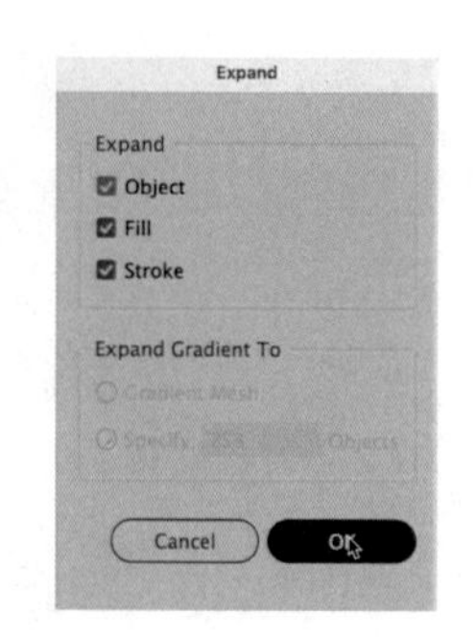

㉙ 단추 하나를 Ctrl+C, Ctrl+V 로 복사 붙이기 한 후 Selection Tool로 이동시켜 소매 커프스 단추를 완성한다. Fill 컬러를 없음으로 설정하고 Pen Tool를 앞면의 허리 다트를 그린다.

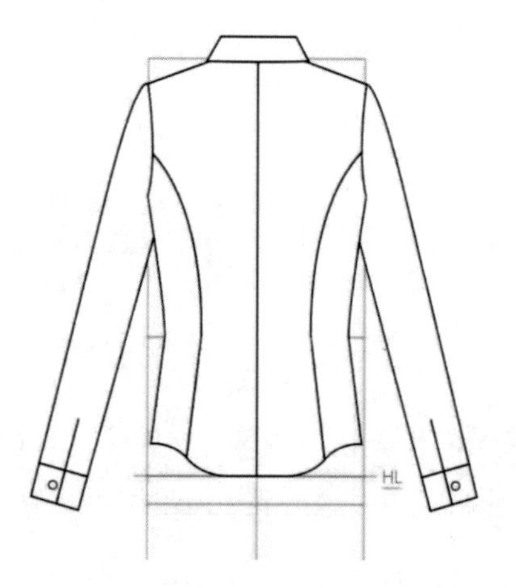

㉚ 디테일 Layer의 Toggles Lock을 잠그고 Create New Layer 클릭하여 새 Layer를 추가하고 Layer 이름을 '스티치' 라고 바꿔준다.
Stroke 패널에서 Weight 0.75pt로 설정, Dashed Line 체크, Dash 3~5pt로 설정한 후 스티치를 그려준다.

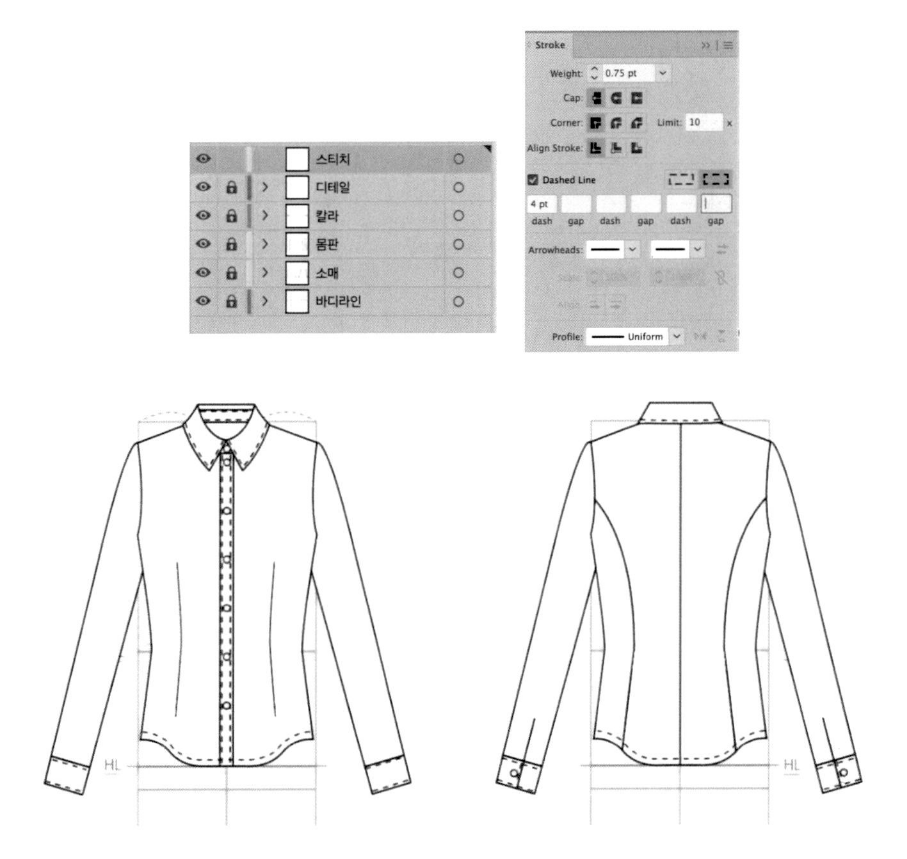

㉛ 셔츠가 완성이 되면 Layer패널에서 바디라인 Layer의 Toggles Visibility를 클릭하여 바디라인이 보이지 않게 가려 주면 셔츠 도식화가 완성된다.

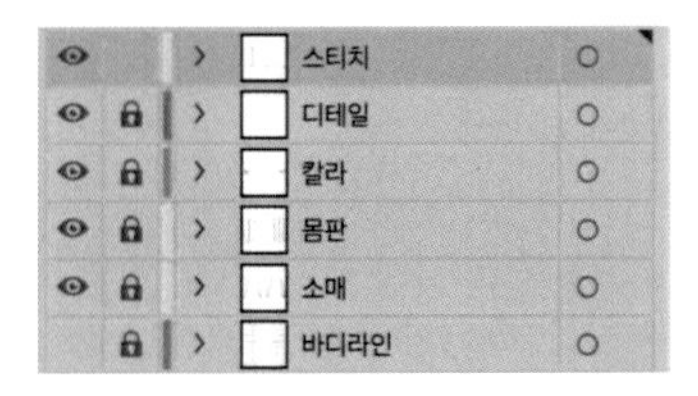

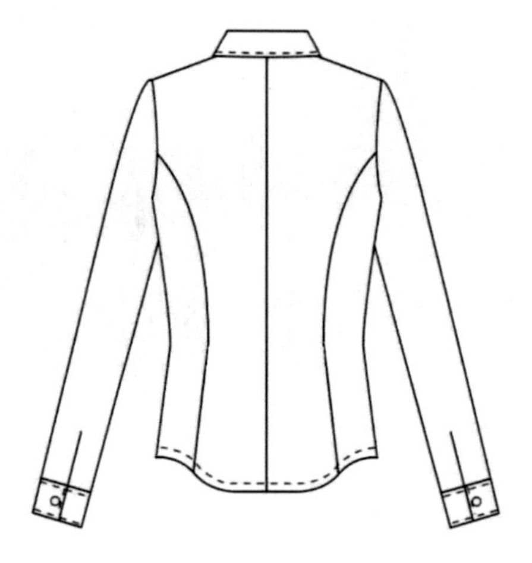

7. 원피스 그리기

① 도식화 기본틀 바디라인 Layer의 Toggles Lock을 클릭 Layer를 잠가 사용하지 못하게 한다. Create New Layer를 클릭하여 새 Layer를 추가하고 Layer 이름을 '몸판' 이라고 바꿔 준다.

② Toolbox에서 Fill 컬러 없음, Stroke 컬러 블랙, 옵션 바 또는 Stroke 패널에서 Weight 1pt(선의 두께)로 설정 한다.

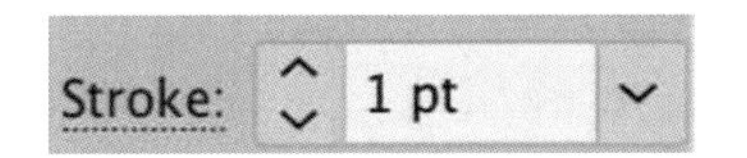

③ 슬리브리스의 경우 어깨라인 일부만 필요하기 때문에 Pen Tool을 사용하여 옆목점과 어깨점을 연결하여 어깨선을 먼저 그린다.
원피스 네크라인 센터 위치에 맞춰 수평 Guide Line(안내선) 을 설정한다.
도식화 기본틀 중심 네크라인 위치에서 시작하여 원피스 기본 형태 반쪽만 그린다. 원피스 반쪽 기본 형태가 완성되면 먼저 그려 놓은 어깨선과 Guide Line(안내선)을 삭제한다. (밑단은 우선 직선으로 그린다)

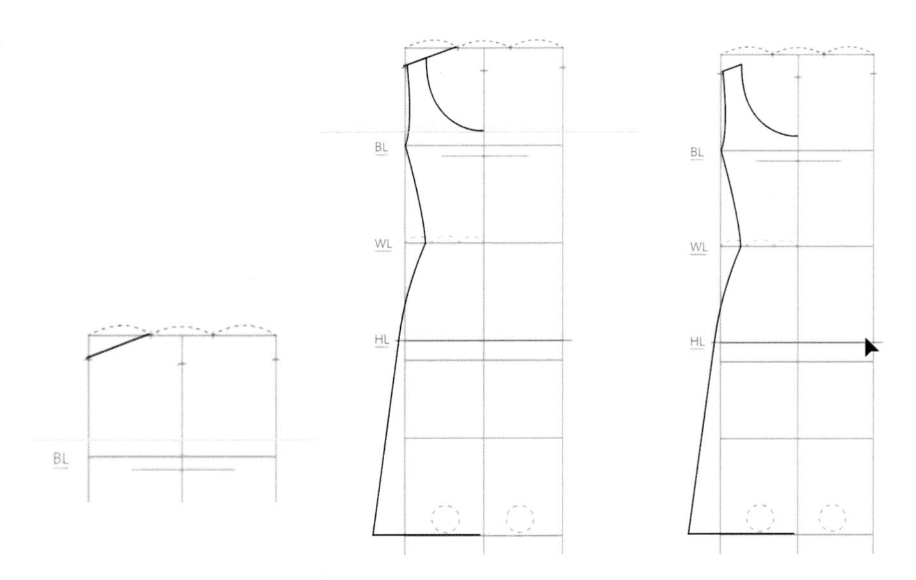

④ 플레어 스커트 주름 형태를 만들기 위해 밑단에 Add Anchor point Tool로 Anchor point를 추가 한 후 Anchor point Tool과 Direct Selection Tool을 사용하여 밑단의 모양을 플레어 주름 모양으로 바꿔준다.

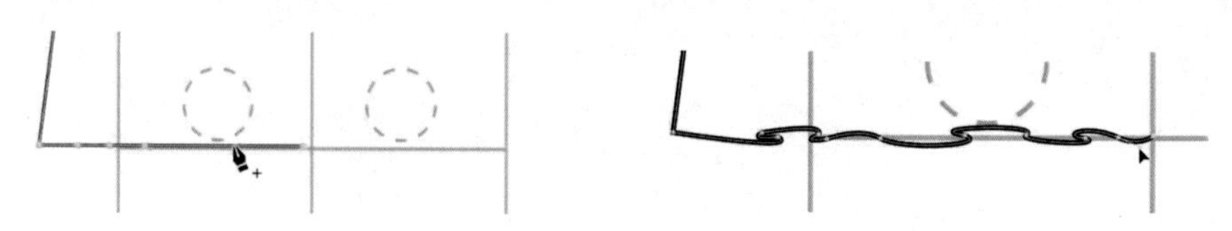

⑤ Selection Tool로 원피스 반쪽을 선택 한다. Reflect Tool을 선택한 후 Alt 키를 누른 상태에서 도식화틀 중심을 클릭하여 Reflect Tool의 대칭 축을 옮겨 준다. Reflect Tool Option창이 나오면 Axis > Vertical 선택하고 Preview 를 체크하여 이동된 위치를 확인 한 후 Copy를 클릭하여 나머지 반쪽 형태를 완성한다.

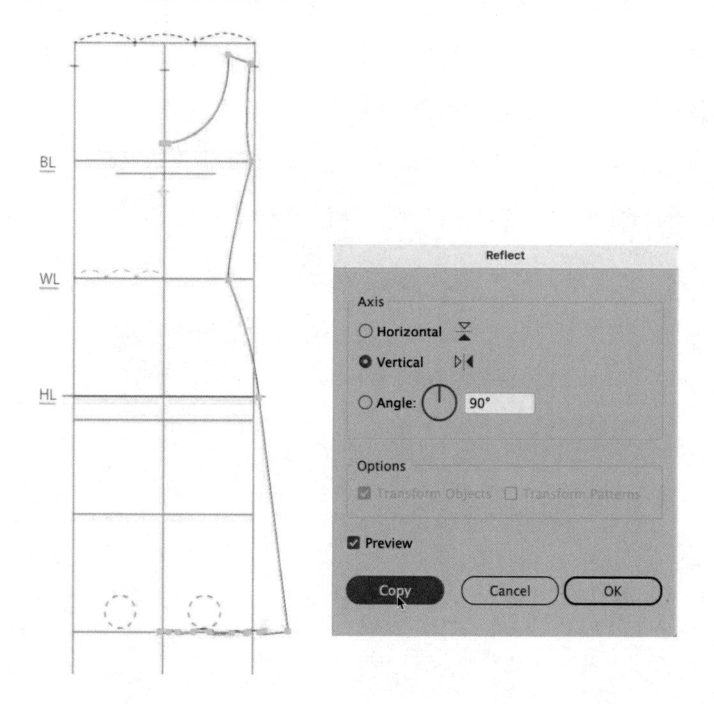

⑥ Toolbox에서 Direct Selection Tool을 선택한 후 드래그하여 원피스 네크라인 중앙에 있는 두개의 Anchor Point를 선택한다.

마우스 우클릭, 메뉴 중 Join을 선택하면 두개의 Anchor Point 가 연결된다.

원피스 밑단 부분에 있는 두개의 Anchor Point를 선택한 후 동일한 방법으로 연결시켜 두개의 선을 하나의 Object로 만들어 준다.

(Join은 두 개점 이외 다른 것들이 선택되면 실행되지 않는다)

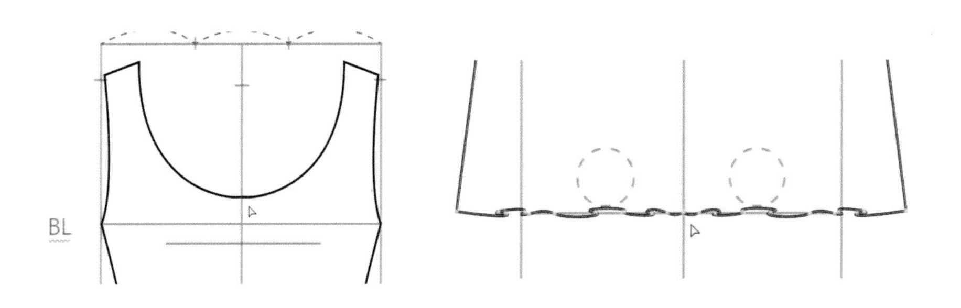

⑦ 허리부분에 절개라인을 만들기 위해 수평 Guide Line(안내선) 2개를 설정한다. 설정한 Guide Line(안내선)을 기준으로 허리 절개라인을 Pen Tool로 그린다. Guide Line(안내선)을 Selection Tool 로 선택하여 삭제 한 후 허리 절개라인 2개와 원피스 몸판을 선택한다. Pathfinde 패널, Pathfindes > Divide를 클릭하여 허리 절개 라인을 완성한다.

WL라인 부분의 선이 각이 져 있는데 Direct Selection Tool로 각진 부분의 Anchor point를 선택한 후 원 부분에 커서를 가져가 커서 밑에 아크 형태가 보여지면 클릭 드래그하여 각진 부분을 곡선으로 바꿔 허리 라인 선을 자연스럽게 만들어 준다.

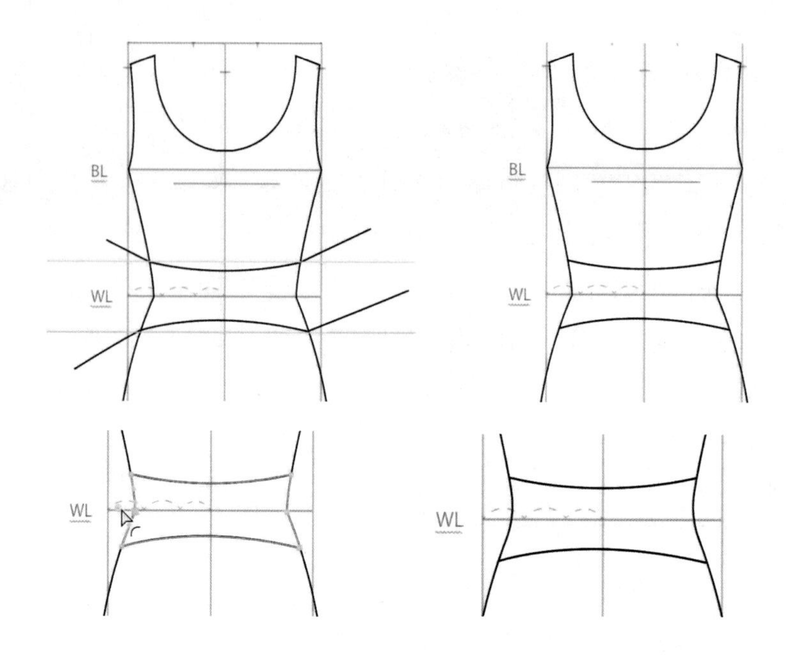

⑧ WL라인 위쪽으로 한쪽 암홀 타트라인을 그린다. Reflect Tool 을 선택한 후 Alt 키를 누른 상태에서 도식화틀 중심을 클릭하여 Reflect Tool의 대칭축을 옮겨 준다. Reflect Tool Option창이 나오면 Axis > Vertical 선택하고 Preview 를 체크하여 이동된 위치를 확인 한 후 Copy를 클릭하여 나머지 반쪽 암홀 타트 라인을 완성한다. 원피스 몸판을 선택 한 후 마우스 우클릭, 메뉴 중 Ungroup 으로 Group을 해제한다. 몸판 위쪽과 다트선 2개를 선택하여 Pathfinde 패널, Pathfindes > Divide를 선택하여 암홀 다트선을 완성한다.

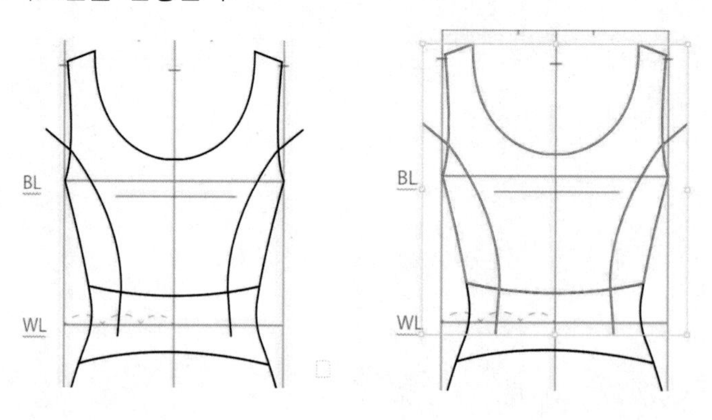

⑨ 앞면 몸판 기본 형태가 완성되면 Selection Tool 로 선택한 후 Alt 키를 누른 상태에서 드래그(선택한 오브젝트가 복사 된다)하여 뒷면 도식화 틀에 가져가 뒷면 기본 형태를 완성한다.

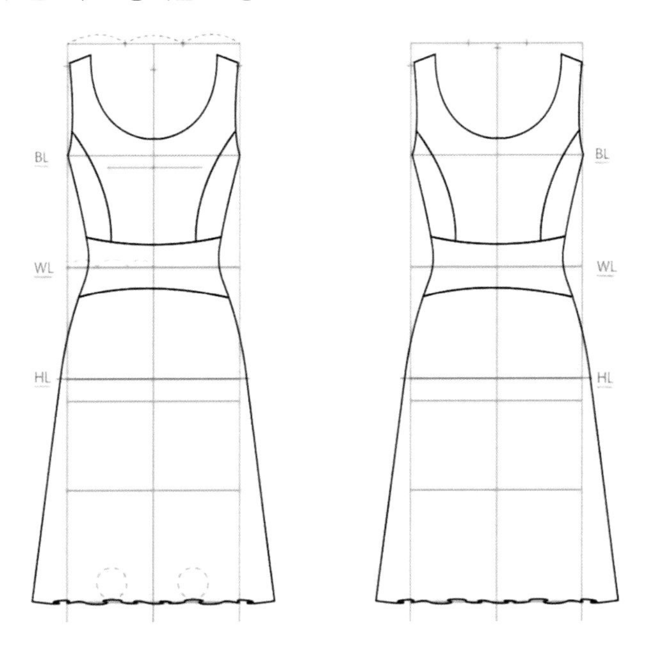

⑩ Direct Selection Tool로 뒤몸판을 선택한 후 네크라인 가운데에 있는 점을 Delet Anchor Point Tool 로 삭제한다. Direct Selection Tool 로 네크라인과 어깨선이 만나는 점을 선택하면 곡선을 모양을 수정하기 위한 Handle(방향선)을 보여지게 한다. Handle(방향선)을 움직여 네크라인 곡선 모양을 수정한다.

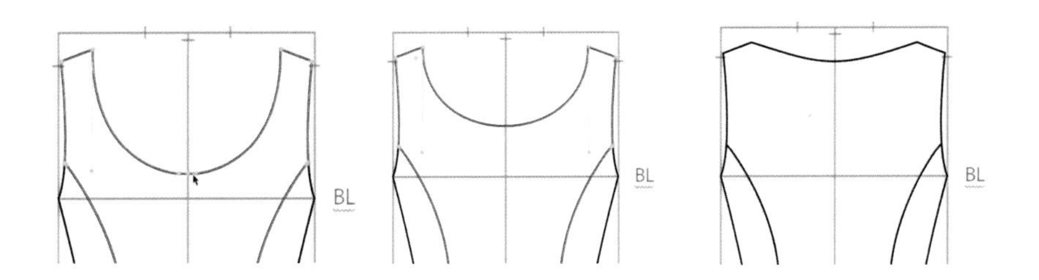

⑪ 뒷 중심에 절개라인을 만들기 위해 도식화 기본틀 중심선에 맞춰 수직 Guide Line(안내선)을 1개를 설정한다. ▶ Selection Tool로 뒷 몸판과 Guide Line(안내선)을 1개를 선택 한 후 Pathfinde 패널, Pathfindes > Divide 로 뒷 중심 절개선을 완성한다.

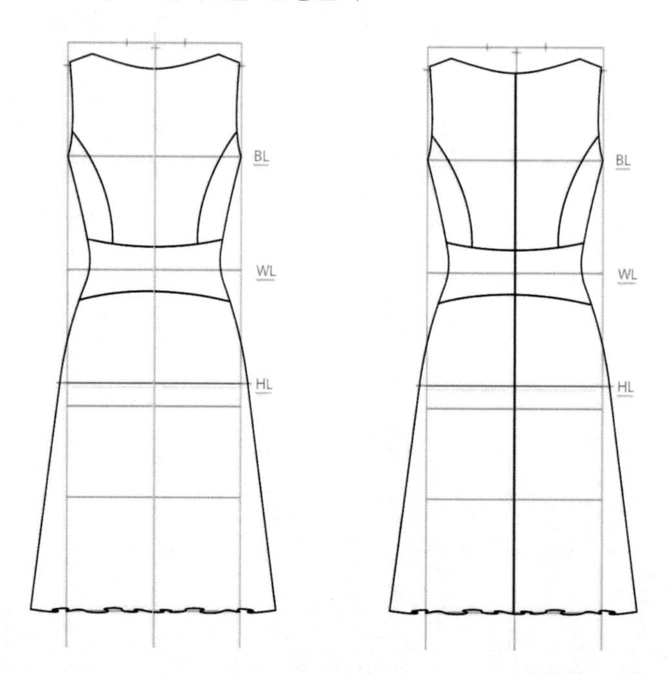

⑫ 앞면에서 보여지는 뒷면 네크라인 형태를 완성하기 위해 뒤면 네크라인에 맞춰 수평 Guide Line(안내선)을 설정한다. 뒤 네크라인 모양에 맞춰 앞면에 뒤 네크라인 선을 그리고 아래쪽은 몸판을 벗어나지 않는 범위 내에서 자유롭게 그린다. Fill 컬러를 흰색으로 채우고 마우스 우클릭, 메뉴 중 Arrange > Send to Back로 위치를 이동시켜 네크라인 모양을 완성한다.

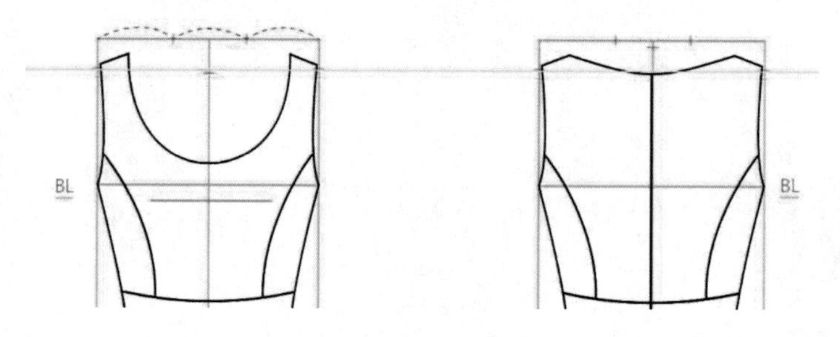

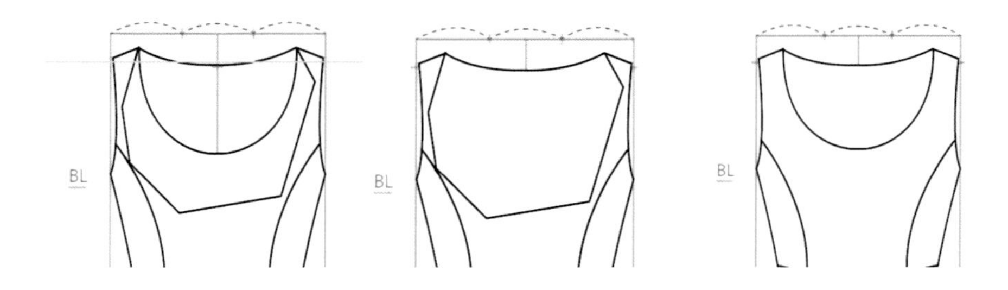

⑬ 앞/뒤 몸판을 Selection Tool 로 선택 한 후 Fill 컬러를 흰색으로 설정한다. 몸판 Layer의 Toggles Lock을 클릭하여 Layer를 잠가 사용하지 못하게 한다. Create New Layer를 클릭하여 새 Layer를 추가하고 Layer 이름을 '소매' 라고 바꿔 준다.

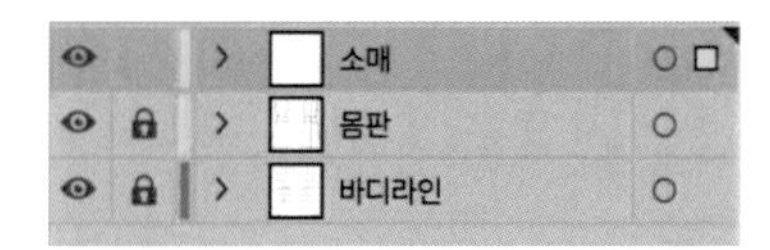

⑭ Pen Tool로 소매를 그리는데 퍼프 소매인 만큼 어깨점 부분을 곡선으로 볼록하게 그려 퍼프 소매의 곡선을 살려주고 그 외에 부분은 직선으로 그린다. 소매 부리 부분은 Rectangle Tool을 사용하여 사각형을 그린 후 Selection Tool 로 선택한 후 회전, 이동, 크기를 조절하여 원하는 위치에 가져다 놓는다. 소매 부리 쪽은 Direct Selection Tool을 사용하여 소매 부리 사이즈에 맞춰 사각형의 밑단 크기를 소매 밑단 모양에 맞춰 조절해 준다.

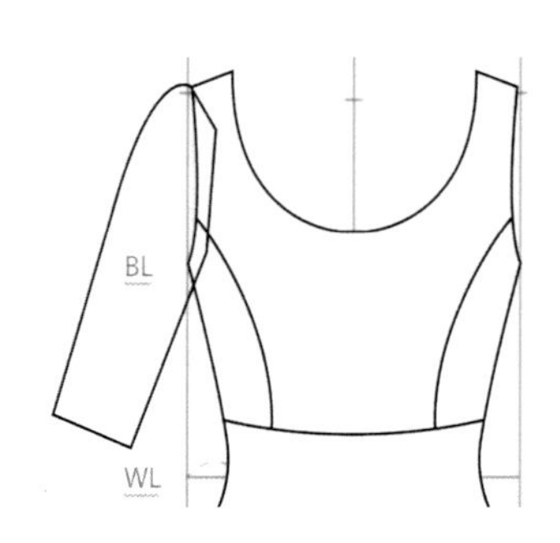

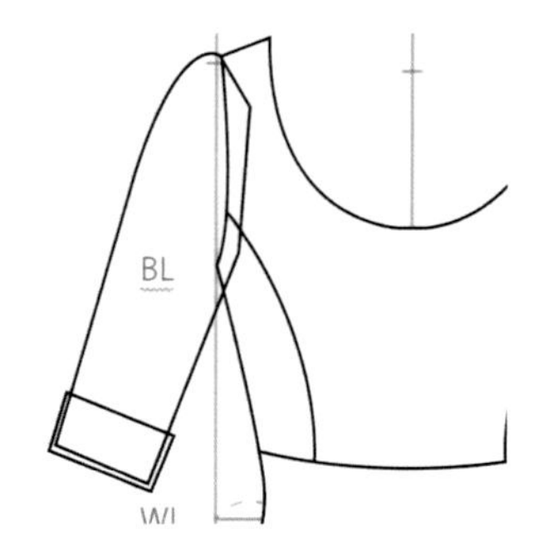

⑮ Selection Tool로 소매와 커프스 부분을 선택한다. Reflect Tool을 선택한 후 Alt 키를 누른 상태에서 도식화틀 중심을 클릭하여 Reflect Tool의 대칭 축을 옮겨 준다. Reflect Tool Option 창이 나오면 Axis > Vertical 선택하고 Preview 를 체크하여 이동 된 위치를 확인 한 후 Copy를 클릭하여 반대쪽 소매를 완성한다.

앞판 소매가 완성되면 Selection Tool 로 선택한 후 Alt 키를 클릭한 상태에서 드래그(선택한 오브젝트가 복사 된다)하여 뒷면 소매 위치에 복사해 놓는다.

⑯ Direct Selection Tool을 사용하여 뒷면 소매 커프스 폭 사이즈를 1/2로 줄이고 이를 복사하여 옆에 가져다 놓는다.

Direct Selection Tool을 사용하여 곡선으로 만들 모서리 Anchor point를 선택하고 안쪽 원 모양에 커서를 옮겨 커서에 아크 모양이 생기면 드래그하여 곡선으로 만들어 커프스 모양을 완성한다. 반대쪽 커프스도 동일한 방법으로 수정하여 뒷면 소매 커프스 모양을 완성한다.

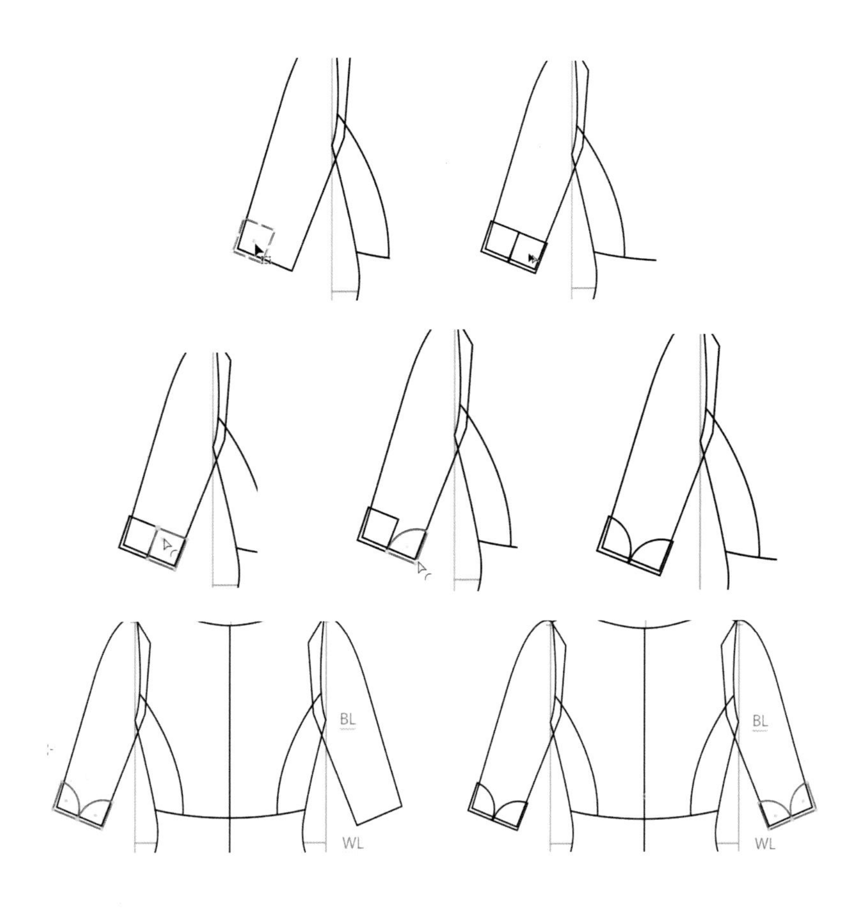

⑰ 소매가 완성되면 Selection Tool로 선택 후 Fill 컬러를 흰색으로 설정하고 소매 형태를 확인한다. 소매 Layer를 드래그하여 몸판 밑으로 내려 소매를 완성한다.

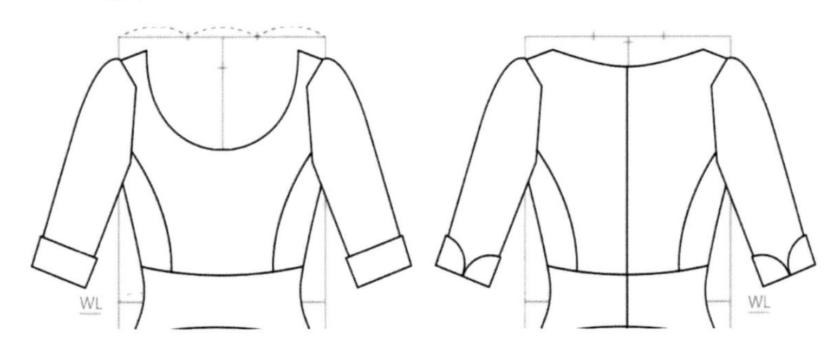

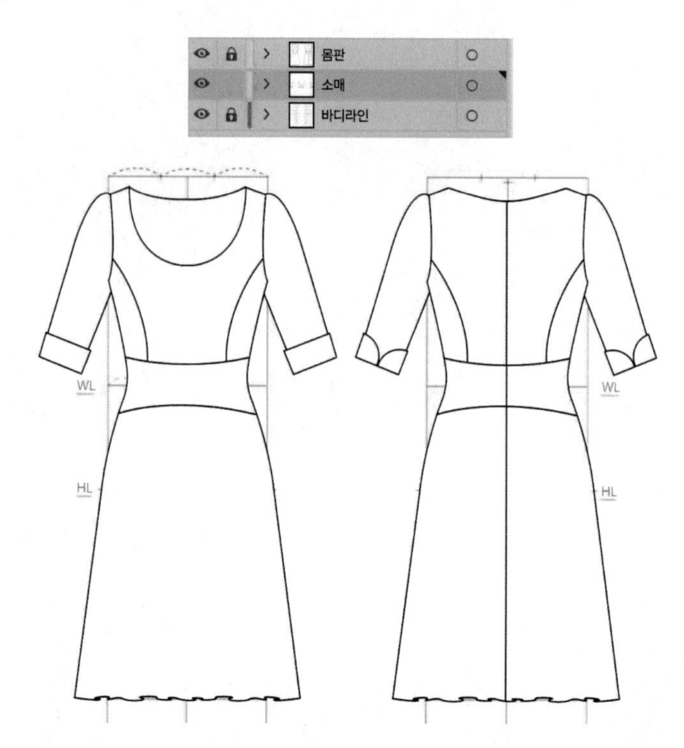

⑱ 소매 Layer의 Toggles Lock을 클릭하여 Layer를 잠가 사용하지 못하게 한다. Create New Layer를 클릭하여 새 Layer를 추가하고 Layer 이름을 '디테일' 이라고 바꿔 준다.

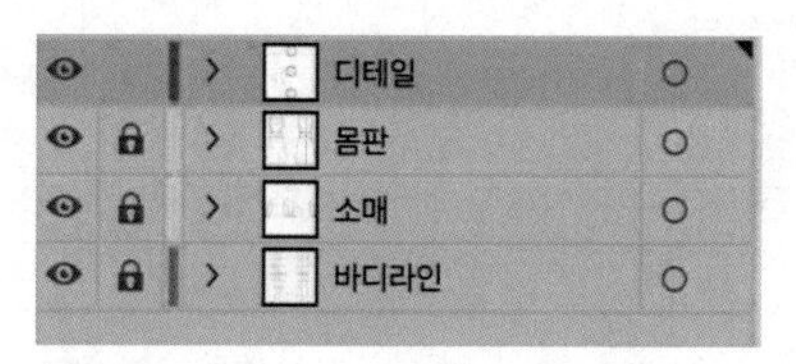

⑲ Ellipse Tool을 선택하고 Shift + Alt + 드래그(가운데부터 정원이 그려진다)하여 첫번째 단추를 그린다.

첫번째 단추를 Selection Tool로 선택하고 Ctrl+C 로 복사한 후 Ctrl+F 로 앞쪽에 붙이기를 한다. 키보드 Page Down 키 (아래로 내리는 방향) 를 이용하여 두 번째 단추 위치로 이동시킨다. 세번째 단추도 동일한 방법 그린다.

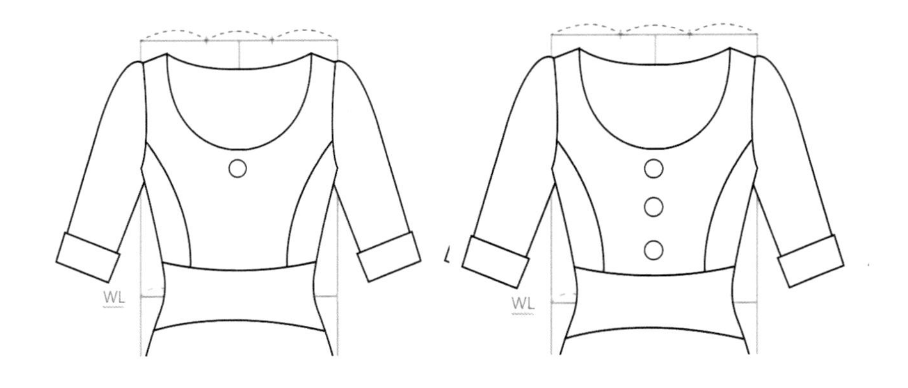

⑳ Pen Tool로 밑에서 위쪽으로 방향을 유지하며 스커트 밑단 모양에 맞춰 주름선을 그려 준다.

Selection Tool로 주름선을 선택 한 후 Stroke 패널에서 Weight 0.75pt, Profile > Width Profile 4 를 선택하여 시작점은 굵고 끝나는 점은 가늘어지게 선의 모양을 바꿔 주름선의 형태를 자연스럽게 만들어 준다.

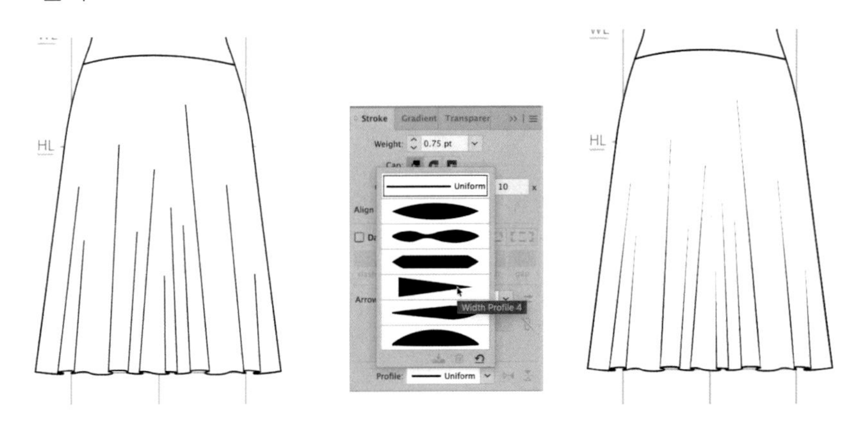

㉑ Pen Tool로 주름의 방향을 고려하여 소매 어깨 부분과 허리부분의 주름선을 그린다.

Selection Tool로 주름선을 선택한 후 Stroke 패널에서 Weight 0.75pt, Profile > Width Profile 4 를 선택하여 시작점은 굵고 끝나

는 점은 가늘어지게 선의 모양을 바꿔 주름선의 형태를 자연스럽게 만들어 준다.

한쪽 소매의 주름선을 Selection Tool로 선택한다. Reflect Tool을 선택한 후 Alt 키를 누른 상태에서 도식화틀 중심을 클릭하여 Reflect Tool의 대칭 축을 옮겨 준다. Reflect Tool Option 창이 나오면 Axis > Vertical 선택하고 Preview 를 체크하여 이동 된 위치를 확인 한 후 Copy를 클릭하여 반대쪽 소매 주름을 완성한다.

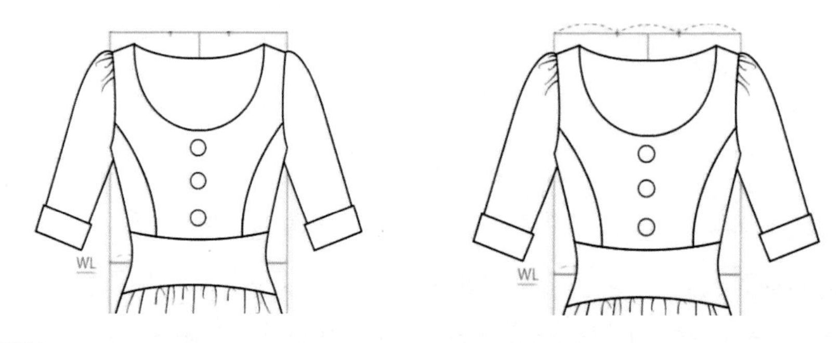

㉒ Selection Tool로 소매, 허리, 밑단의 주름선을 선택 한 후 Alt 키를 누른 상태에서 드래그(선택한 오브젝트가 복사된다)하여 원피스 뒷면 주름 위치에 가져가 뒷면 주름 형태를 완성한다.

㉓ Pen Tool로 뒷면 중심 절개선 위에 혼솔지퍼 위치를 표시해 준다.

원피스가 완성이 되면 Layer패널에서 바디라인 Layer의 Toggles Visibility를 클릭하여 바디라인이 보이지 않게 가려 주면 원피스 도식화가 완성된다.

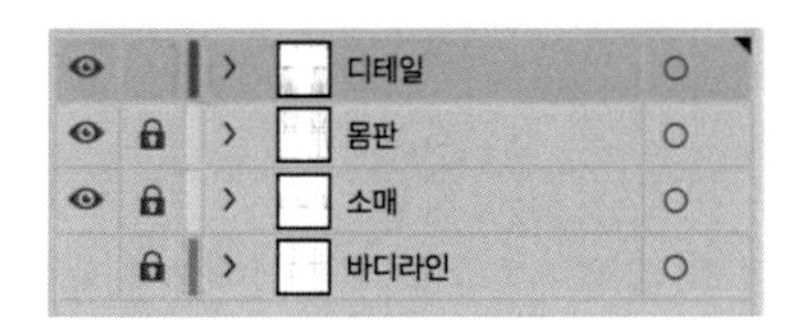

8. 자켓 그리기

① 도식화 기본틀 바디라인 Layer의 Toggles Lock을 클릭하여 Layer 를 잠가 사용하지 못하게 한다. Create New Layer를 클릭하여 새 Layer를 추가하고 Layer 이름을 '몸판' 이라고 바꿔 준다.

② Toolbox에서 Fill 컬러 없음, Stroke 컬러 블랙, 옵션 바 또는 Stroke 패널에서 Weight 1pt(선의 두께)로 설정 한다.

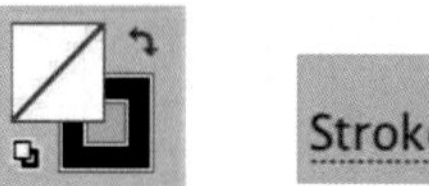

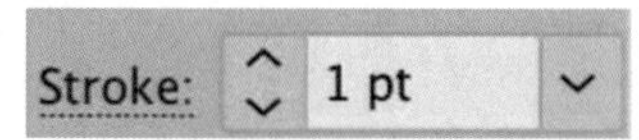

③ 자켓의 경우 첫번째 단추 위치가 칼라 라펠이 시작되는 부분으로 첫번째 단추 위치에 맞춰 수평 Guide Line(안내선) 1개를 설정한 후 단추 여밈분을 포함한 자켓 앞 라인 부분에 맞춰 수직 Guide Line(안내선) 1개를 설정한다. Pen Tool로 수직, 수평 2개의 Guide Line(안내선) 교차점에서 시작하여 한쪽 자켓 앞 모양을 완성한다.

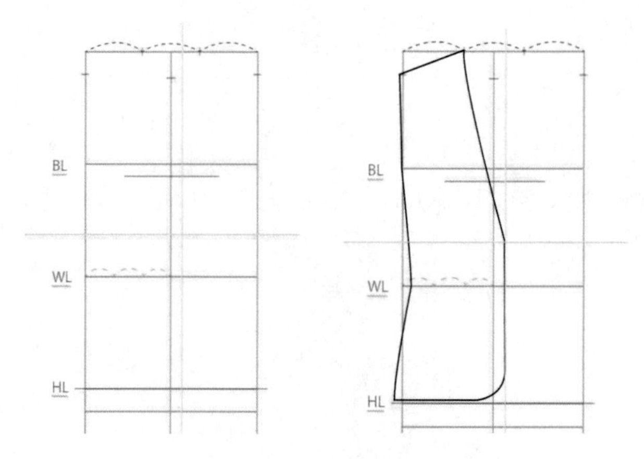

④ Pen Tool로 암홀 다트 라인 그린 후 Selection Tool로 앞면과 암홀 다트 라인을 선택 한 후 Pathfinde 패널, Pathfindes > Divide 로 앞면 암홀 다트 라인을 완성한다.

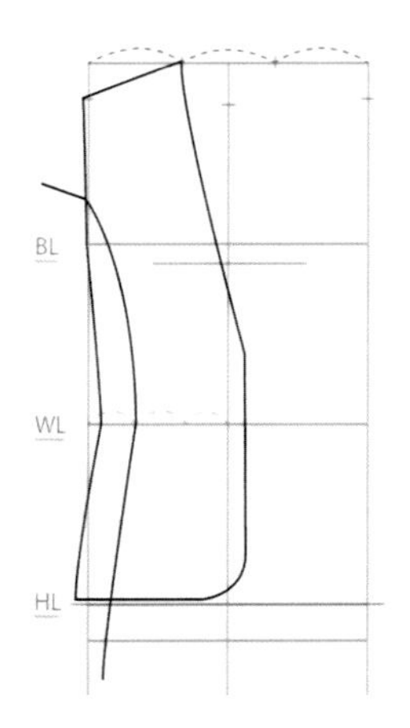

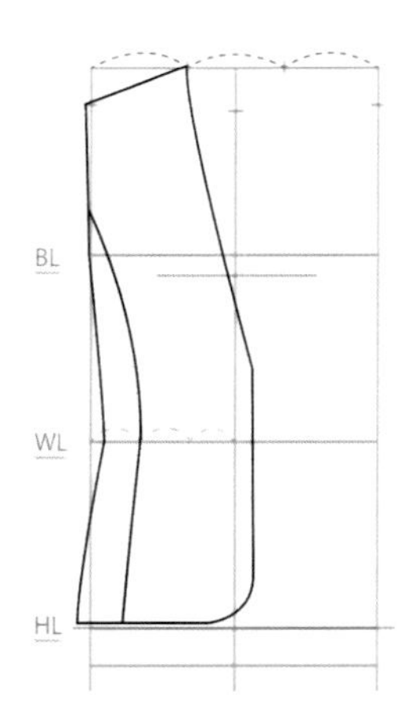

⑤ 한쪽 앞면을 Selection Tool로 선택한다. Reflect Tool을 선택한 후 Alt 키를 누른 상태에서 도식화틀 중심을 클릭하여 Reflect Tool의 대칭 축을 옮겨 준다. Reflect Tool Option창이 나오면 Axis > Vertical 선택하고 Preview 를 체크하여 이동 된 위치를 확인 한 후 Copy를 클릭하여 나머지 반대쪽 몸판을 완성한다.

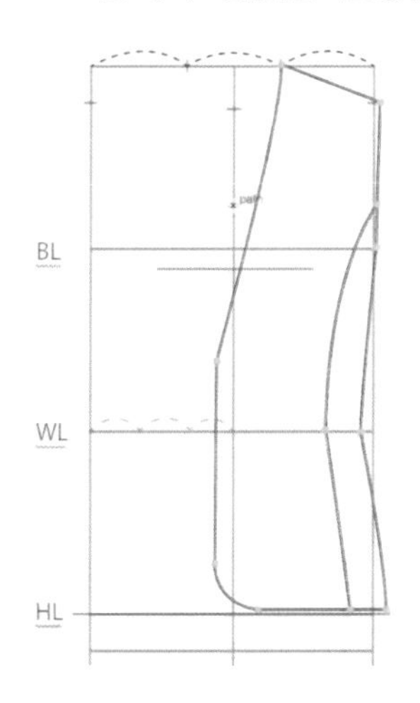

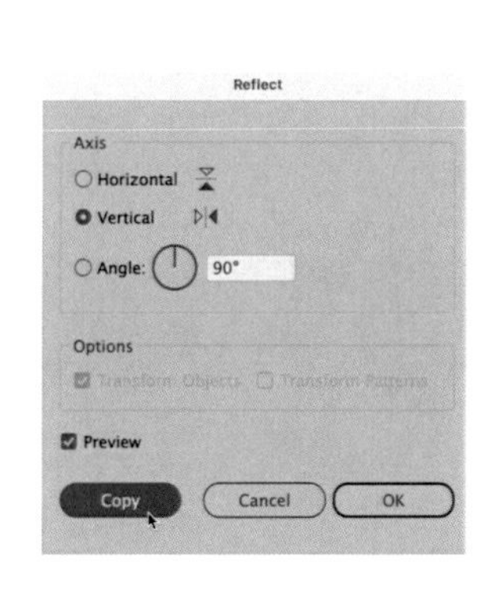

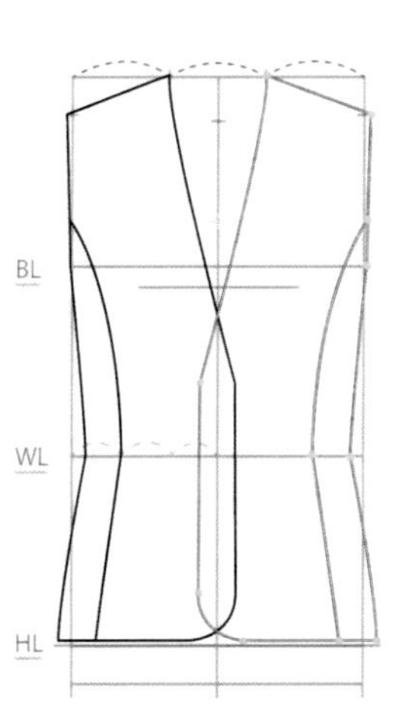

⑥ 앞면 전체를 Selection Tool로 선택한 후 Fill 컬러를 흰색으로 설정한다. 자켓의 경우 여밈 방향이 있으므로 왼쪽 몸판 부분을 Selection Tool로 선택한 후 마우스 우클릭, 메뉴 중 Arrange > Send to Back 으로 뒷쪽으로 보내 앞면 좌우 여밈 형태를 완성한다.

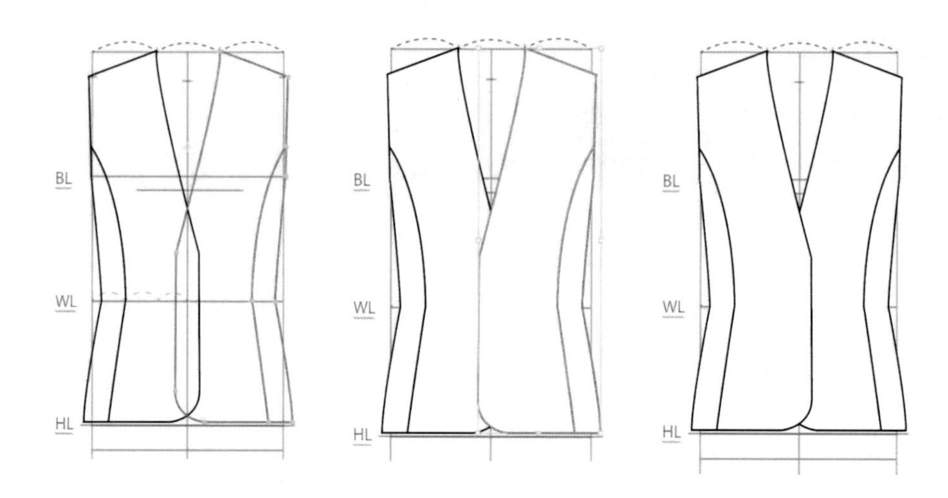

⑦ Selection Tool로 자켓 좌우 몸판을 선택 한 후 Alt 키를 누른 상태에서 드래그(선택한 오브젝트가 복사된다)하여 뒷면 도식화 틀에 가져가 뒷면 몸판 기본 형태를 완성한다.

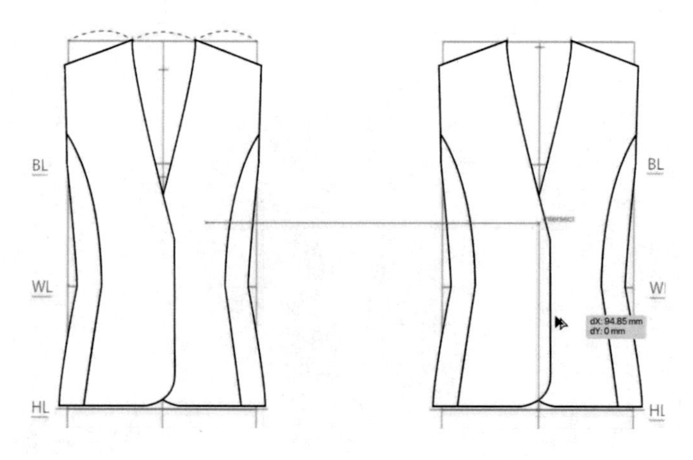

⑧ 뒷면을 Selection Tool로 선택 한 후 마우스 우클릭, 메뉴 중 Ungroup으로 Group을 해제하고 가운데 몸판 Object 2개를 선택한다. Pathfinde 패널, Shape Modes > Unite를 선택 하여 두 개의 Object를 합쳐 1개의 Object로 만들어 준다.

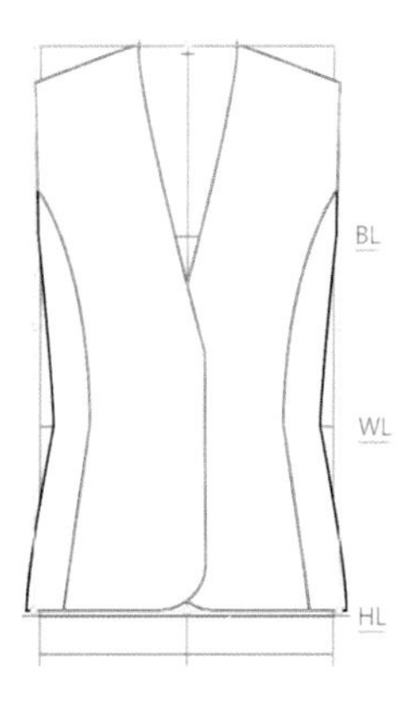

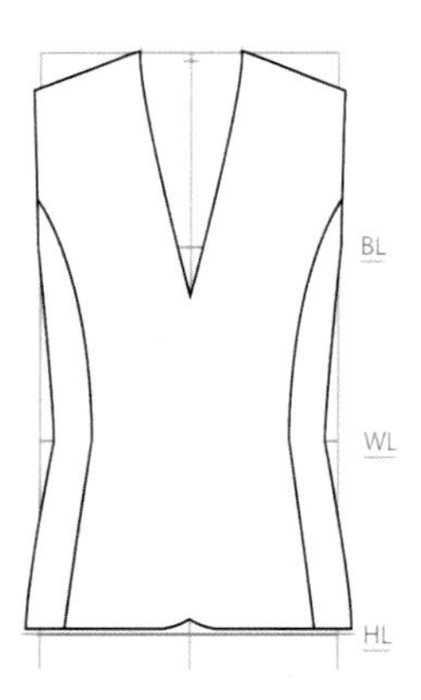

⑨ Direct Selection Tool로 뒷면 몸판을 선택 한 후 Delete Anchor Point Tool 로 네크라인 중앙의 Anchor Point와 밑단 가운데 있는 Anchor Point를 삭제한다

Direct Selection Tool로 옆목점을 선택하면 Handle(방향선)이 보여진다. Direct Selection Tool로 Handle(방향선)을 조절하여 뒷면 네크라인 모양을 완성해 준다.

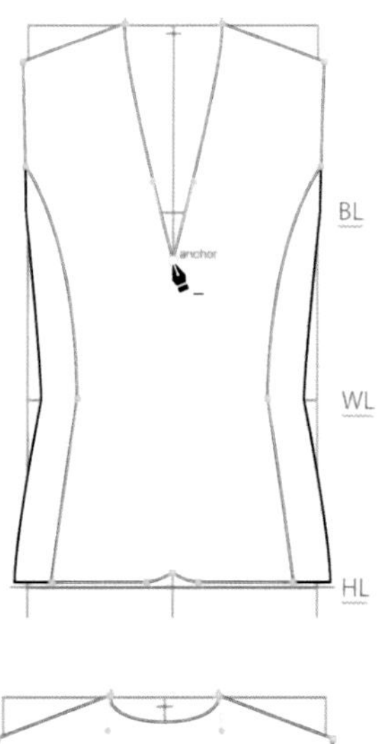

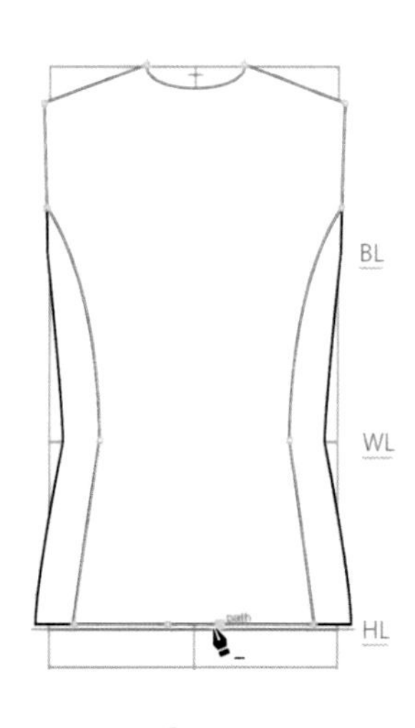

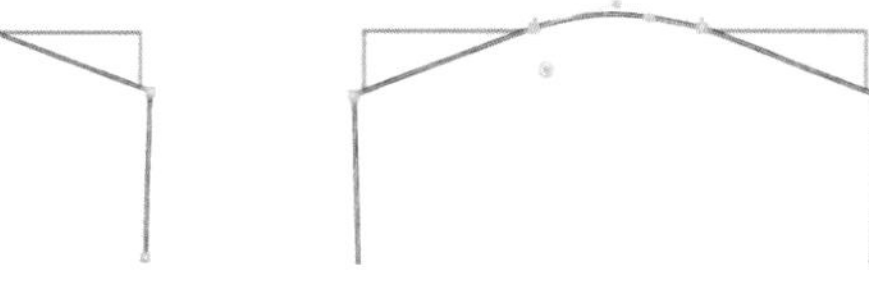

⑩ 뒷면 몸판 중심 절개 라인을 만들기 위해 도식화 기본틀 중심에 맞춰 수직 Guide Line(안내선)을 설정하다. Guide Line(안내선)과 뒷면을 선택 한 후 Pathfinde 패널, Pathfindes > Divide를 클릭하여 뒷면 몸판 중심 절개 라인을 완성한다.

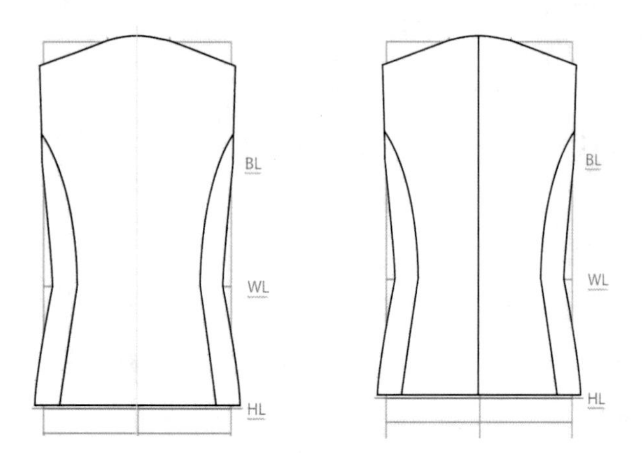

⑪ 몸판 Layer의 Toggles Lock을 클릭하여 Layer 를 잠가 사용하지 못하게 한다. ⊞ Create New Layer를 클릭하여 새 Layer를 추가하고 Layer 이름을 '소매' 라고 바꿔 준다.

⑫ Pen Tool로 어깨 끝점에서 시작하여 소매 길이 1/4 지점을 클릭하여 어깨 끝점 부분을 곡선으로 만들고 나머지 부분은 직선으로 그려 한쪽 소매 형태를 완성한다.

완성된 한쪽 소매를 Selection Tool로 선택한 후 Reflect Tool을 선택한다. Alt 키를 누른 상태에서 도식화틀 중심을 클릭하여 Reflect Tool의 대칭 축을 옮겨 준다. Reflect Tool Option창이 나오면 Axis >

Vertical 선택하고 Preview 를 체크하여 이동 된 위치를 확인 한 후 Copy 를 클릭하여 반대쪽 소매를 완성한다.

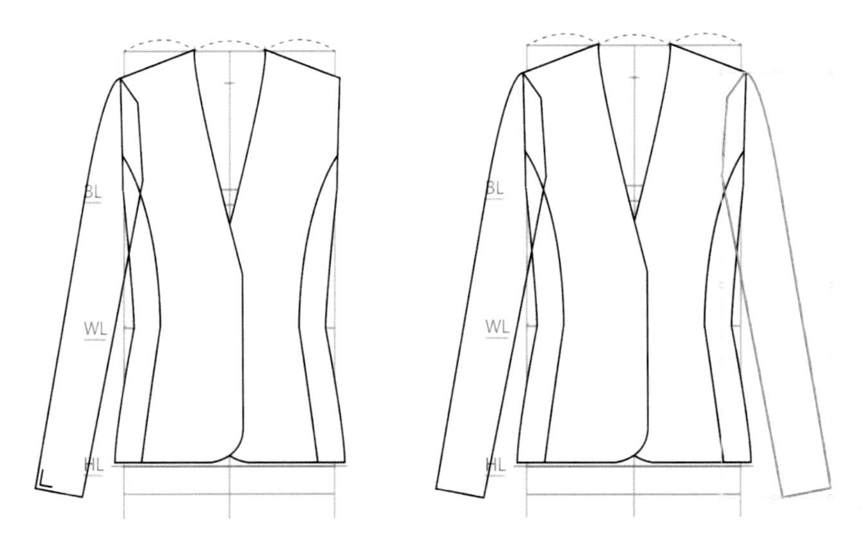

⑬ Selection Tool로 양쪽 소매를 선택 한 후 Alt 키를 누른 상태에서 드래그(선택한 오브젝트가 복사된다)하여 뒷면 도식화 틀에 소매를 복사해 놓는다.

뒷면 소매의 경우 두 장 소매로 뒷면 소매에 절개선 표시가 필요하다. Pen Tool로 소매 밖에서 시작해서 몸판 진동선을 클릭하여 Anchor Point 만들고 소매 부리를 이등분 하는 위치에 선을 맞춰 소매부리 밖으로 직선을 그린다.

절개선을 Selection Tool로 선택한 후 Reflect Tool을 선택한다. Alt 키를 누른 상태에서 도식화틀 중심을 클릭하여 Reflect Tool의 대칭축을 옮겨 준다. Reflect Tool Option창이 나오면 Axis > Vertical 선택하고 Preview 를 체크하여 이동 된 위치를 확인 한 후 Copy를 클릭하여 반대쪽 소매 절개선을 완성한다.

Selection Tool로 뒷면 양쪽 소매와 절개선 2개를 선택 한 후 Pathfinde 패널, Pathfindes > Divide 로 두장 소매 절개 라인을 완성한다.

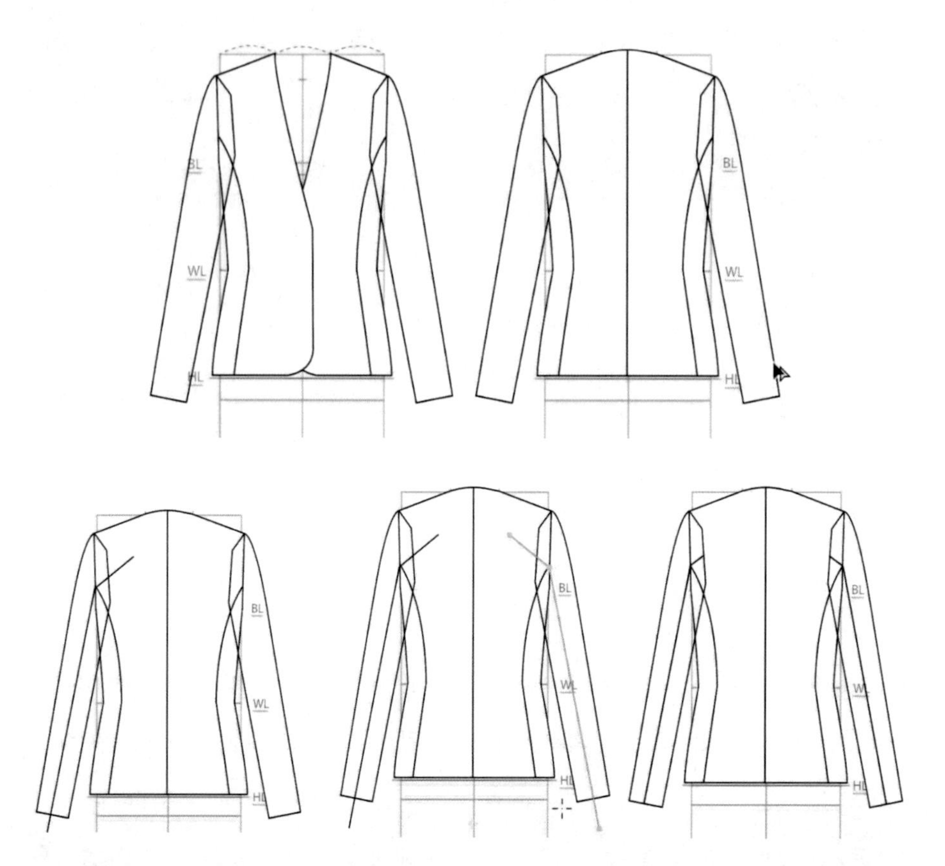

⑭ Selection Tool로 양쪽 소매를 선택 한 후 Fill 컬러를 흰색으로 설정한다. 소매 Layer를 드래그하여 몸판 Layer에 밑으로 위치시켜 소매 형태를 완성한다.

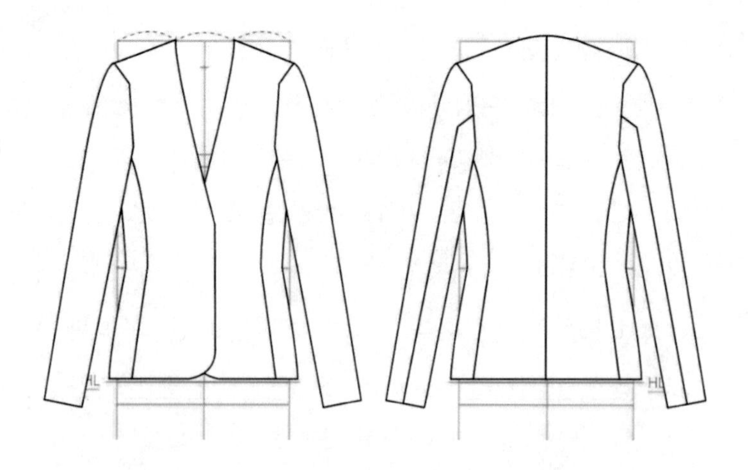

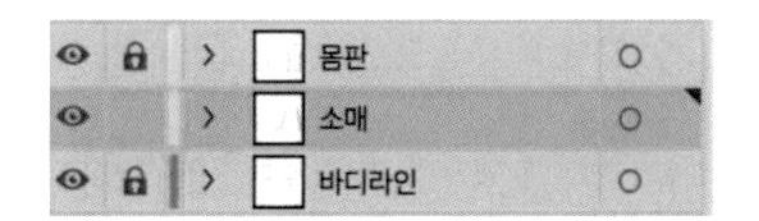

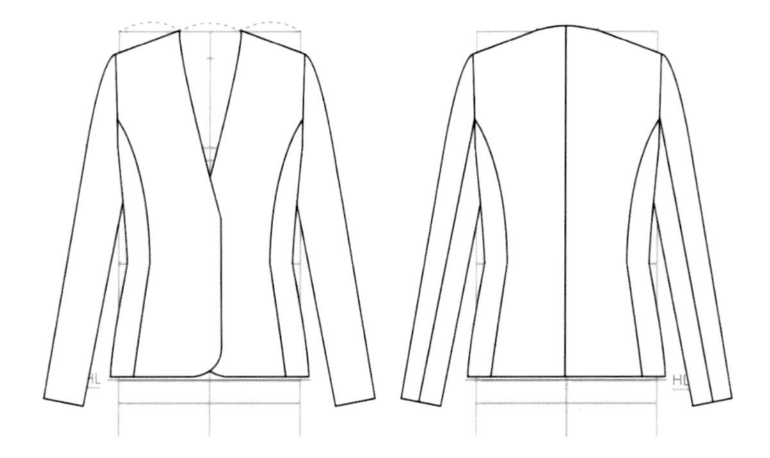

⑮ 소매 Layer의 Toggles Lock을 클릭하여 Layer를 잠가 사용하지 못하게 한다. Create New Layer를 클릭하여 몸판 Layer 위에 새 Layer를 추가하고 Layer 이름을 '칼라' 라고 바꿔 준다.

Pen Tool로 한쪽 테일러드 칼라 모양을 그려준다. 테일러드 칼라의 라펠과 뒷칼라 사이 연결선을 Pen Tool로 그린 후 Selection Tool로 테일러드 칼라와 연결선을 선택한다. Pathfinde 패널, Pathfindes > Divide 로 절개하여 테일러드 칼라 형태를 완성한다.

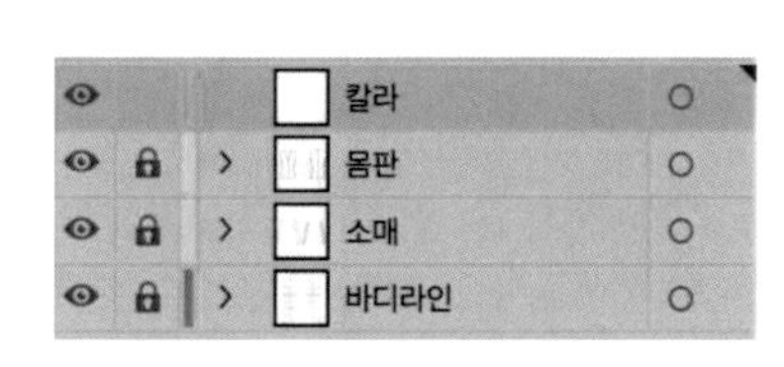

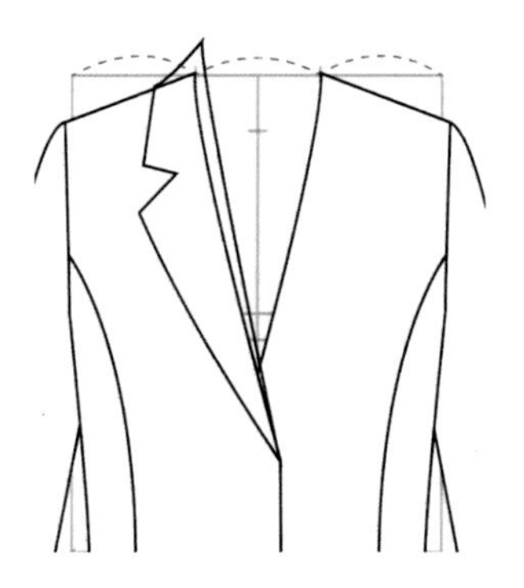

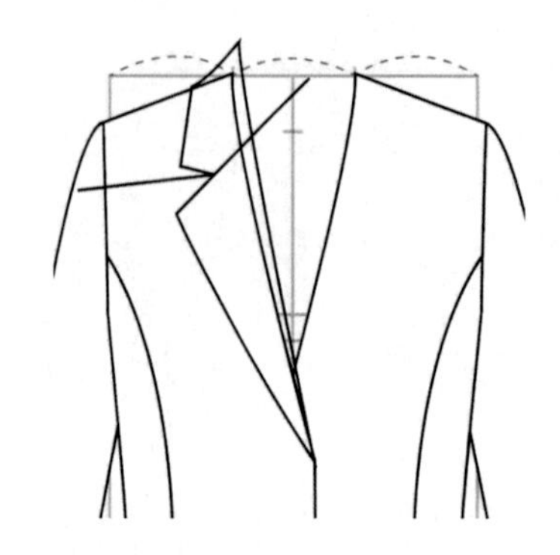
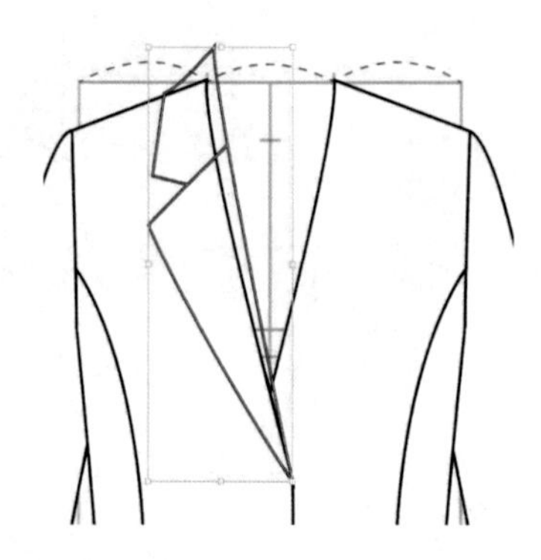

⑯ 완성된 한쪽 테일러드 칼라를 선택 한 후 Reflect Tool을 선택, Alt 키를 누른 상태에서 도식화틀 중심을 클릭하여 Reflect Tool 의 대칭 축을 옮겨 준다. Reflect Tool Option 창이 나오면 Axis > Vertical 선택하고 Preview 를 체크하여 이동된 위치를 확인 한 후 Copy를 선택하여 반대쪽 테일러드 칼라를 복사해 놓는다.

복사한 테일러드 칼라 끝점이 반대쪽 테일러드 칼라 밖으로 길게 보여지므로 Pen Tool로 반대쪽 테일러드 칼라 안쪽으로 직선을 그린다. 복사한 테일러드 칼라와 Pen Tool로 그린 선을 선택한 후 Pathfinde 패널, Pathfindes > Divide로 절개를 한다. 마우스 우클릭, 메뉴 중 Ungroup으로 Group을 해제하고 나눠진 칼라 끝부분을 선택하여 키보드의 Delete키로 삭제한다.

일부 형태가 삭제된 테일러드 칼라 아래 부분을 선택 한 후 마우스 우클릭, 메뉴 중 Arrange > Send to Back 로 위치를 밑으로 내려 테일러드 칼라 모양을 완성한다.

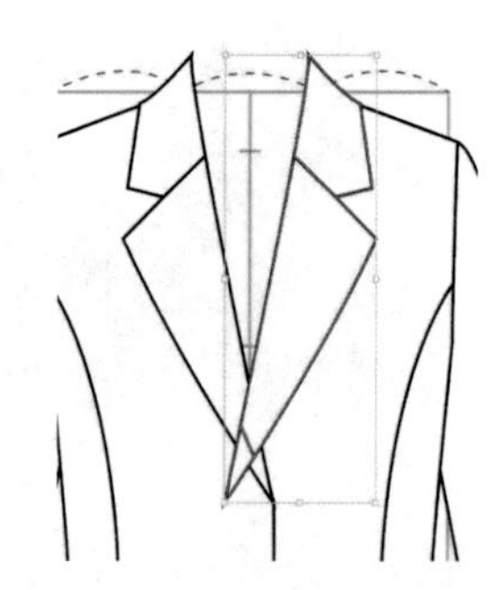

⑰ 완성된 양쪽 테일러드 칼라를 위쪽 끝을 보면 각이 예각으로 뾰족하고 날카롭게 각이 지면서 선이 그려진 것을 볼 수 있다. 양쪽 테일러드 칼라를 선택 한 후 Stroke 패널에서 Conner > Round join을 선택하여 칼라 끝을 부드럽게 해 준다.

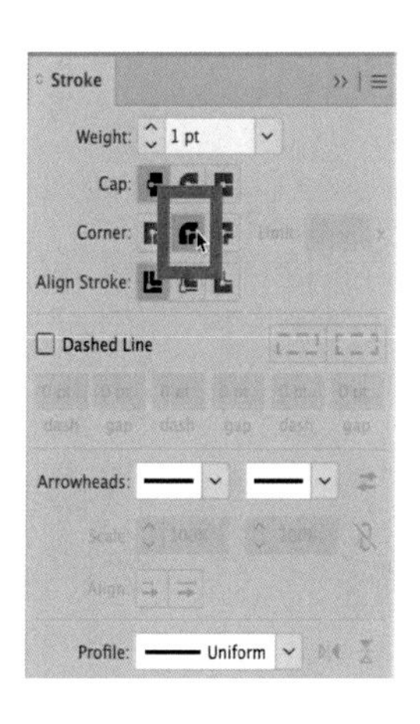

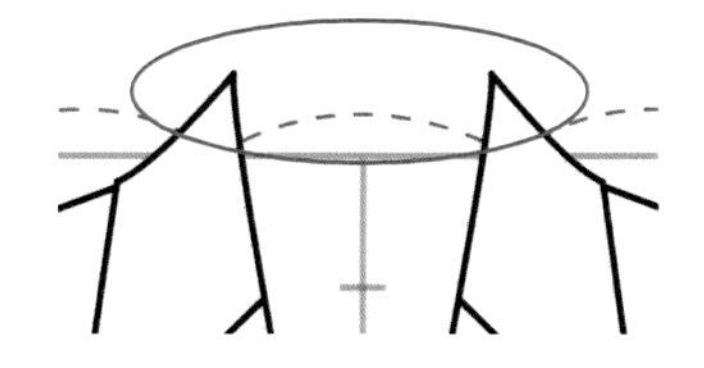

⑱ 테일러드 칼라 뒷쪽의 경우 앞쪽 테일러드 칼라를 벗어나지 않는 범위에서 Pen Tool로 그린다.

⑲ 칼라와 안감의 경계선을 그린다. 칼라 안쪽과 절개선을 선택 한 후 Pathfinde 패널, Pathfindes > Divide를 선택하여 뒷쪽 칼라를 절개 해 준다.

칼라 뒷쪽 모양을 선택 한 후 Fill 컬러를 흰색으로 채우고 마우스 우클릭, 메뉴 중 Arrange > Send to Back 로 위치를 밑으로 내려 테일러드 칼라 앞면 안쪽 모양을 완성한다.

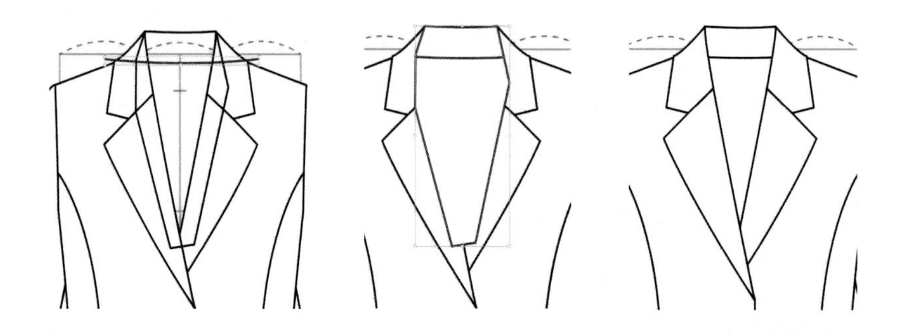

⑳ 앞면 테일러드 칼라 높이에 맞춰 수평 Guide Line(안내선)을 2개를 설정한다. 뒷면 몸판과 Guide Line(안내선)이 맞나는 지점을 기준으로 뒷면 칼라를 그린다.

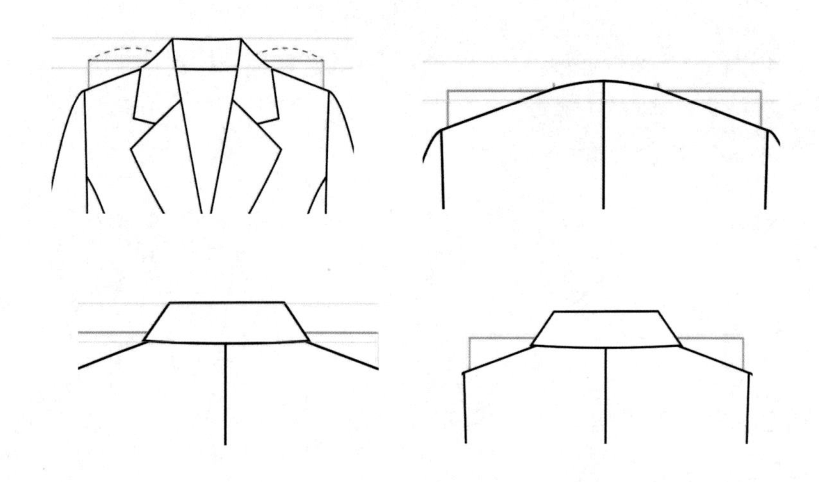

㉑ 칼라 Layer의 Toggles Lock을 클릭하여 Layer를 잠가 사용하지 못하게 한

다. Create New Layer를 클릭하여 새 Layer를 추가하고 Layer 이름을 ' 디테일 ' 이라고 바꿔 준다.

Pen Tool과 Ellipse 툴(Shift + Alt +드래그 가운데부터 정원이 그려진다.)로 라펠이 꺽이는 지점에 맞춰 단추 모양을 그린다. 그려진 단추를 Ctrl+C 로 복사한 후 Ctrl+F 로 앞쪽에 붙인 후 키보드의 방향키 중 Page Down 키로 아래쪽으로 이동시켜 두 번째 단추를 완성한다.

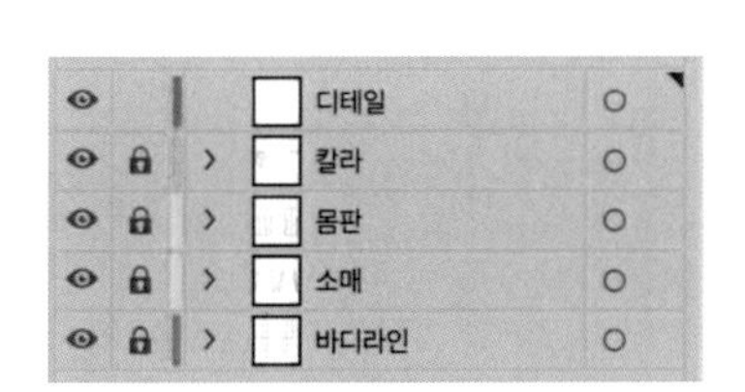

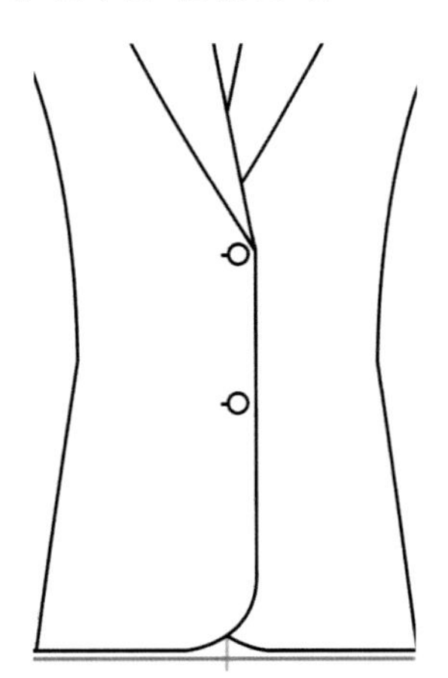

㉒ Rectangle Tool 을 사용하여 주머니 기본 형태를 그린다. Direct Selection Tool 로 모서리 Anchor point를 선택한 후 자켓 옆선으로 가져가 옆선 라인에 맞춰 수정한다. 안쪽 하단 모서리 Anchor point를 선택하고 원 모양에 마우스 커서를 가져간 후 드래그하여 모서리를 곡선으로 만들어 준다.

주머니 위쪽 입술 라인을 만들어 주기 위해 수평 Guide Line(안내선)을 설정한다. Guide Line(안내선)과 주머니를 선택 한 후 Pathfinde 패널, Pathfindes > Divide 선택하여 주머니 형태를 완성한다.

완성된 한쪽 주머니를 선택 한 후 Reflect Tool을 사용하여 반대쪽 주머니를 복사하여 완성한다.

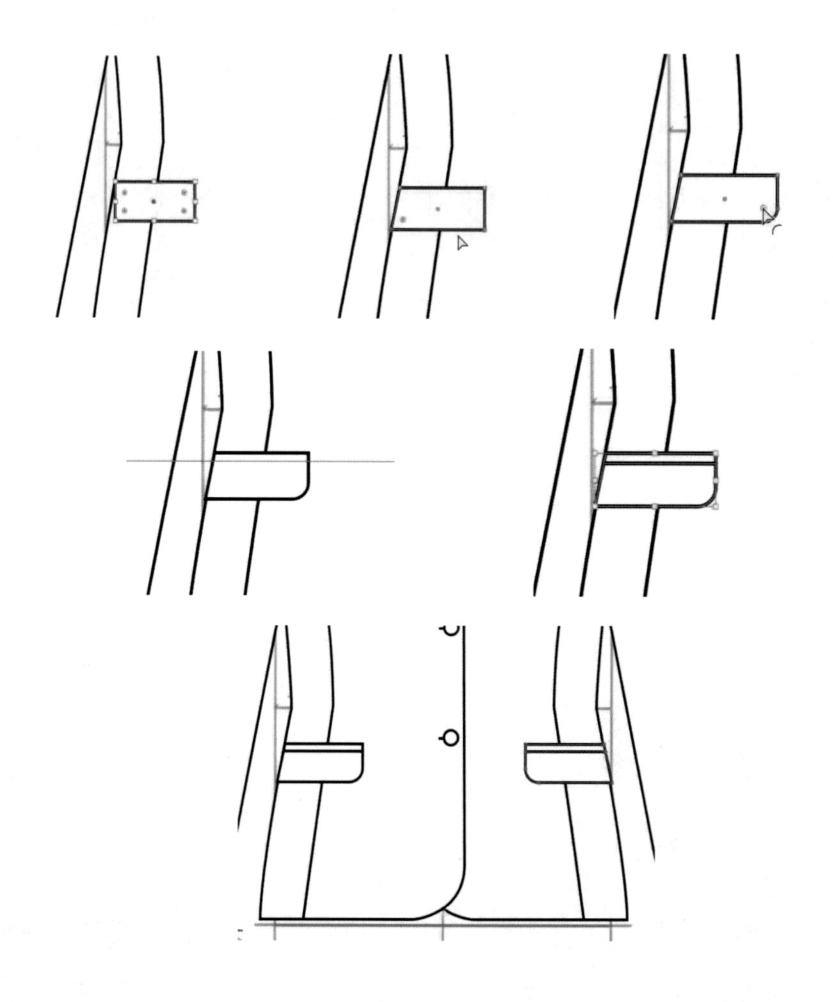

㉓ Ellipse 툴(Shift + Alt +드래그 가운데부터 정원이 그려진다)로 소매 단추 모양을 그린다. 그려진 단추를 Ctrl+C 로 복사한 후 Ctrl+V 로 붙여 넣은 후 Selection Tool 로 이동시켜 두번째 단추를 완성한다. 세번째 단추도 동일한 방법을 사용하여 완성한다. Pen Tool로 소매 트임 위치에 사선을 그린다.

Selection Tool 로 소매 단추 3개와 트임 표시를 선택 한 후 Reflect Tool을 사용하여 반대쪽 소매 단추와 트임을 복사하여 완성한다.

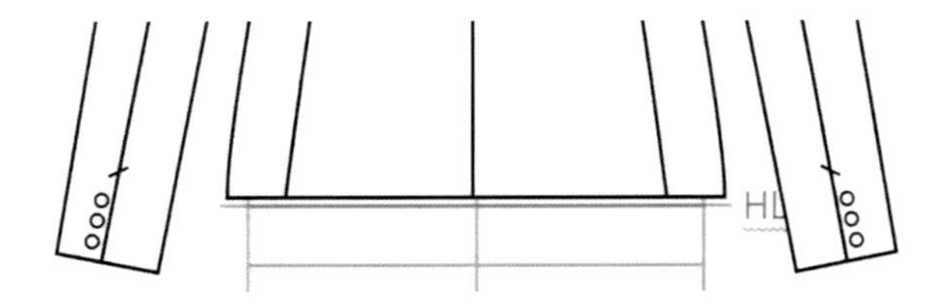

㉔ Fill 컬러 없음으로 설정 하고 Pen Tool로 뒷 중심부분 트임 시작 위치에 사선을 그려 트임 위치를 표시하고 트임 방향선 그린다.

트임 방향선을 Selection Tool 선택 한 후 Stroke 패널을 에서 Arrowheads 메뉴 중 끝 Anchor Point 모양을 화살표 모양으로 선택한다. 화살표 모양 크기가 맞지 않으면 Arrowheads 밑에 있는 Scale를 조절하여 트임 방향 표시 모양을 완성한다.

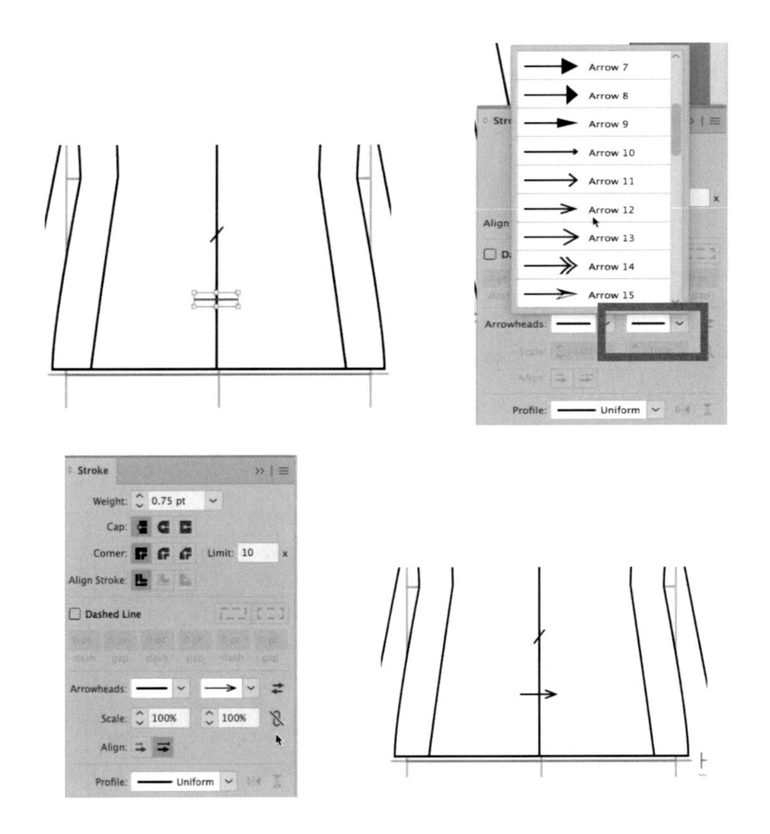

㉕ 자켓이 완성되면 Layer 패널에서 바디라인 Layer의 Toggles Visibility를 클릭하여 바디라인이 보이지 않게 가려 자켓 도식화를 완성한다.

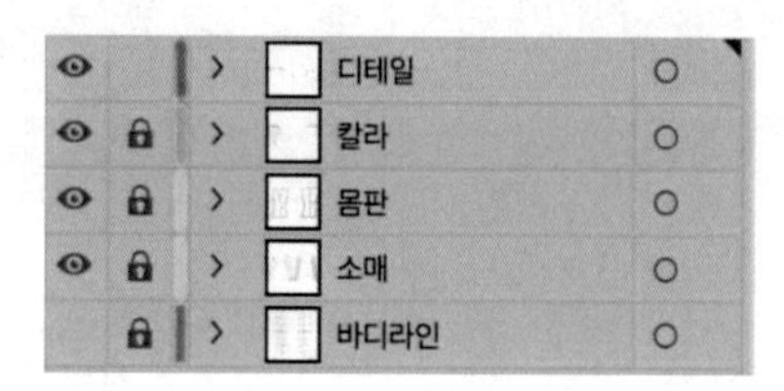

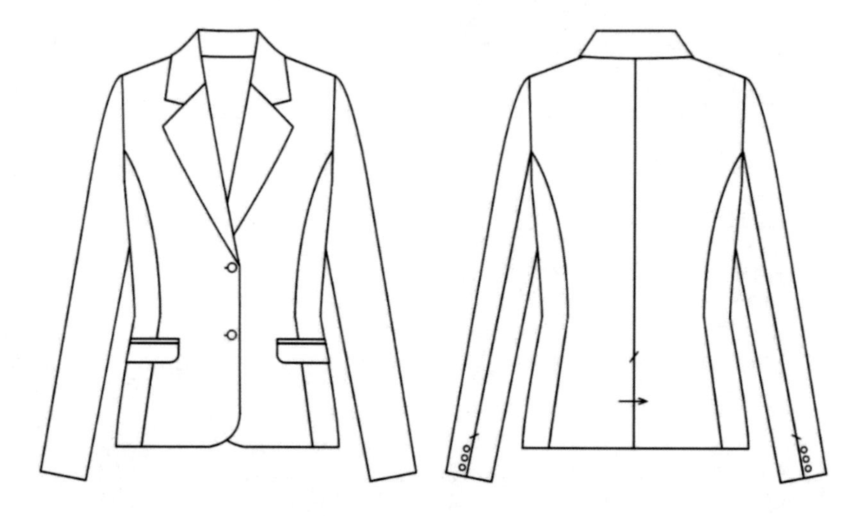

9. 후드 점퍼 그리기

① 도식화 기본틀 바디라인 Layer의 Toggles Lock을 클릭하여 Layer를 잠가 사용하지 못하게 한다. Create New Layer를 클릭하여 새 Layer를 추가하고 Layer 이름을 '몸판' 이라고 바꿔 준다.

② Toolbox에서 Fill 컬러 없음, Stroke 컬러 블랙, 옵션바 또는 Stroke 패널에서 Weight 1pt(선의 두께)로 설정한다.

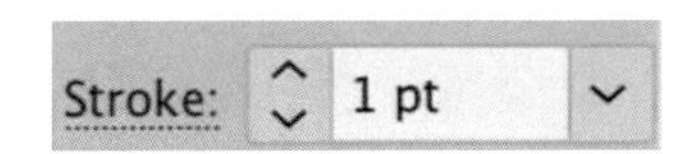

③ 밑단이 시보리로 되어져 있는 점퍼의 경우 시보리 위치를 Guide Line(안내선)으로 설정 한 후 Pen Tool로 도식화 기본틀 가운데를 중심으로 반쪽만 그린다. (밑단 부분은 시보리 공간 중간 정도에 걸쳐지게 그리고 밑단 모서리는 곡선이 되게 그린다)

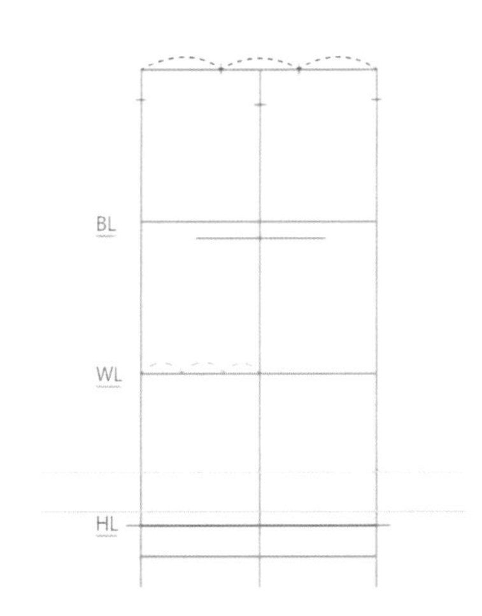

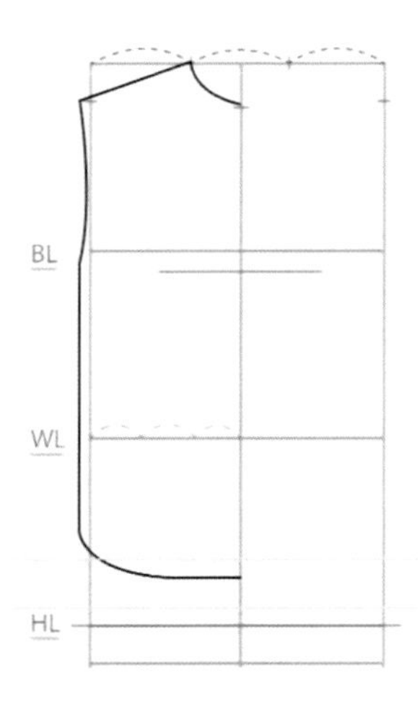

④ Selection Tool로 점퍼 반쪽을 선택한다. Reflect Tool을 선택한 후 Alt 키를 누른 상태에서 도식화틀 중심을 클릭하여 Reflect Tool의

대칭축을 옮겨준다. Reflect Tool Option 창이 나오면 Axis > Vertical 선택하고 Preview 를 체크하여 이동된 위치를 확인 한 후 Copy를 클릭하여 나머지 반쪽 형태를 완성한다.

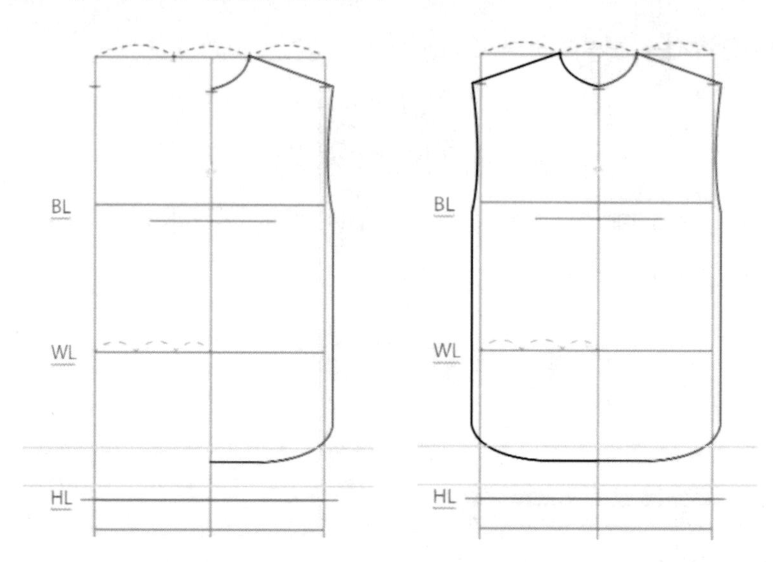

⑤ Toolbox에서 Direct Selection Tool을 선택한 후 드래그하여 점퍼 네크라인 중앙에 있는 두개의 Anchor Point를 선택한다.
마우스 우클릭, 메뉴 중 Join을 선택하면 두개의 Anchor Point 가 연결된다.
점퍼 밑단 부분에 있는 두개의 Anchor Point 도 동일한 방법으로 연결시켜 두개의 선을 하나의 Object로 만들어 준다.
(Join은 두 개점 이외 다른 것들이 선택되면 실행되지 않는다)

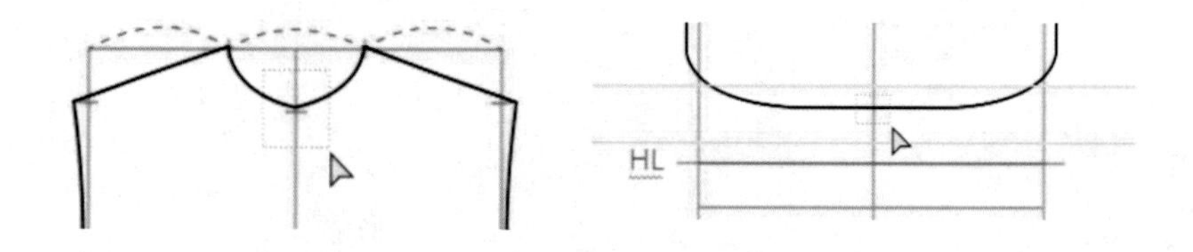

⑥ 점퍼 앞면을 ▶ Selection Tool 로 선택 한 후 Alt 키를 누른 상태에서 드래그(선택한 오브젝트가 복사 된다)하여 뒷면 도식화 틀에 가져가 뒷면 기본 형태를 완성한다.

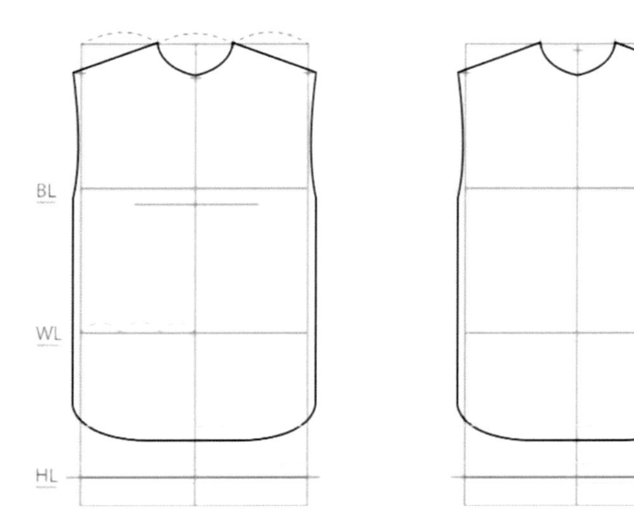

⑦ 앞면 몸판 요크 위치에 맞춰 수평 Guide Line(안내선) 1개를 설정 한다. 앞면 몸판과 Guide Line(안내선)을 선택 한 후 Pathfinde 패널, Pathfindes > Divide 로 절개하여 요크선을 완성한다.

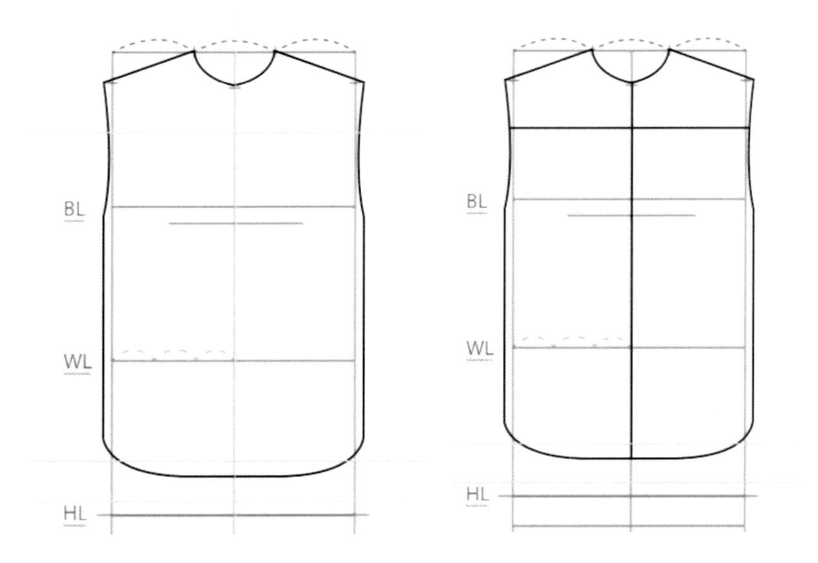

⑧ 뒷면 몸판을 Direct Selection Tool로 선택 한 후 네크라인 가운데에 있는 점을 Delet Anchor Point Tool 로 삭제한다. Direct Selection Tool로 옆 목점에 있는 Anchor point 를 선택한 후 Handle(방향선) 을 조절하여 네크라인 모양을 수정한다.

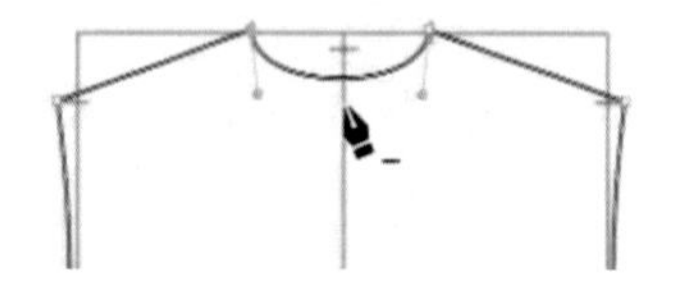

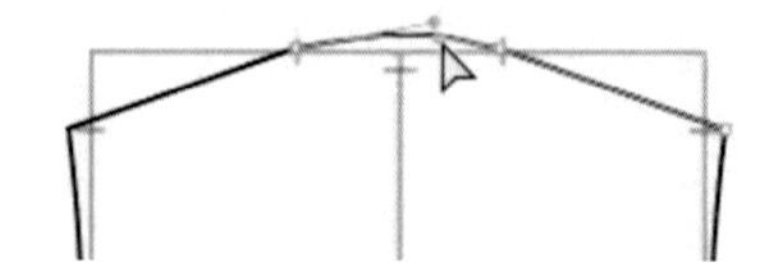

⑨ 뒷면 몸판 요크 위치에 맞춰 수평 Guide Line(안내선) 설정한다. 뒷면 몸판과 Guide Line(안내선)을 선택 한 후 Pathfinde 패널, Pathfindes > Divide를 선택하여 요크선을 완성한다.

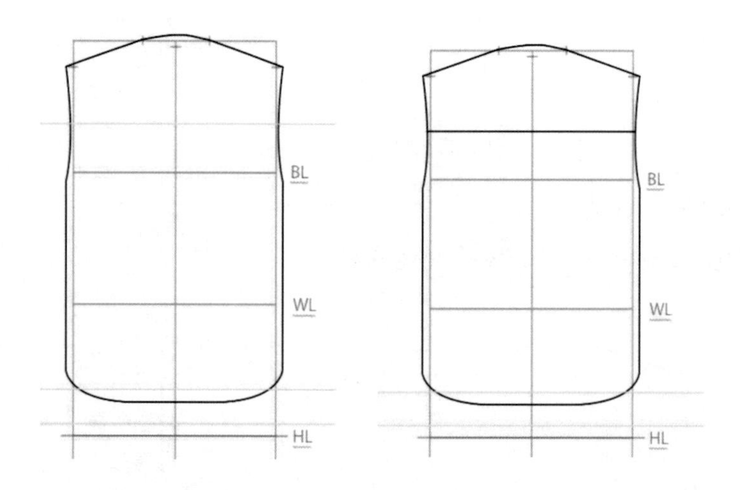

⑨ 뒷면 몸판 양쪽에 절개라인을 만들기 위해 수직 Guide Line(안내선) 2개 설정한다. 뒷면 몸판을 선택한 후 마우스 우클릭, 메뉴 중 Ungroup으로 Group을 해제하고 요크 아래쪽 몸판과 Guide Line(안내선) 2개를 선택 한 후 Pathfinde 패널, Pathfindes > Divide를 클릭하여 뒷면 몸판 절개 라인을 완성한다.

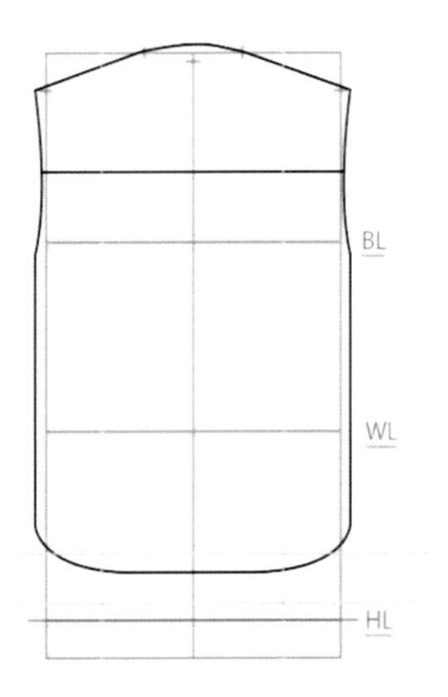

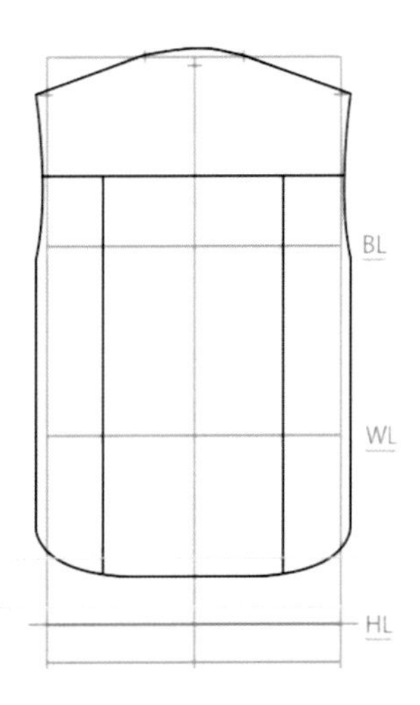

⑩ 앞/뒤 몸판의 Fill 컬러를 흰색으로 설정한다.

몸판 Layer의 Toggles Lock을 클릭하여 Layer를 잠가 사용하지 못하게 한다. Create New Layer를 클릭하여 새 Layer를 추가하고 Layer 이름을 '소매' 라고 바꿔 준다.

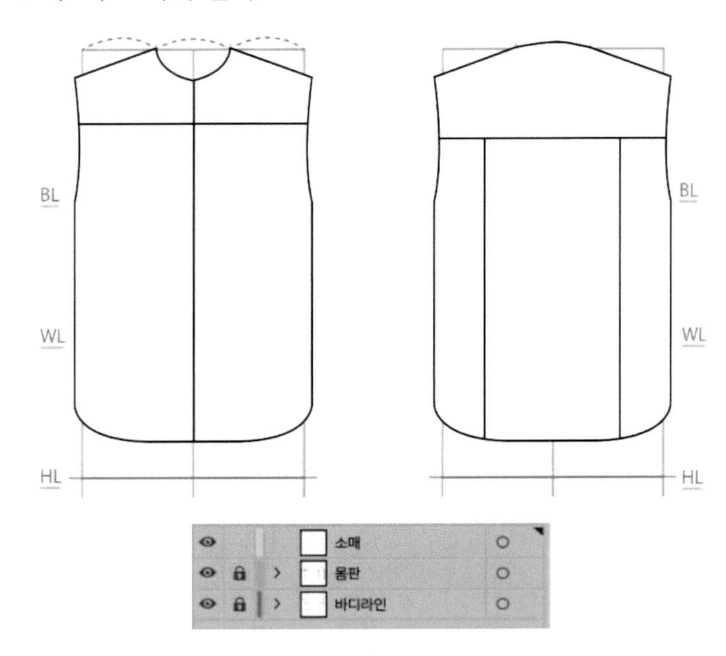

⑪ Fill 컬러 없음으로 설정하고 Pen Tool로 어깨 끝점에서 시작하여 소매 매 길이 1/4 지점을 클릭하여 어깨 끝점 부분을 곡선으로 만들고 나머지 부분은 직선으로 그려 한쪽 소매 형태를 완성한다.

Pen Tool로 커프스 위치에 직선을 그린다. 소매와 직선을 선택 한 후 Pathfinde 패널, Pathfindes > Divide 로 커프스 라인을 완성한다.

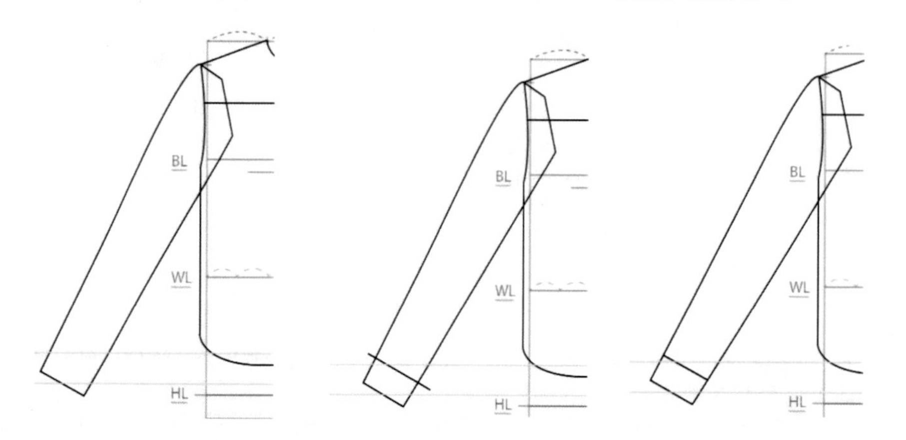

⑫ 한쪽 소매를 Selection Tool로 선택한다. Reflect Tool 선택한 후 Alt 키를 누른 상태에서 도식화틀 중심을 클릭하여 Reflect Tool의 대칭축을 옮겨 준다. Reflect Tool Option창이 나오면 Axis > Vertical 선택하고 Preview 를 체크하여 이동 된 위치를 확인 한 후 Copy를 클릭하여 반대쪽 소매를 완성한다.

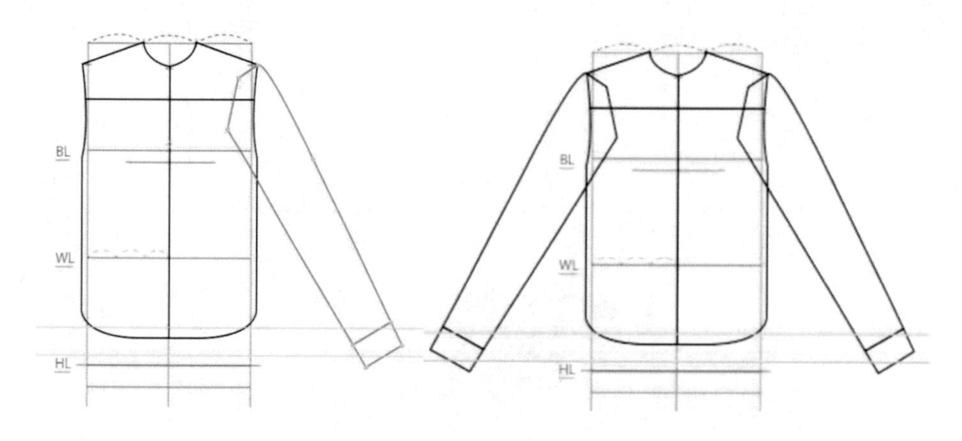

⑬ Selection Tool로 양쪽 소매를 선택 한 후 Alt 키를 누른 상태에서 드래그(선택한 오브젝 트가 복사 된다)하여 뒷면 몸판에 소매를 복사해 놓는다.

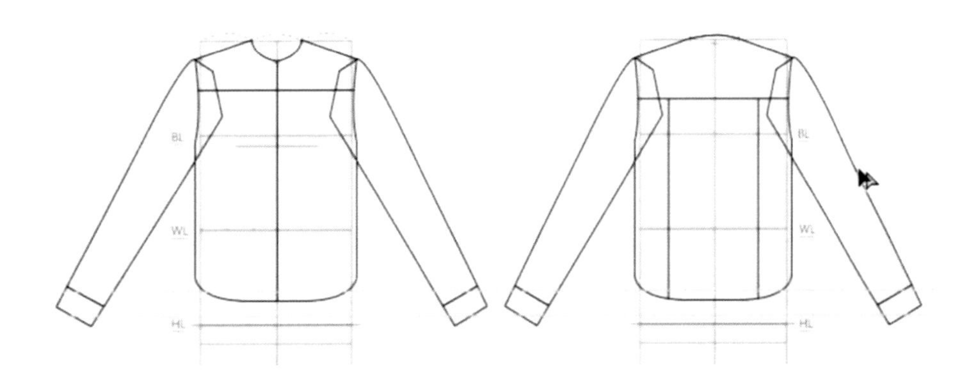

⑭ 두 장 소매로 뒷 소매에 절개선 표시가 필요하다. Pen Tool로 소매 밖에서 시작해서 소매 절개선과 몸판 진동선이 만나는 지점을 클릭하여 Anchor Point 찍고 소매 부리를 이등분 하는 위치에 선을 맞춰 소매 부리 밖으로 직선을 그린다.

Selection Tool로 뒷면 양쪽 소매와 절개선 2개를 선택 한 후 Pathfinde 패널, Pathfindes > Divide 로 두장 소매 절개 라인을 완성한다.

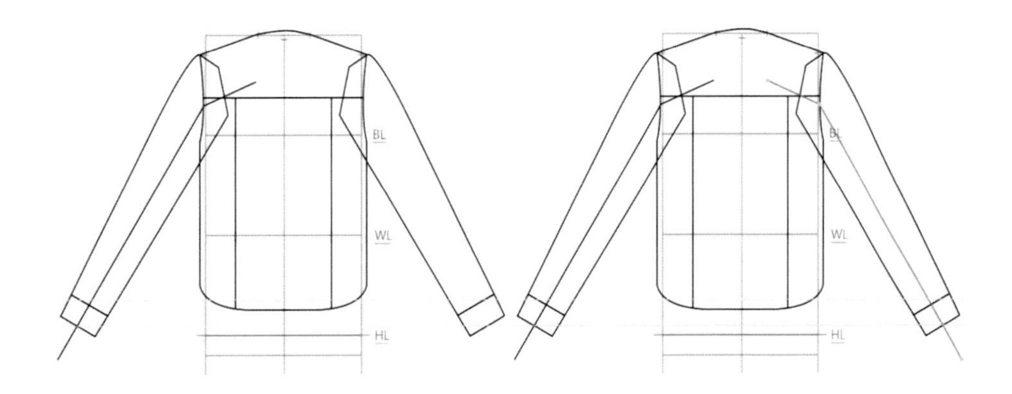

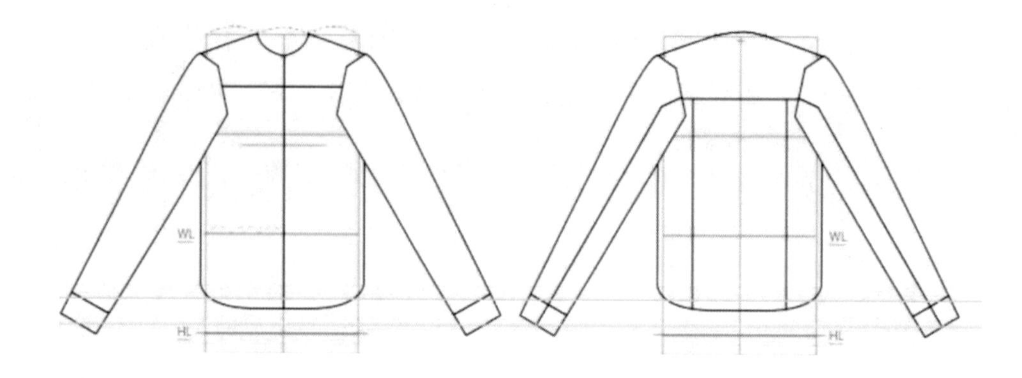

⑮ Selection Tool로 앞/뒤면 소매를 선택 한 후 Fill 컬러를 흰색으로 설정하여 소매 형태를 확인한다. 소매 Layer를 드래그하여 몸판 Layer 에 밑으로 위치시켜 소매를 완성한다.

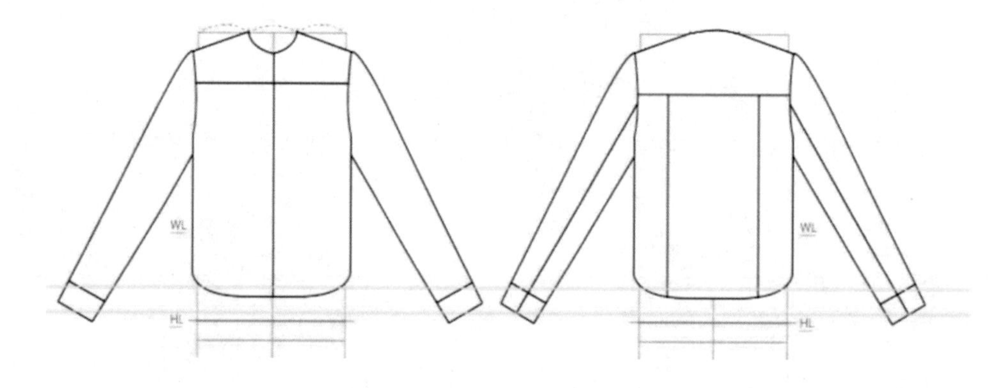

⑯ 소매 Layer의 Toggles Lock을 클릭하여 Layer를 잠가 사용하지 못하게 한다. Create New Layer를 클릭하여 새 Layer를 추가하고 Layer 이름을 ' 후드' 라고 바꿔 준다.

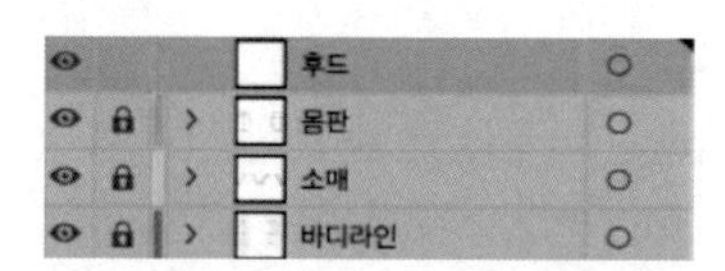

⑰ Pen Tool로 네크라인부터 시작하여 후드 외각선을 그린다.(짚업 후드 스타일로 네크라인을 조금 더 편안하게 넓혀 주어야 한다) 후드 외부 곡선 모양을 기준으로 안쪽 입구 부분을 그린다.

후드 전체를 선택 한 후 Pathfinde 패널, Pathfindes > Divide 로 안쪽 후드 입구과 외부 후드 모양을 분리해 준다.

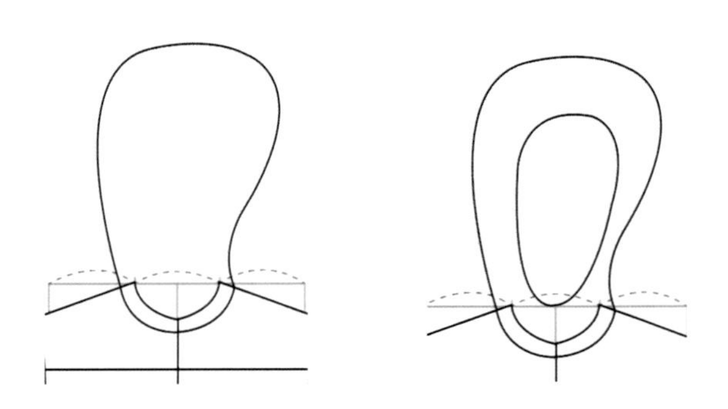

⑱ 후드의 경우 기본적으로 절개 라인이 필요하다. 외부에 절개라인을 그린다. 후드를 선택 한 후 마우스 우클릭, 메뉴 중 Ungroup 으로 Group 을 해제하고 후드 절개 라인 2개와 후드 외부 형태를 선택하여 Pathfinde 패널, Pathfindes > Divide 로 후드 절개 라인을 완성한다.

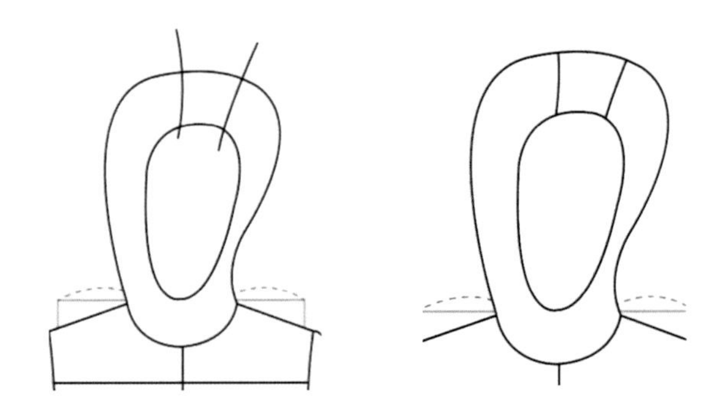

⑲ Pen Tool로 네크라인부터 시작하여 뒷면 후드 형태를 그린 후 후드 절개라인 2개를 그린다. 뒷면 후드와 후드 절개 라인 2개를 선택하여 Pathfinde 패널, Pathfindes > Divide 로 뒤 후드 절개 라인을 완성한다.

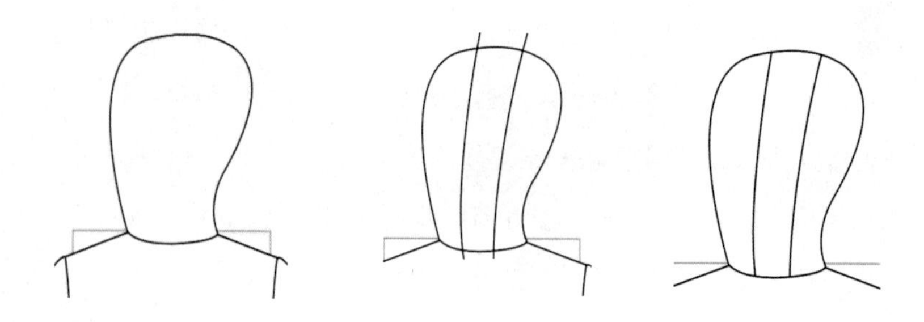

⑲ 후드 Layer의 Toggles Lock을 클릭하여 Layer를 잠가 사용하지 못하게 한다. Create New Layer를 클릭하여 새 Layer를 추가하고 Layer 이름을 '디테일' 이라고 바꿔 준다.

주머니를 그리기 위해 Guide Line(안내선)을 사용하여 주머니 폭, 넓이, 입구 등 기본적인 위치를 설정한다.

Fill 컬러를 흰색으로 설정하고 Pen Tool로 Guide Line(안내선)을 기초로 주머니 모양을 그린다. (주머니 하단의 경우 밑단 시보리 안쪽까지 그려 주어야 시보리 모양을 그렸을때 안쪽으로 라인이 들어가며 깔끔하게 표현이 된다)

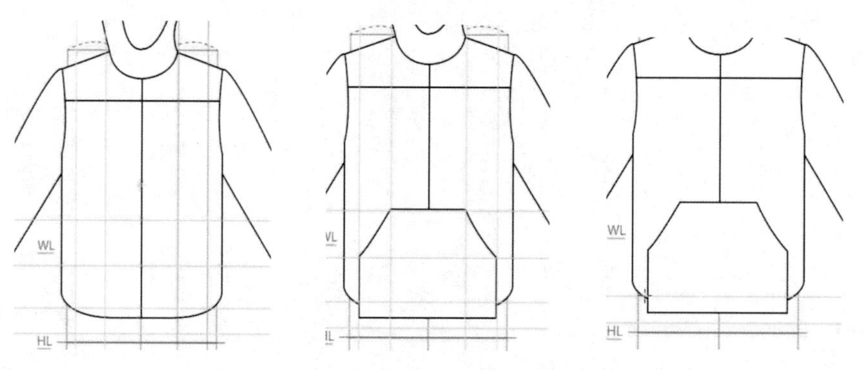

⑳ Rectangle Tool 을 사용하여 시보리 형태를 그린다. 시보리의 경우 아랫단 모양이 더 좁고 몸판과 붙은 부분이 더 넓은 형태이므로 Direct Selection Tool로 사각형 밑단 두 점을 선택한다.

Toolbox에서 Scale Tool을 더블 클릭 한다. Sacle option창이 열리면 Uniform 선택을 하고 수치를 조절하여 원하는 형태가 되면 OK를 클릭하여 시보리 모양을 완성한다.

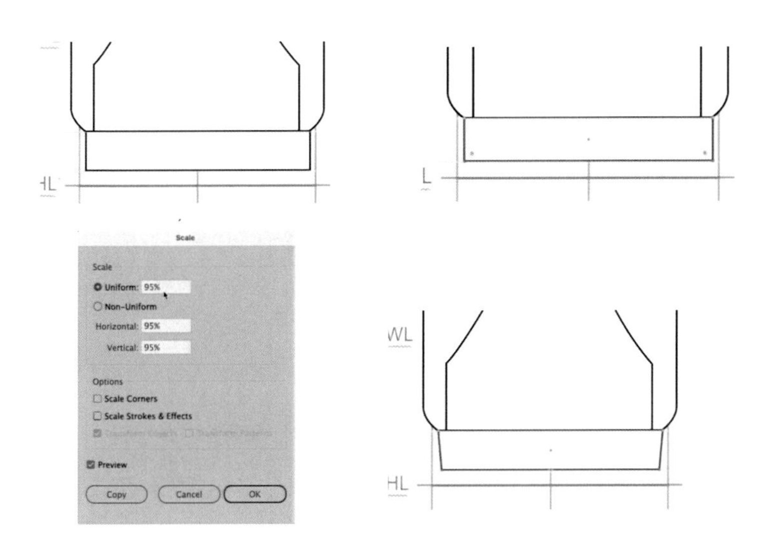

㉑ Selection Tool로 앞면 시보리를 선택 한 후 Alt 키를 누른 상태에서 드래그(선택한 오브젝트가 복사 된다)하여 뒷면 도식화에 가져가 뒷면 시보리 형태를 완성한다.

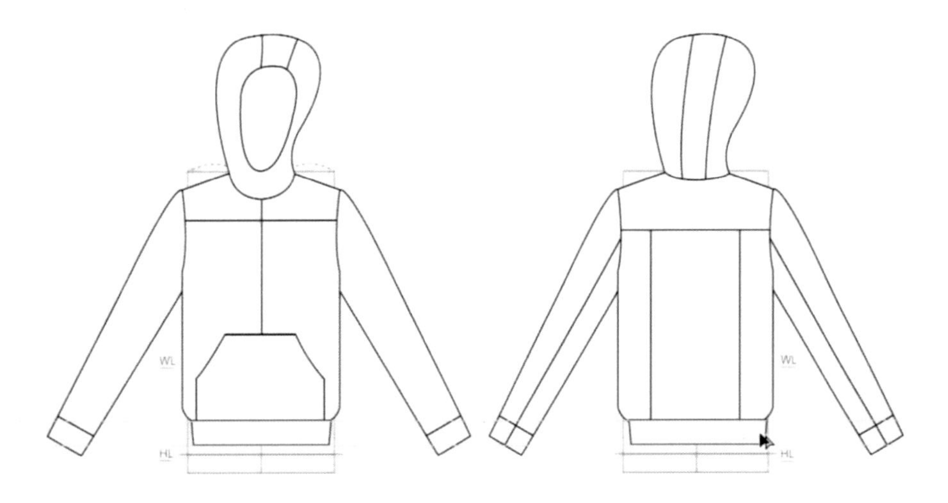

㉒ 앞 중심에서 양쪽으로 같은 위치에 수직 Guide Line(안내선)을 설정한다.
(지퍼가 보여질 위치 설정)
Rectangle Tool 을 사용하여 지퍼가 그려질 부분에 사각형을 그린다.
(Fill 컬러 흰색 / Stroke 컬러 검정 Weight 1pt)

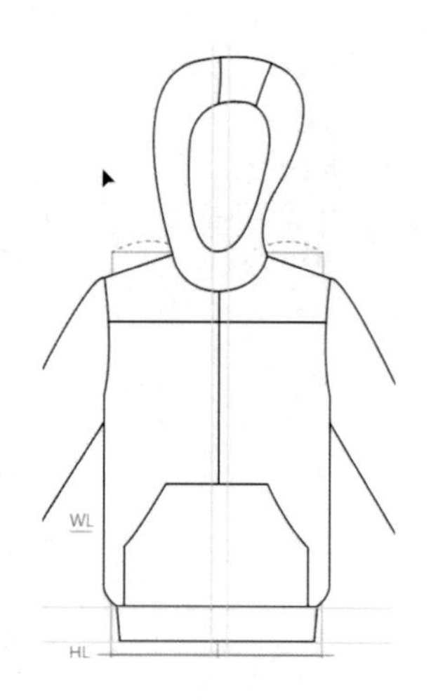

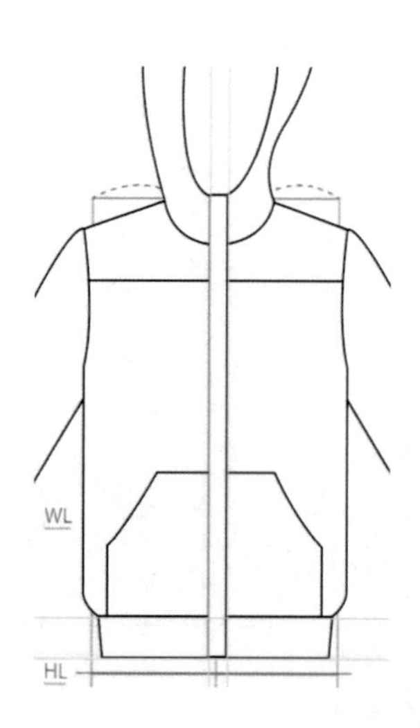

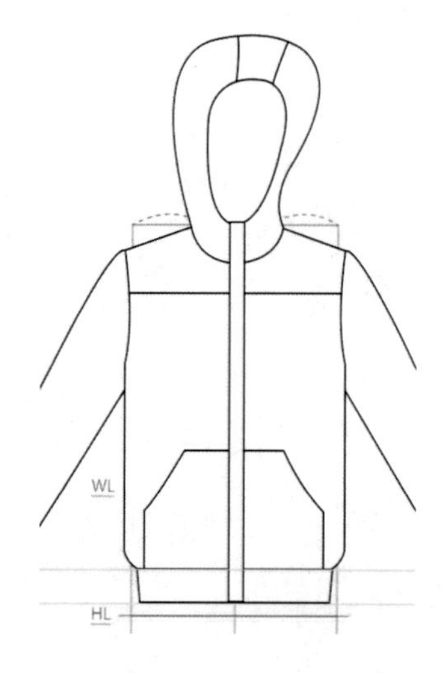

㉓ 디테일 Layer의 Toggles Lock을 클릭하여 Layer를 잠가 사용하지 못하게 한다. Create New Layer를 클릭하여 새 Layer를 추가하고 Layer 이름을 '스티치' 라고 바꿔 준다.
Stroke 패널에서 Weight 0.75pt, Dashed Line 체크, Dash 4pt, Gap 없음으로 설정하여 스티치를 그린다.

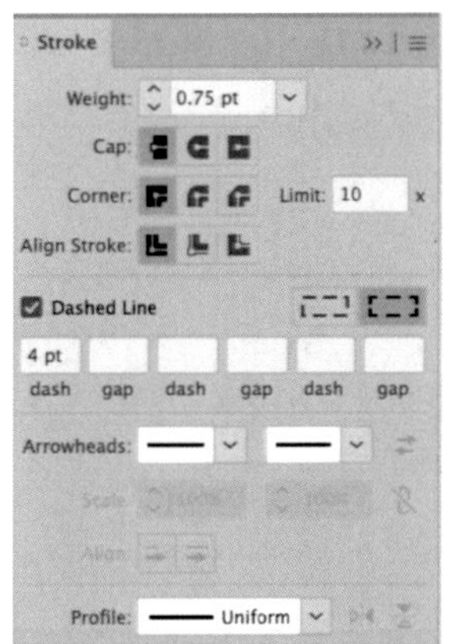

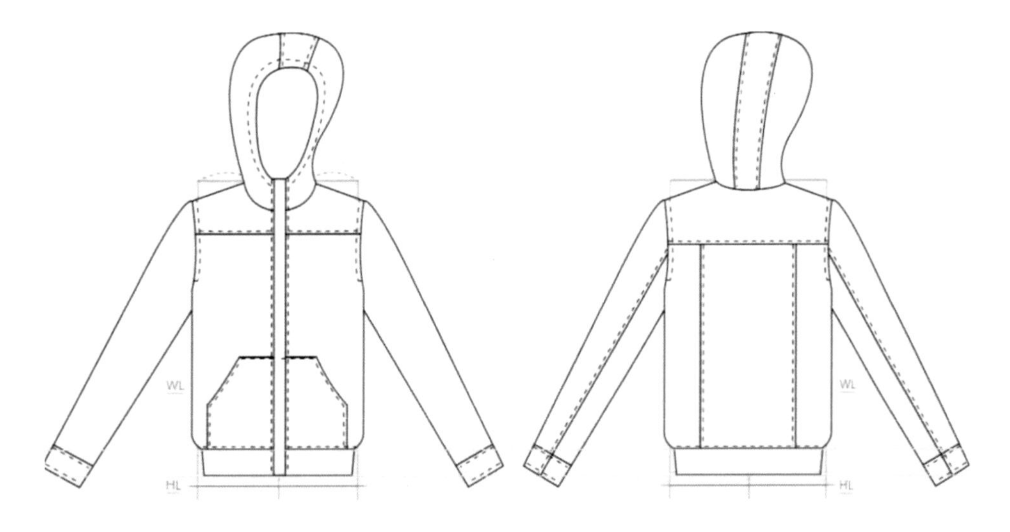

㉔ Pen Tool로 시보리 부분 좌우 끝에 1pt 로 수직 선을 그린다.

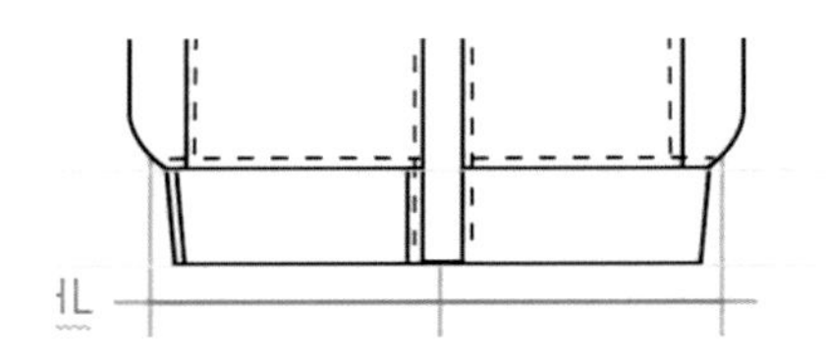

㉕ Blend Tool로 좌측 선의 중앙을 클릭 한 후 우측 선의 중앙을 클릭하면 중간 단계에 선이 그려진다. Blend Tool을 더블 클릭하면 Blend Option이 나온다. Blend Option 메뉴 중 Spacing > Specified Steps 의

수치를 조절하여 원하는 시보리 간격이 되면 OK 클릭하여 시보리 형태를 완성한다. 나머지 시보리 부분도 같은 방법으로 모양을 완성한다.

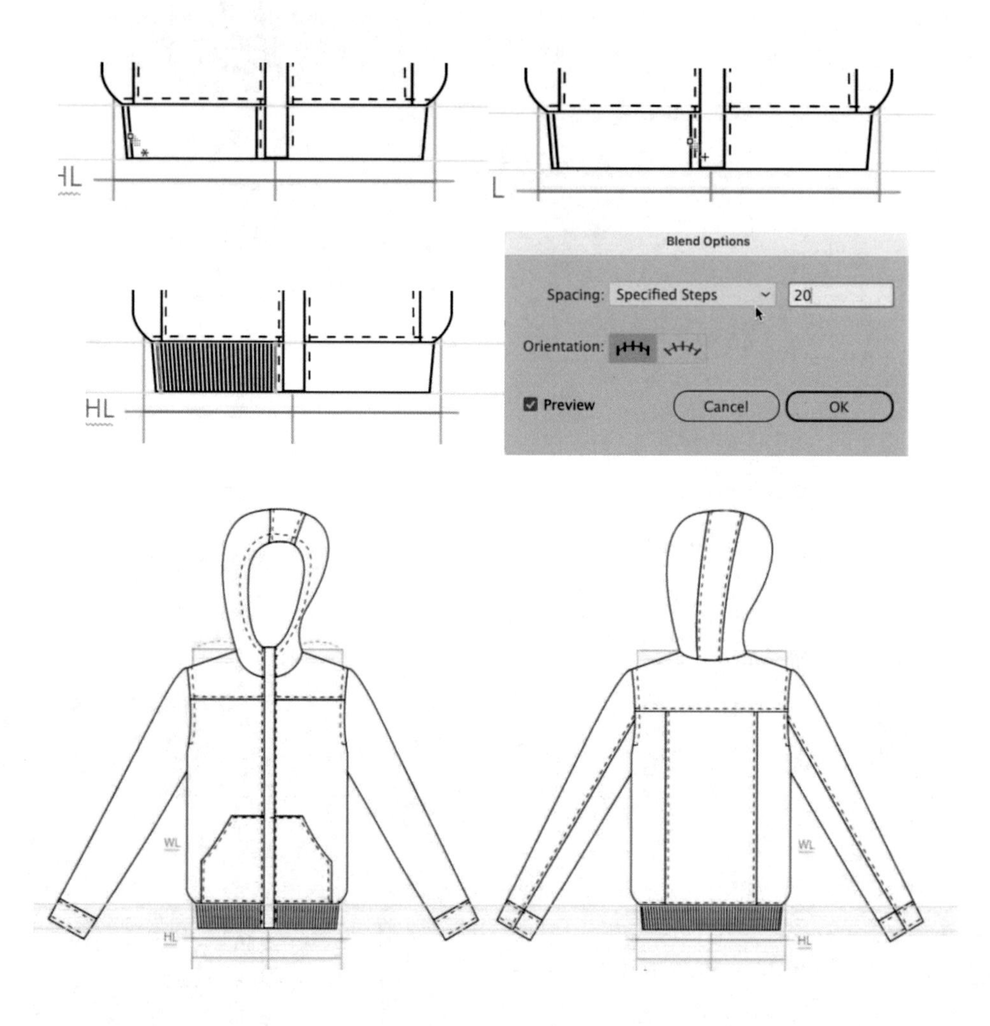

㉖ Fill 컬러 흰색, Stroke 컬러 블랙, Weight 0.5pt 로 설정하고 Ellipse Tool을 선택하고 Shift + Alt + 드래그 하여 후드 끈 위치에 원을 그린다.

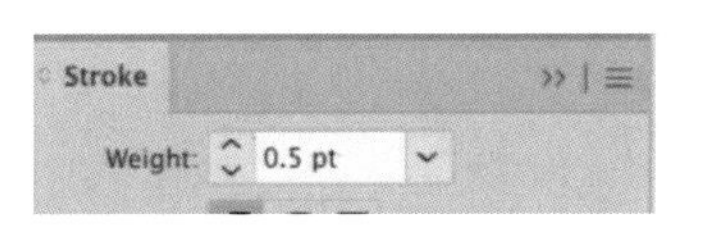

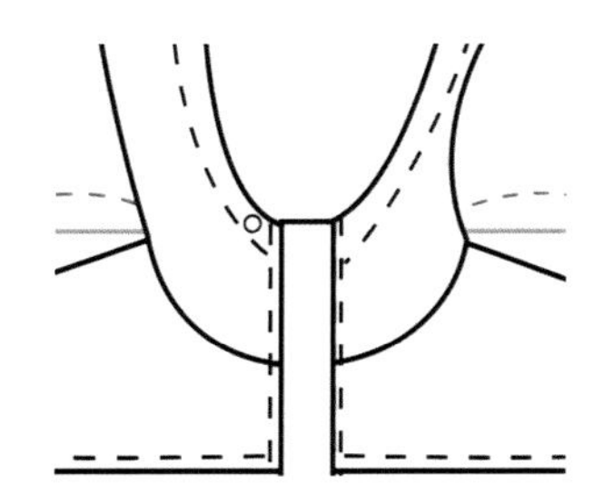

㉗ Fill 컬러 없음으로 설정하고 Pen Tool로 후드 끈 모양을 그린다.
그려진 후드 끈을 선택한 후 Stroke 패널에서 Weight(선의 두께) 를 원 모양보다 조금 작게 설정하고 Cap 을 Round로 설정한다.

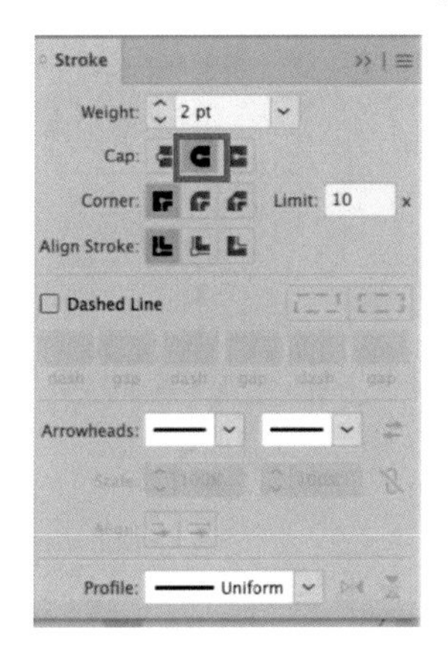

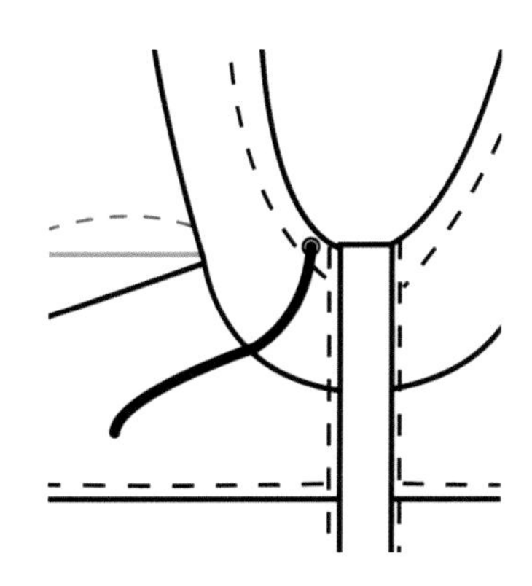

㉘ Fill 컬러 블랙, Stroke 컬러 없음으로 설정하고 Rounded Rectangle Tool 로 후드끈 묶은 모양을 만들어 준다. 후드끈 묶은 모양이 완성되면 후드 선 입구 원, 후드끈, 묶은 모양 3개의 object 를 Selection Tool로 선택한다. 마우스 우클릭, 메뉴 중 Group 을 선택하여 하나의 object로 묶어준다. Reflect Tool 을 사용하여 반대쪽 후드끈 모양을 완성한다.

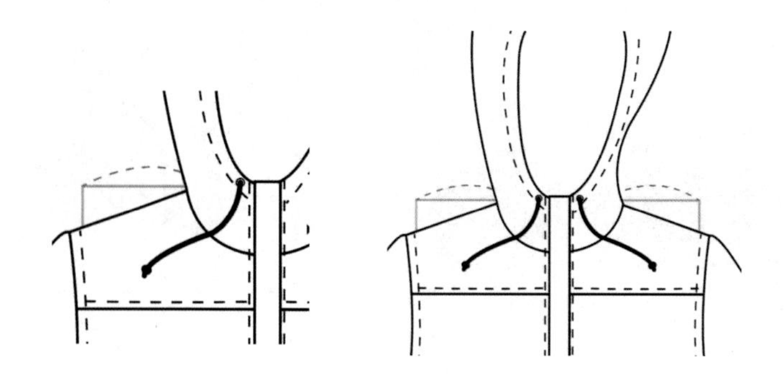

㉙ Fill 컬러 흰색, Stroke 컬러 블랙, Weight 0.5pt 로 설정하고 Ellipse Tool 을 선택하고 Shift + Alt + 드래그 하여 소매 커프스 부분의 단추를 하나 그린 후 Ctrl+C, Ctrl+V 로 복사 붙이기 한 후 Selection Tool로 선택 드래그하여 반대쪽 커프스 단추 위치에 가져가 커프스 단추 모양을 완성한다.

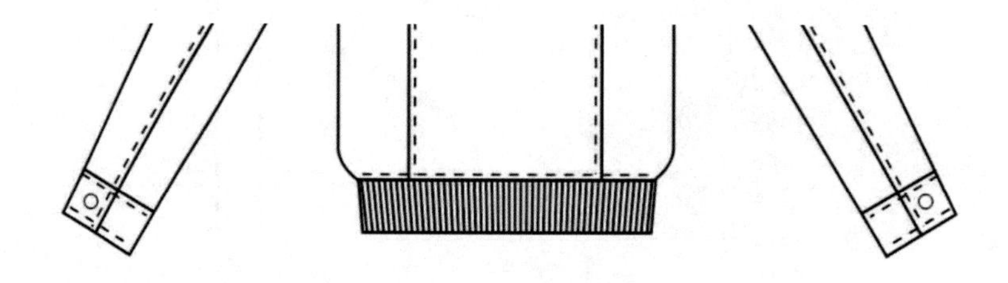

㉚ 앞 중심에 지퍼를 그려 점퍼를 완성한다. (지퍼 그리는 방법 3가지 중 한가지 방법을 선택해서 그린다.)
점퍼가 완성되면 Layer패널에서 바디라인 Layer의 Toggles Visibility 를 꺼서 바디라인이 보이지 않게 가려 점퍼 도식화를 완성한다.

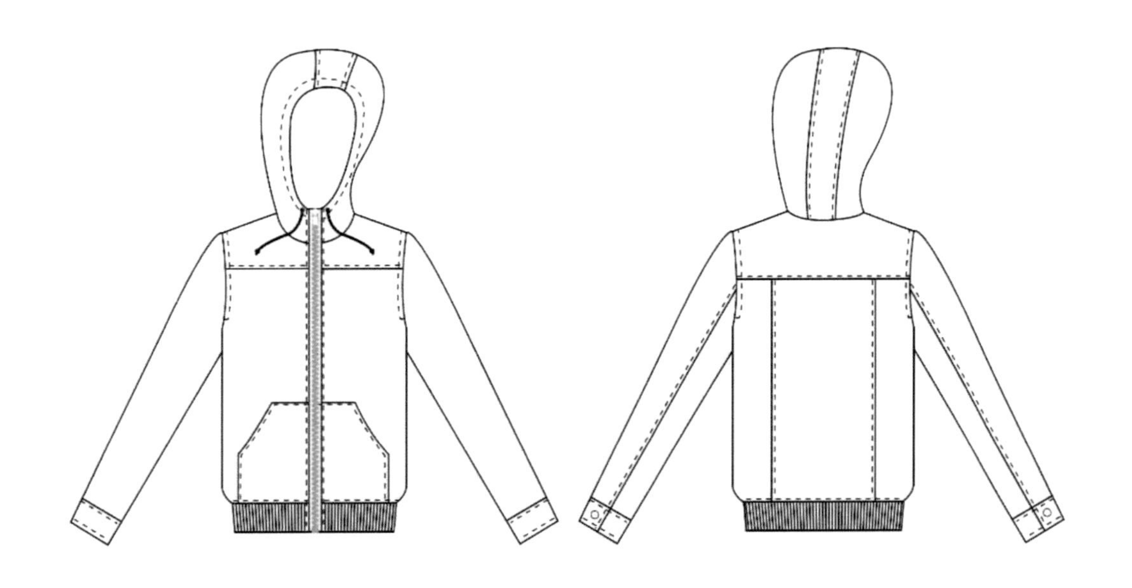

[지퍼 그리는 방법 I - Stroke 패널을 사용]

① 지퍼를 그릴 부분에 사각형 도형을 그린다.

사각형 도형 가운데 Fill 컬러 없음으로 설정하고 수직선을 그린다.

Stroke 패널에서 Weight 6pt (지퍼 크기에 따라 달라짐), Dashed Line 체크, Dash 4pt (지퍼 크기에 따라 달라짐)로 설정하여 지퍼 이빨 한쪽 모양을 완성한다.

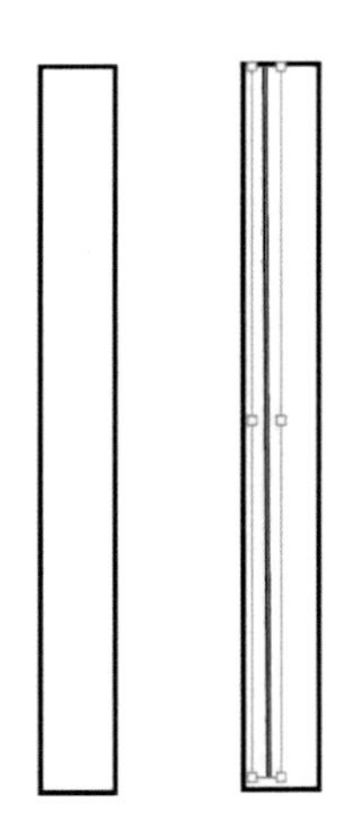

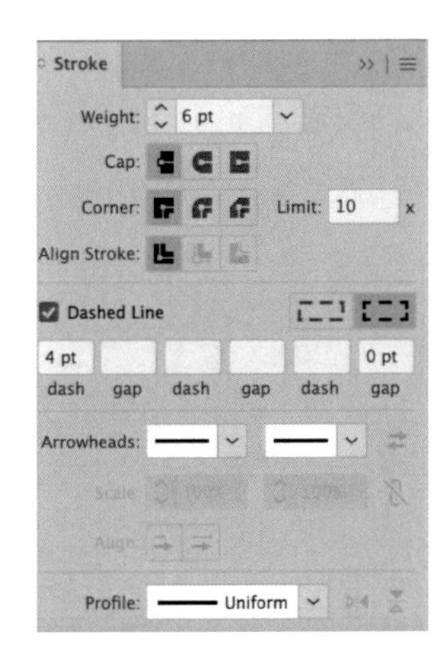

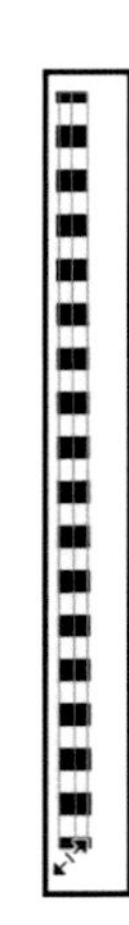

② 지퍼 이빨 모양을 Ctrl+C, Ctrl+V 복사, 붙이기 한 후 이동, 교차시켜 겹쳐 놓아 지퍼 이빨 모양을 완성한다.

Fill 컬러 블랙, Stroke 컬러 없음으로 설정하고 Rectangle Tool 로 지퍼 하단의 마감 장치를 그린다.

Fill 컬러 흰색, Stroke 컬러 블랙으로 설정하고 Pen Tool 과 Rectangle Tool을 사용하여 지퍼 슬라이더를 그린 후 지퍼 맨 위에 위치시켜 놓으면 지퍼 모양이 완성한다.

(지퍼 슬라이더의 경우 도형 툴과 펜툴을 사용하여 그린 후 별도로 저장해 놓은 후 필요시 복사하여 사용하면 된다)

[지퍼 그리는 방법 Ⅱ - Effect 메뉴 사용]

① 지퍼를 그릴 부분에 사각형 도형을 그린다.

사각형 도형 가운데 Fill 컬러 없음으로 설정하고 수직선을 그린다.

메뉴에서 Effect > Distort & Trensform > ZigZag 를 선택한다.

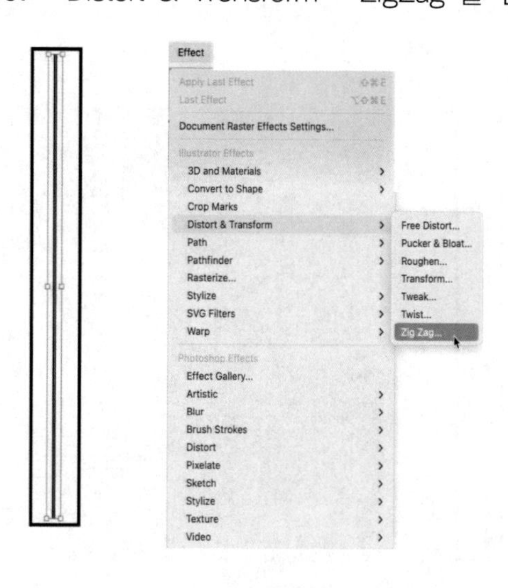

② ZigZag Option 이 나오면 Size, Ridges per segment 수치를 조절하여 원하는 ZigZag 모양을 완성한다.

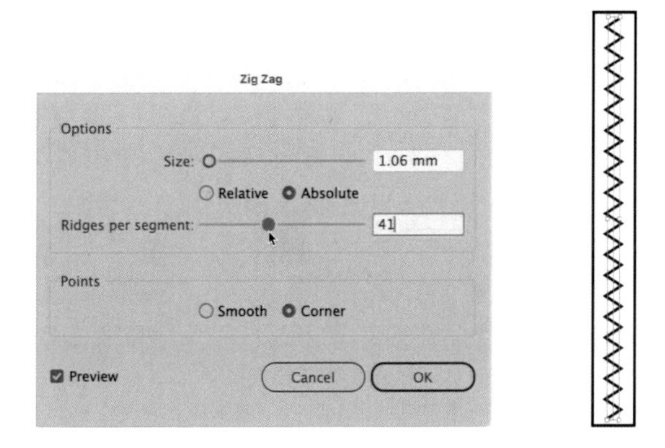

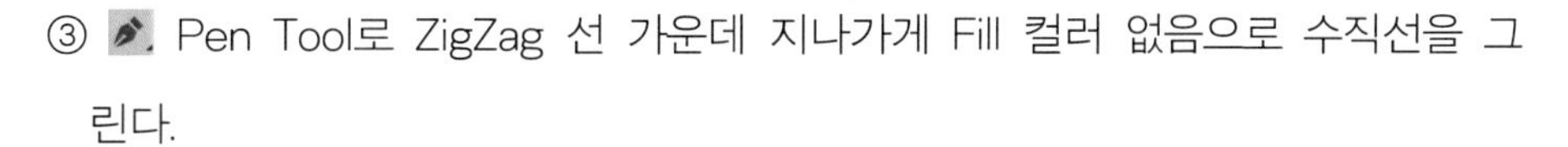

③ Pen Tool로 ZigZag 선 가운데 지나가게 Fill 컬러 없음으로 수직선을 그린다.

Fill 컬러 블랙, Stroke 컬러 없음으로 설정하고 Rectangle Tool 로 지퍼 하단의 마감 장치를 그린다. Fill 컬러 흰색, Stroke 컬러 블랙으로 설정하고 Pen Tool 과 Rectangle Tool을 사용하여 지퍼 슬라이더를 그린 후 지퍼 맨 위에 위치시켜 놓으면 지퍼 모양이 완성한다.

(지퍼 슬라이더의 경우 도형 툴과 펜툴을 사용하여 그린 후 별도로 저장해 놓으면 필요 할 때 복사하여 사용하면 용이하다)

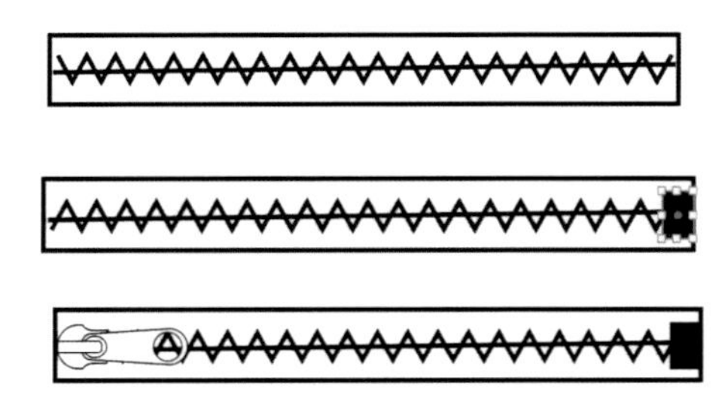

[지퍼 그리는 방법 Ⅲ - Brushes 패널 사용]

① 지퍼 끝, 중간 지퍼 이빨, 슬라이드가 있는 위쪽 모양을 펜툴과 도형툴을 사용하여 그린다.

(지퍼 이빨 모양은 Pen Tool 과 Rectangle Tool로 실제 지퍼 모양과 유사하게 그려 사용하면 된다)

② 메뉴 Window > Swatches 패널을 불러들인다.

① 번에서 그린 지퍼 끝, 중간 지퍼 이빨, 슬라이드가 있는 위쪽 모양을 Selection Tool 로 각각 선택, 드래그 하여 Swatches 패널 빈 공간에 가져가면 마우스 커서 모양이 바뀐다. 이때 마우스 커서를 놓으면 Swatches 패널에 등록 된다.

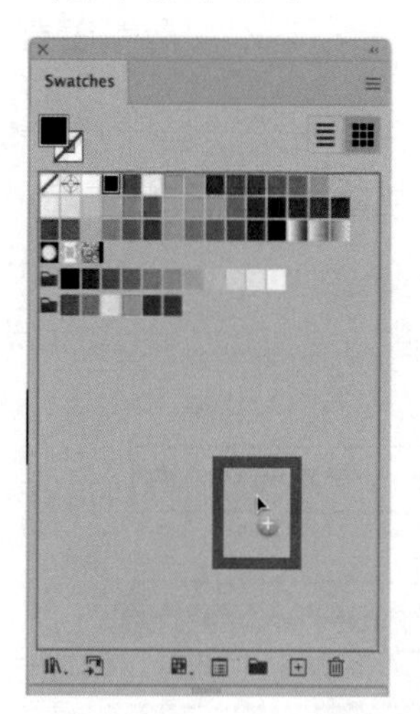

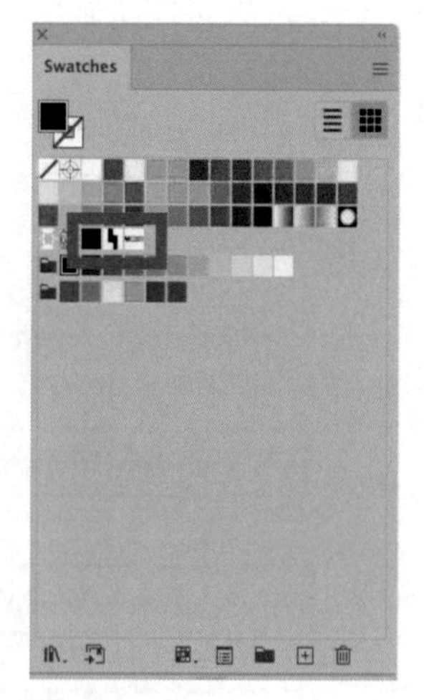

③ 메뉴 Window > Brushes 패널을 불러들인다.

Brushes 패널 하단 '+' 아이콘 (New Brush) 클릭, New Brush Option 창이 나오면 Pattern Brush를 선택한다.

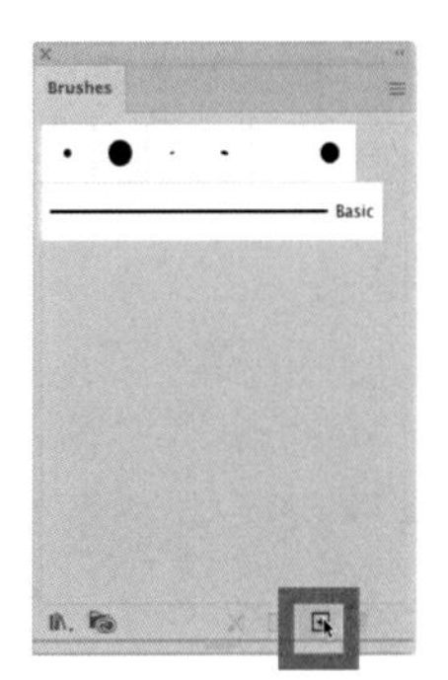

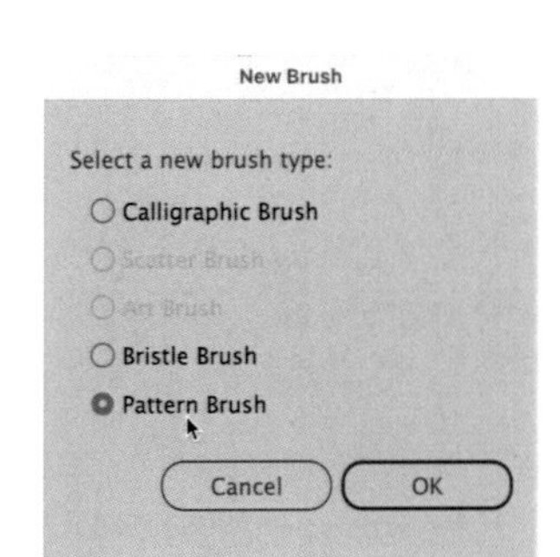

③ Pattern Brush Option 창이 나오면 브러시의 시작점, 끝나는 지점, 중간지점의 모양을 지정 해 준다.

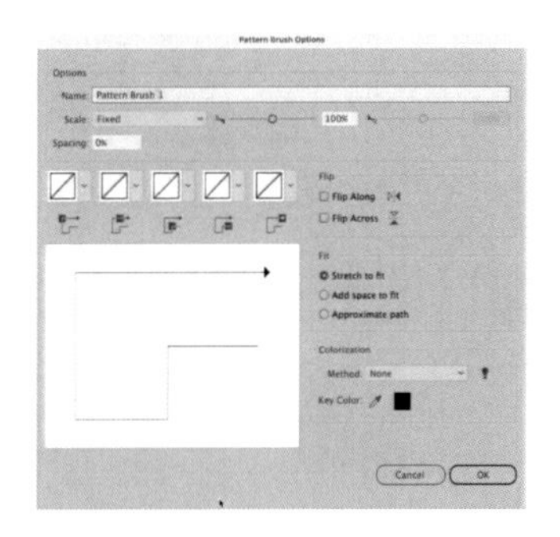

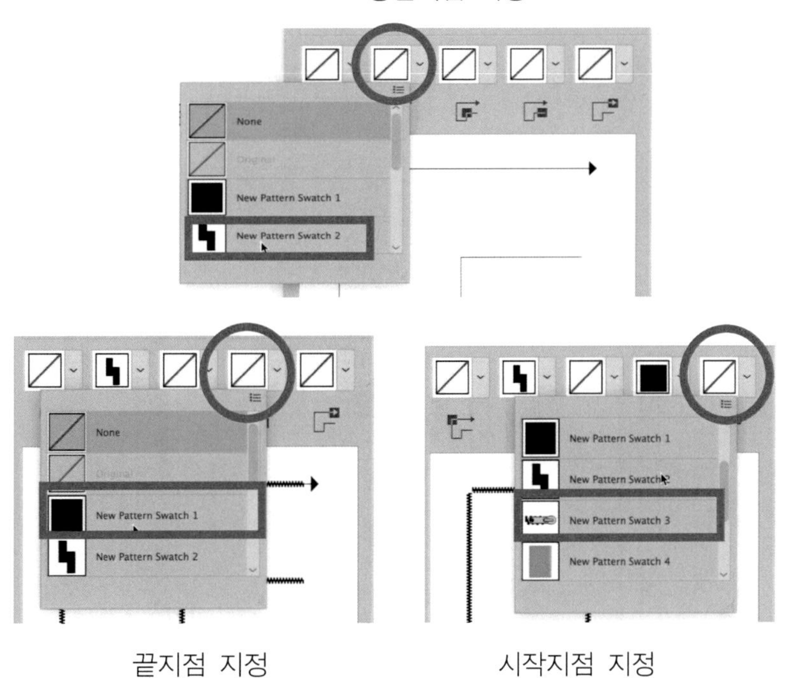

④ 각각의 위치에 맞는 모양을 지정하고 나면 Brushes 패널 새로운 지퍼 브러시가 만들어진다

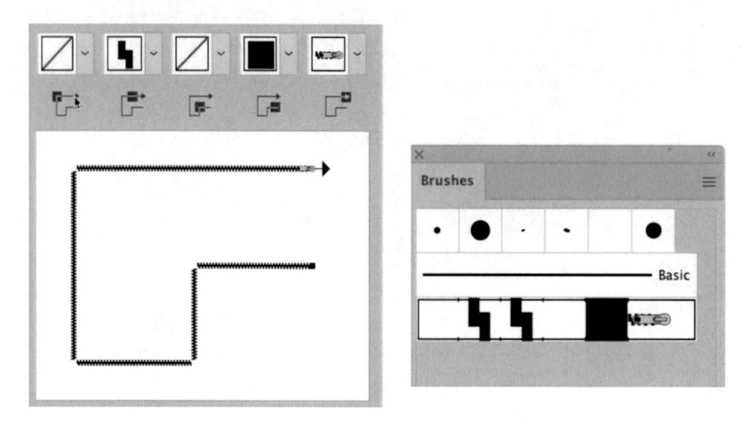

⑤ 지퍼를 그릴 부분에 사각형 도형을 그린다.

Fill 컬러 없음으로 설정하고 Pen Tool로 사각형 도형 가운데 수직선을 그린다.

수직선을 Selection Tool로 선택 한 후 Brush를 적용시키면 지퍼 모양이 완성된다.(지퍼 모양이 클 경우에는 적용된 지퍼 모양을 Selection Tool 로 선택 한 후 Brushes 패널에서 적용한 Pattern Brush를 더블 클릭한다. Pattern Brush Option 창이 열리면 메뉴 중 Scale을 조절해 주면 된다.)

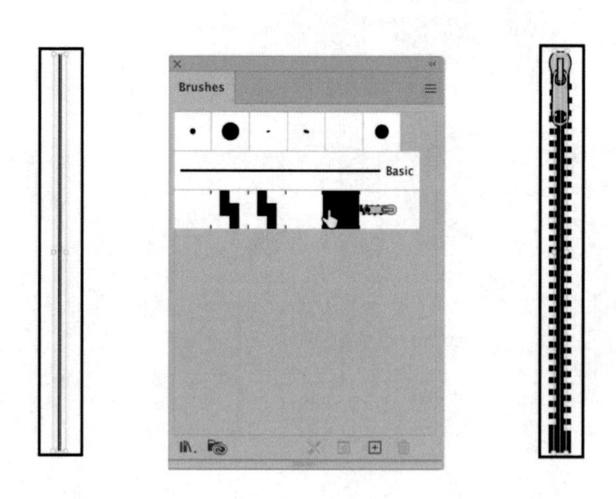

10. 패딩 점퍼 그리기

① 도식화 기본틀 바디라인 Layer의 Toggles Lock을 클릭하여 Layer를 잠가 사용하지 못하게 한다. Create New Layer를 클릭하여 새 Layer를 추가하고 Layer 이름을 '몸판' 이라고 바꿔 준다.

② Toolbox에서 Fill 컬러 없음, Stroke 컬러 블랙, 옵션 바 또는 Stroke 패널에서 Weight 1pt(선의 두께)로 설정한다.

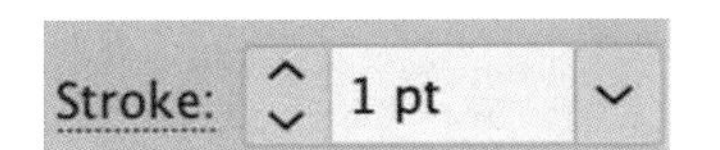

③ 밑단이 시보리로 되어져 있는 점퍼의 경우 시보리 위치를 Guide Line(안내선)으로 설정 한 후 Pen Tool로 도식화 기본틀 가운데를 중심으로 실루엣에 맞춰 옆선의 모양을 사선으로 그려 전체적인 기본 형태 반쪽만 그린다.
(밑단 부분은 시보리 공간 중간 정도에 걸쳐지게 그린다)

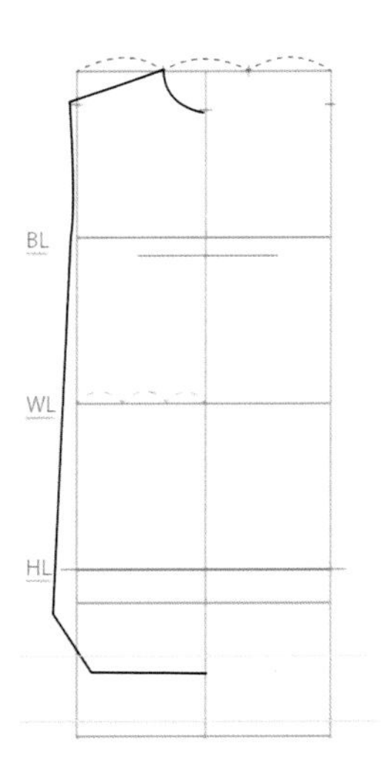

④ 패딩 절개 라인에 맞춰 Guide Line(안내선)으로 설정한다. 메뉴에서 View > Guides > Lock Guides 로 설정한 Guide Line(안내선)을 잠가 선택되지 않게 한다.

옆선과 Guide Line(안내선)이 교차하는 부분에 Add Anchor Point

Tool로 점을 추가하고 Anchor Point Tool로 직선점을 곡선점으로 변경하고 Direct Selection Tool로 Handle(방향선)을 조절하여 옆선을 곡선 모양으로 변경하여 패딩점퍼 옆선 모양을 완성한다

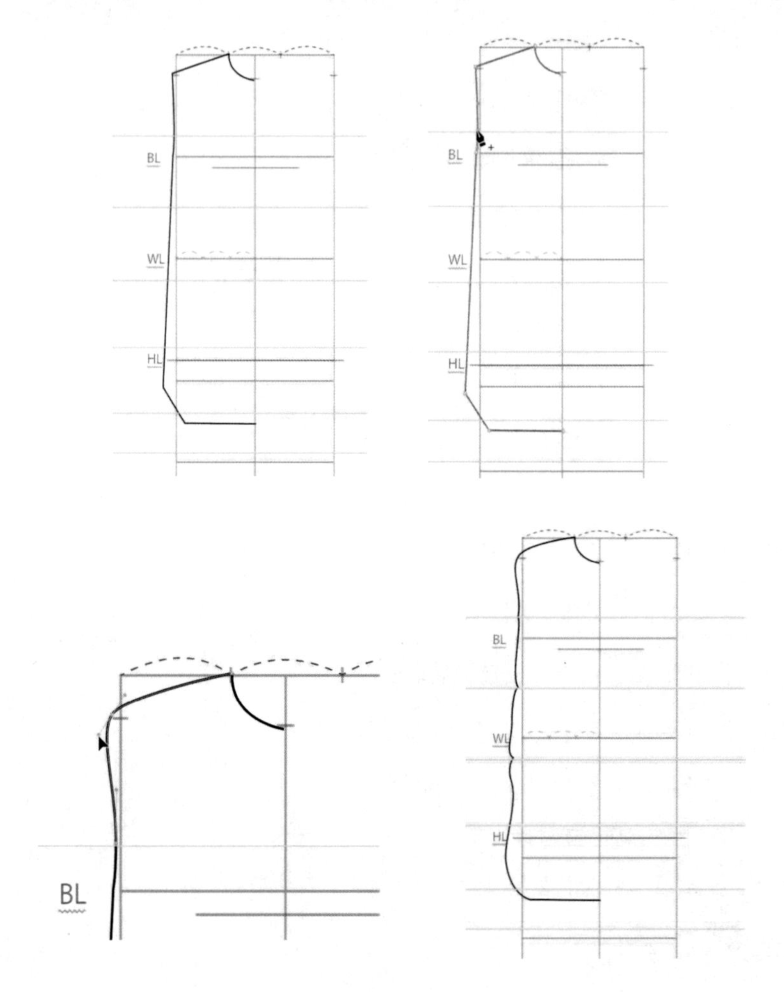

⑤ Selection Tool 패딩 점퍼 반쪽을 선택한다. Reflect Tool을 선택한 후 Alt 키를 누른 상태에서 도식화틀 중심을 클릭하여 Reflect Tool의 대칭축을 옮겨 준다. Reflect Tool Option 창이 나오면 Axis > Vertical 선택하고 Preview 를 체크하여 이동 된 위치를 확인 한 후 Copy를 선택하여 나머지 반쪽 형태를 완성한다.

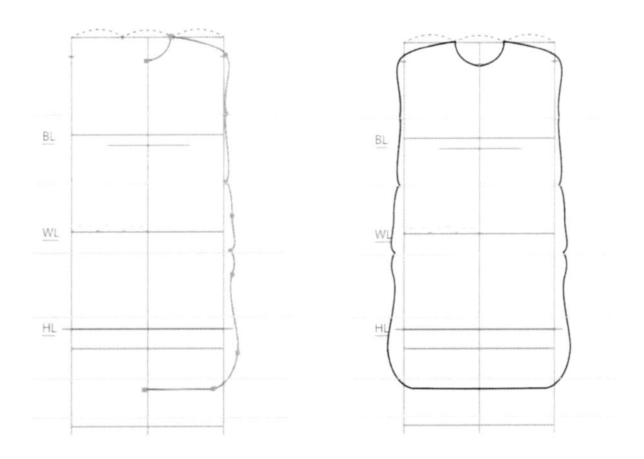

⑥ Toolbox에서 Direct Selection Tool을 선택한 후 드래그하여 네크라인 중앙에 있는 2개의 Anchor Point를 선택한다.
마우스 우클릭, 메뉴 중 Join을 선택하면 2개의 Anchor Point 가 연결된다.
점퍼 밑단 부분에 있는 2개의 Anchor Point를 선택한 후 동일한 방법으로 연결시켜 2개의 선을 하나의 Object로 만들어 준다.
(Join은 두 개점 이외 다른 것들이 선택되면 실행되지 않는다)

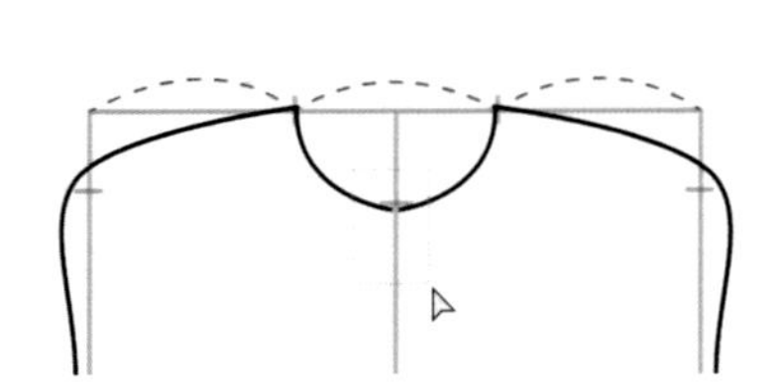

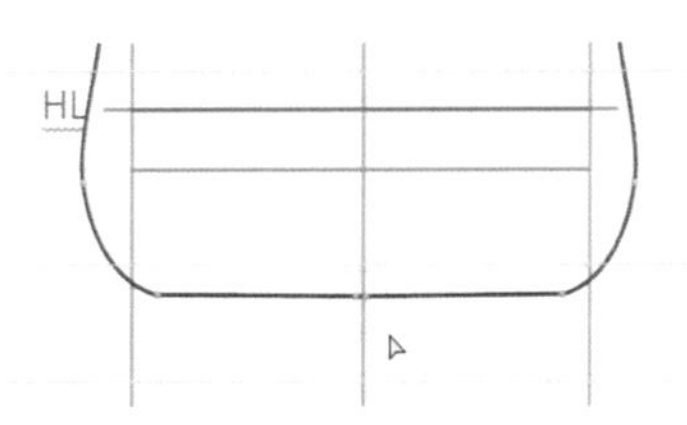

⑦ Pen Tool로 Guide Line(안내선)에 맞춰 패딩 점퍼의 첫번째 절개 라인을 그린다. 그려진 절개라인을 Selection Tool 로 선택하고 Ctrl + C로 복사, Ctrl + F 로 앞쪽에 붙여 넣기를 한 후 키보드의 Page Down키(방향키)를 사용하여 두 번째 절개선 위치에 가져다 놓는다. 같은 방법으로 나머지 절개라인을 완성한다.

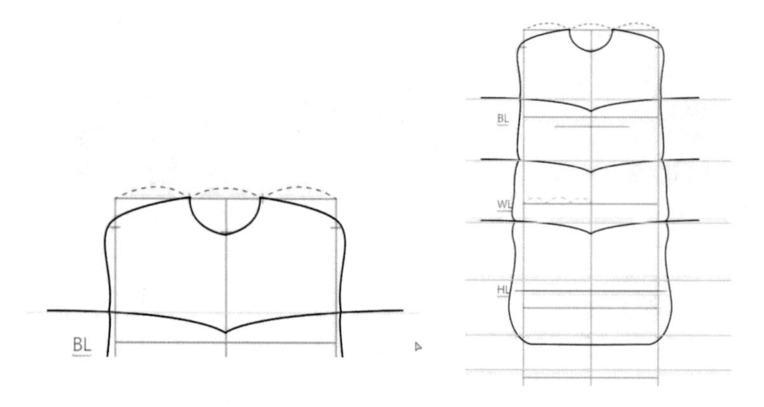

⑧ 패딩 점퍼 앞면을 Selection Tool 로 선택 한 후 Alt 키를 누른 상태에서 드래그(선택한 오브젝트가 복사 된다)하여 뒷면 도식화 틀에 가져가 뒷면 기본 형태를 완성한다.

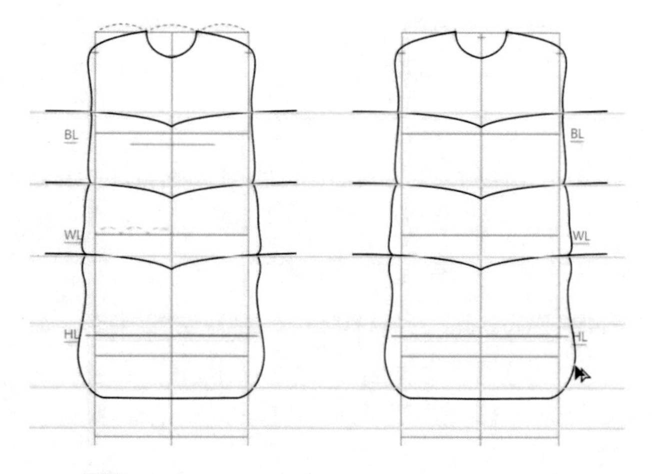

⑨ 뒷면 몸판을 Direct Selection Tool로 선택 한 후 네크라인 가운데에 있는 점을 Delet Anchor Point Tool로 삭제한다. Direct Selection Tool로 옆 목점에 있는 Anchor point 를 선택한 후 Handle(방향선)이 보여지면 Handle(방향선)을 조절하여 네크라인 모양을 수정한다.

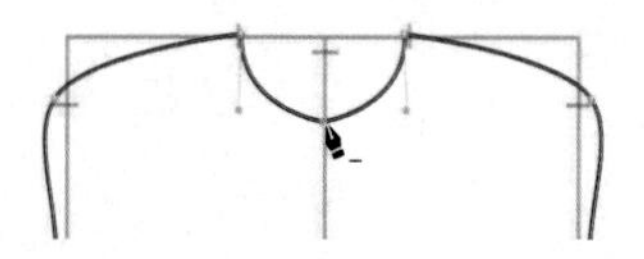

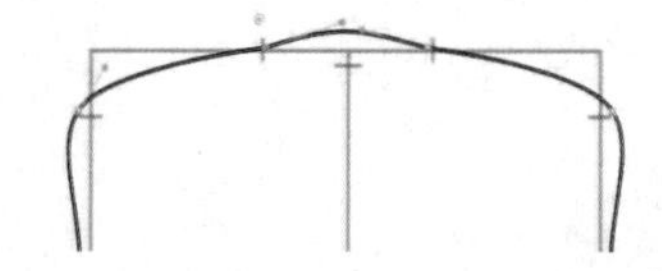

⑩ 뒷면 몸판의 경우 절개라인이 하나를 더 있다. 추가적으로 절개라인을 만들기 위해 옆선과 Guide Line(안내선)이 교차하는 부분에 Add Anchor Point Tool로 점을 추가하고 Anchor Point Tool로 직선점을 곡선점으로 변경하고 Direct Selection Tool 로 Handle(방향선)을 조절하여 옆선을 곡선 모양으로 변경한다.

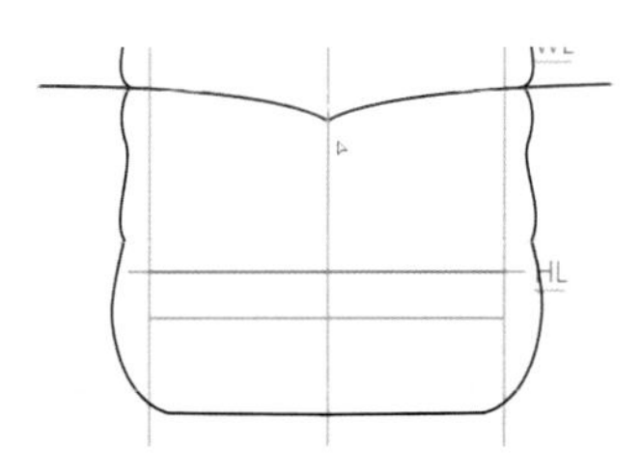

⑪ 뒷면 마지막 절개선을 Selection Tool 로 선택하고 Ctrl + C 로 복사, Ctrl + F 로 앞쪽에 붙여 넣기를 한다. 키보드의 Page Down키(방향키)를 사용하여 뒷면 몸판 마지막 절개선 위치로 이동시켜 마지막 절개선을 완성한다.

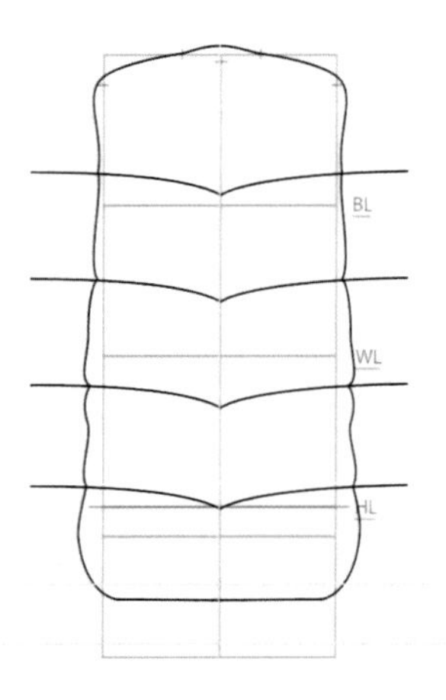

⑫ 메뉴 중 View > Guides > Unlock Guide 로 잠가놓은 가이드를 풀어 선택할 수 있게 한다. 패딩 절개 라인을 위치 설정을 위해 만들어 놓은 Guide Line(안내선)을 Selection Tool 로 선택 한 후 키보드의 Delete키로 삭제한다. (시보리단 위치를 표시한 Guide Line(안내선) 2개는 남겨 놓는다)
Selection Tool 로 앞면, 뒷면에 있는 절개선을 선택 한 후 Pathfinde > Pathfindes > Divide 로 절개선을 완성한다. (밑단쪽 시보리단 위치를 표시해 놓은 Guide Line (안내선)이 선택되지 않도록 주의한다)
Fill 컬러를 흰색으로 설정하고 앞/뒤 몸판 형태를 확인한다.

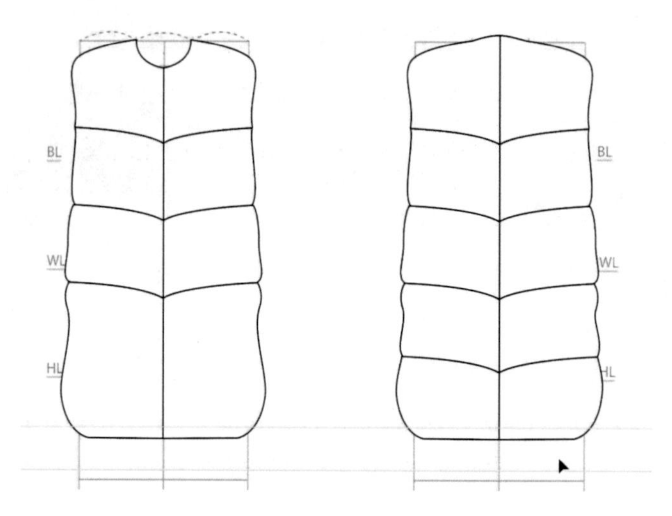

⑫ 몸판 Layer의 Toggles Lock을 클릭하여 Layer를 잠가 사용하지 못하게 한다. Create New Layer를 클릭하여 새 Layer를 추가하고 Layer 이름을 '소매' 라고 바꿔 준다.

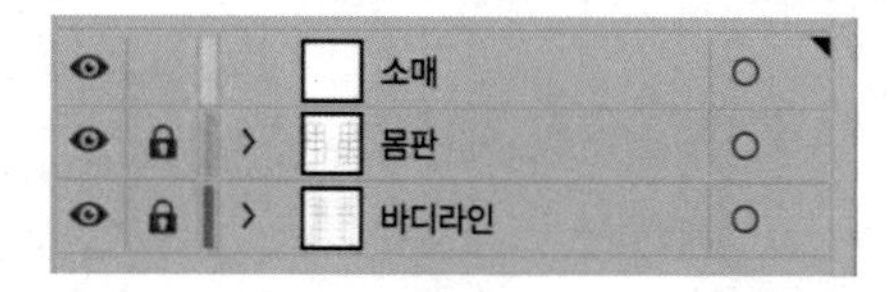

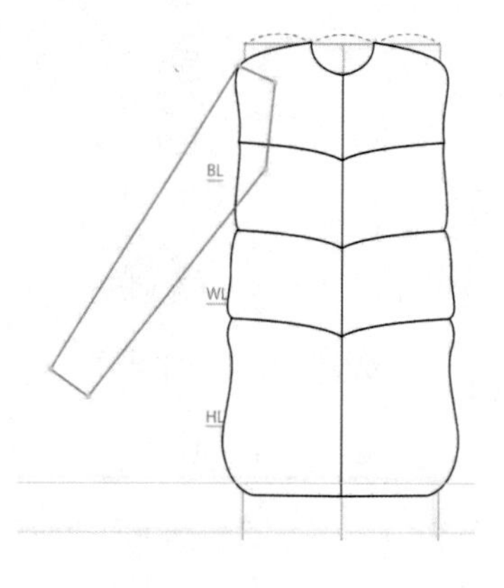

⑬ Pen Tool로 어깨 끝점에서 시작하여 시보리 길이 만큼을 제외하고 직선으로 소매 기본 형태를 그린다.

⑭ 수직 Guide Line(안내선) 3개를 나란히 설정한다.

Selection Tool 로 Guide Line(안내선)을 선택 한 후 Toobox에서 Rotate Tool을 더블 클릭하면 Rotate Option 창이 열린다. Rotate Option

메뉴 중 Angle 의 수치를 조절하여 소매 부리와 같은 각도로 Guide Line (안내선) 방향을 변경한다.

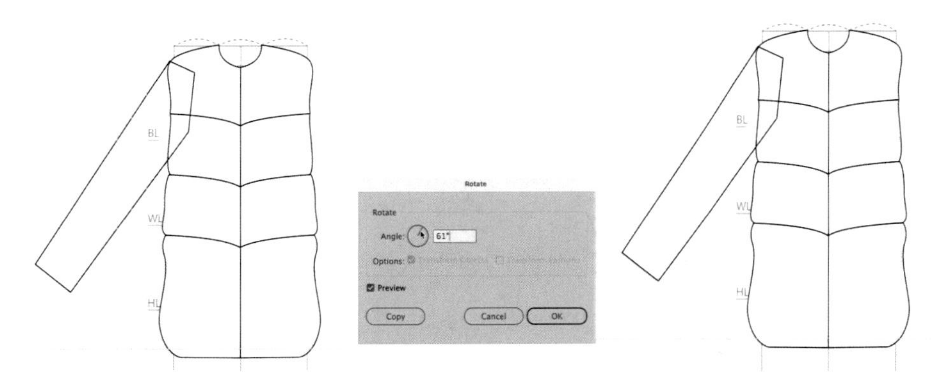

⑮ Selection Tool 로 Guide Line(안내선)을 선택하여 소매 절개 라인 위치에 배치한다. 메뉴에서 View > Guides > Lock Guides 로 설정한 Guide Line(안내선)을 잠가 선택되지 않게 한다.

소매와 Guide Line(안내선)이 교차하는 부분에 Add Anchor Point Tool로 점을 추가하고 Anchor Point Tool로 직선점을 곡선점으로 변경하고 Direct Selection Tool 로 Handle(방향선)을 조절하여 소매 외부라인을 곡선 모양으로 변경하여 패딩 소매 모양을 완성한다.

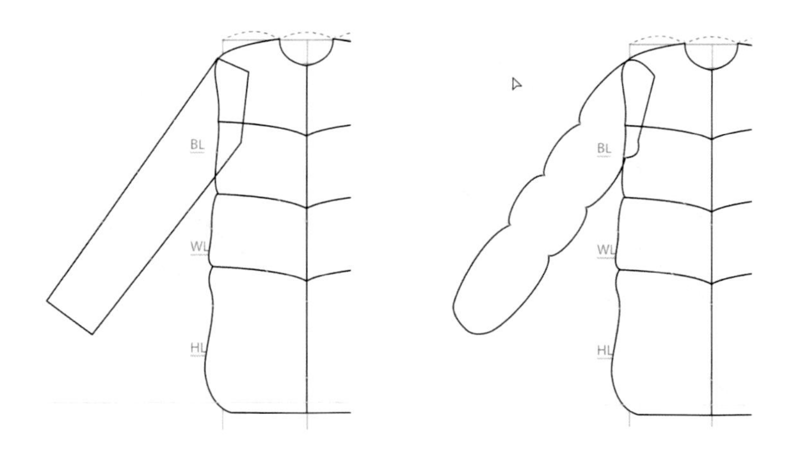

⑯ 메뉴에서 View > Guides > Unlock Guides 로 설정한 Guide Line(안내선)의 잠금을 풀어 준다. Selection Tool 로 Guide Line(안내선)과 소매를 선택한다. Pathfinde 패널, Pathfindes > Divide 로 소매 패딩 절개선을 완성한다.

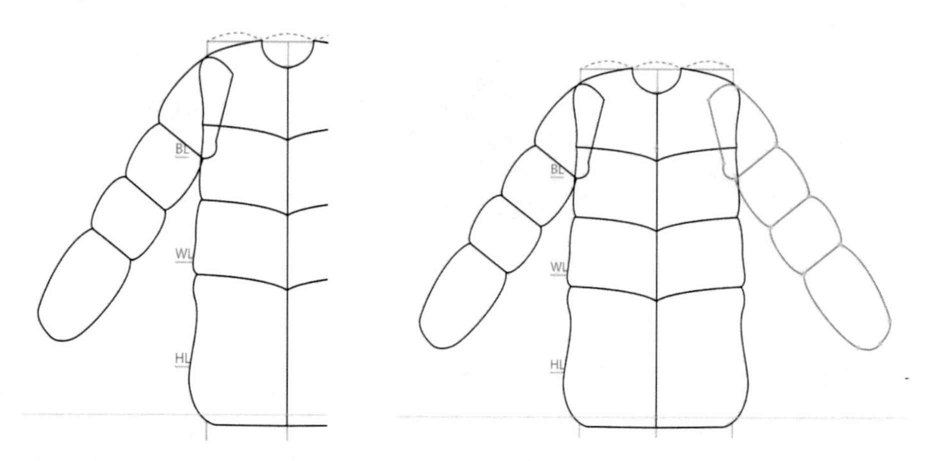

⑰ Selection Tool로 양쪽 소매를 선택 한 후 Alt 키를 누른 상태에서 드래그(선택한 오브젝 트가 복사된다)하여 뒷면 도식화 틀에 소매를 복사한다. Selection Tool로 양쪽 소매를 선택 한 후 Fill 컬러를 흰색으로 설정하여 소매 형태를 확인한다. 소매 Layer를 드래그하여 몸판 Layer 에 밑으로 위치시켜 소매 형태를 완성한다.

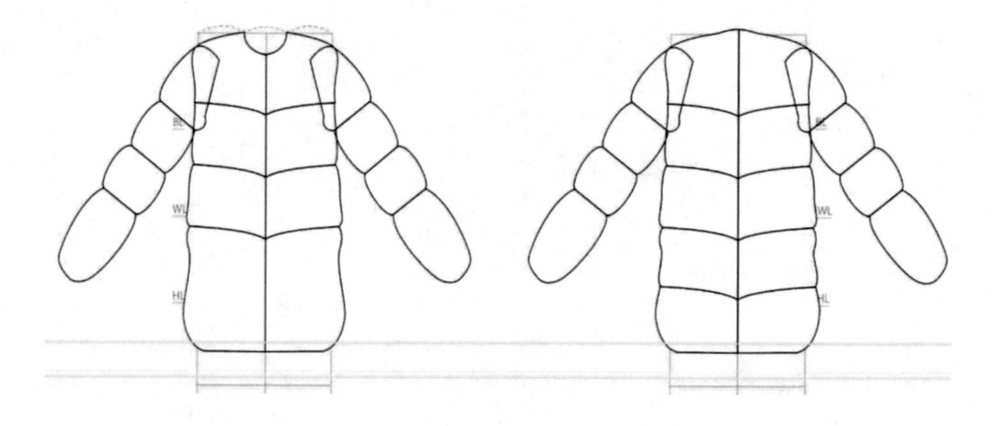

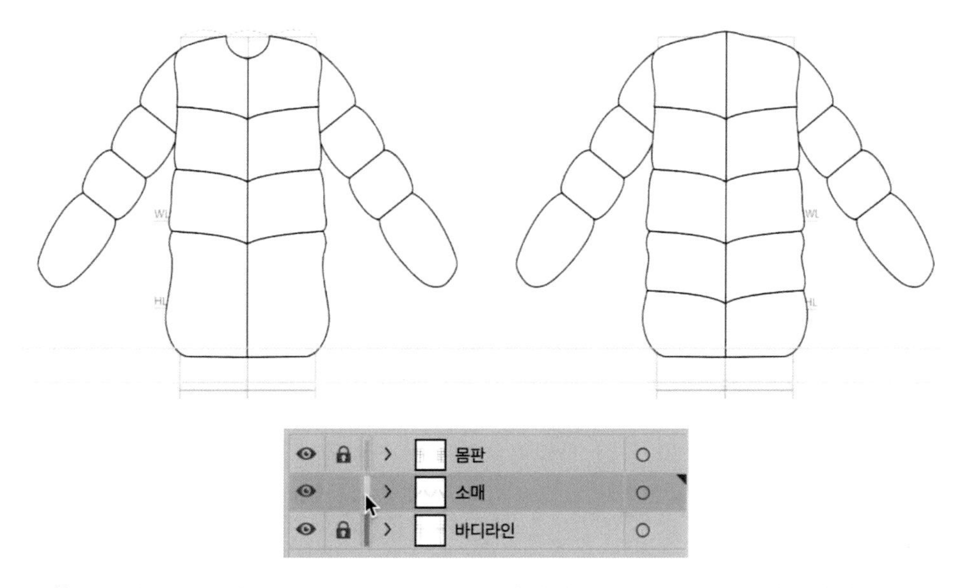

⑱ 소매 Layer의 Toggles Lock을 클릭하여 Layer를 잠가 사용하지 못하게 한다. ⊞ Create New Layer를 클릭하여 새 Layer를 추가하고 Layer 이름을 '칼라 및 디테일' 라고 바꿔 준다.

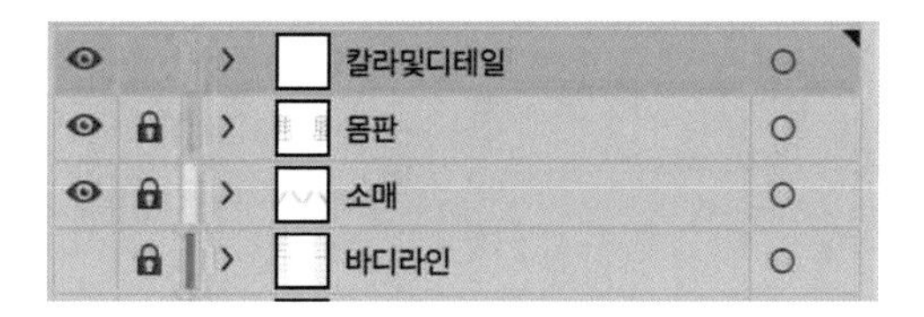

⑲ Pen Tool로 몸판의 네크라인 보다 네크라인 선을 더 넓게 하여 스탠드 칼라를 그린다.

Pen Tool로 칼라 뒷쪽 부분 그린다. 단 앞쪽 칼라 모양에서 벗어나지 않게 그린다. Fill 컬러를 흰색으로 설정한다. 안쪽 칼라 부분의 절개 라인을 그리기 위해 Fill 컬러를 없음으로 설정하고 절개라인을 그린 후 Pathfinde 패널, Pathfindes > Divide로 칼라 뒷 부분의 형태를 완성한다.

뒷 칼라 부분을 Selection Tool로 선택하고 마우스 우클릭, 메뉴 중 Arrange > Send to Back 으로 위치를 아래로 이동시켜 칼라 형태를 확인

한다.

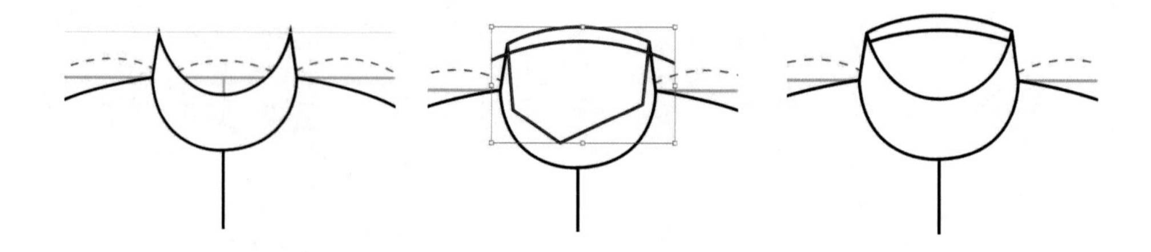

⑳ Rectangle Tool 을 사용하여 시보리 형태를 그린다. 시보리의 경우 아랫단 모양이 더 좁고 몸판과 붙은 부분이 더 넓은 형태가 되므로 Direct Selection Tool로 사각형 밑면에 있는 두 점을 선택한다. Toolbox에서 Scale Tool을 더블클릭한다. Sacle option창이 열리면 Uniform 선택을 하고 수치를 조절하여 원하는 형태가 되면 OK를 클릭하여 시보리 모양을 완성한다.

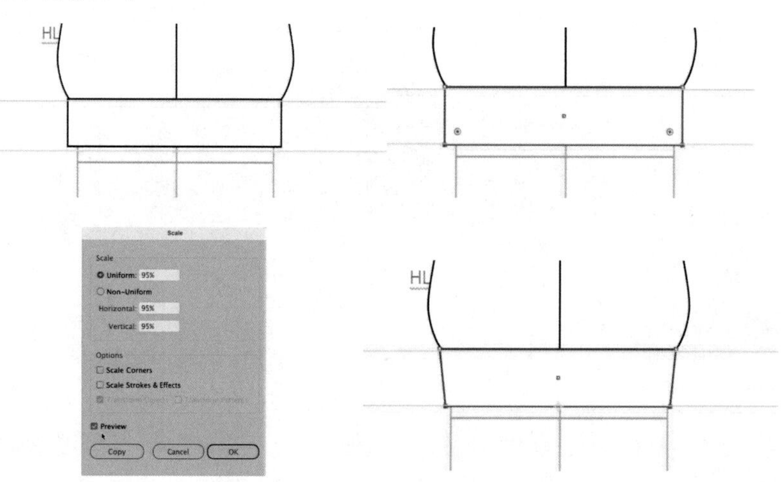

㉑ Selection Tool로 앞면 시보리를 선택 한 후 Alt 키를 누른 상태에서 드래그(선택한 오브젝트가 복사 된다)하여 뒷면 도식화에 가져가 뒷면 시보리 형태를 완성한다.

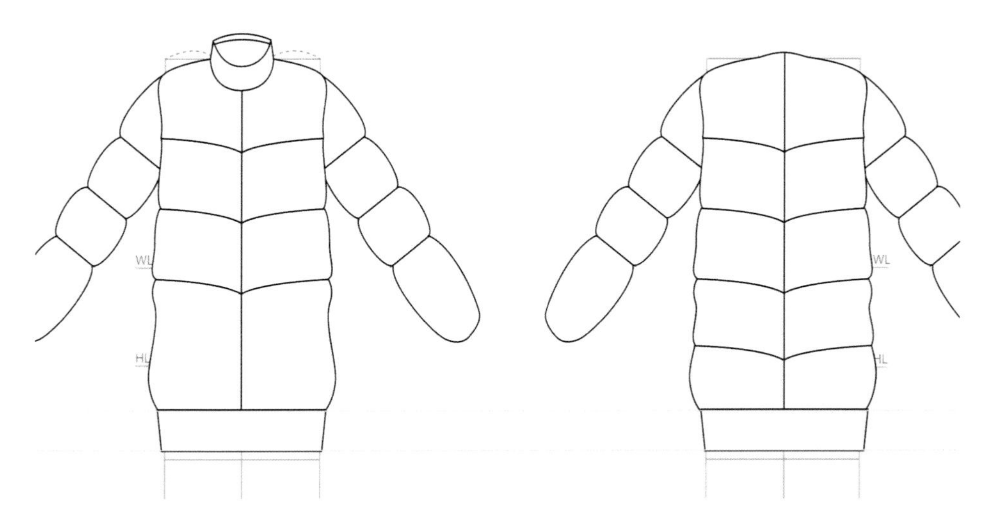

㉒ 앞면 중심선을 기준으로 양쪽으로 같은 사이즈로 수직 Guide Line(안내선) 2개를 설정한다. Selection Tool로 앞면 시보리와 Guide Line(안내선) 2개를 선택 한 후 Pathfinde 패널, Pathfindes > Divide를 선택하여 시보리단을 절개한다.

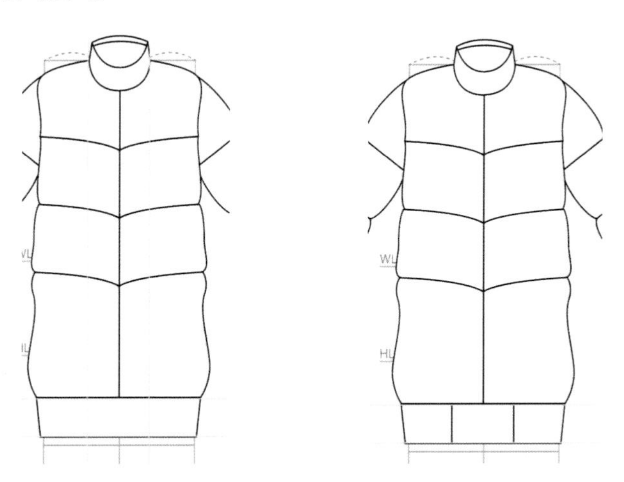

㉓ 앞면 중심선을 기준으로 앞면 플라켓을 그리기 위해 양쪽으로 같은 사이즈로 수직 Guide Line(안내선)을 설정한다.

Fill 컬러를 흰색으로 설정하고 Rectangle Tool 을 사용하여 Guide Line(안내선)에 맞춰 사각형을 그린다. Direct Selection Tool로 사각형 밑면 우측 Anchor point를 선택 한 후 드래그하여 모서리 모양을 곡선으로 만들어 준다.

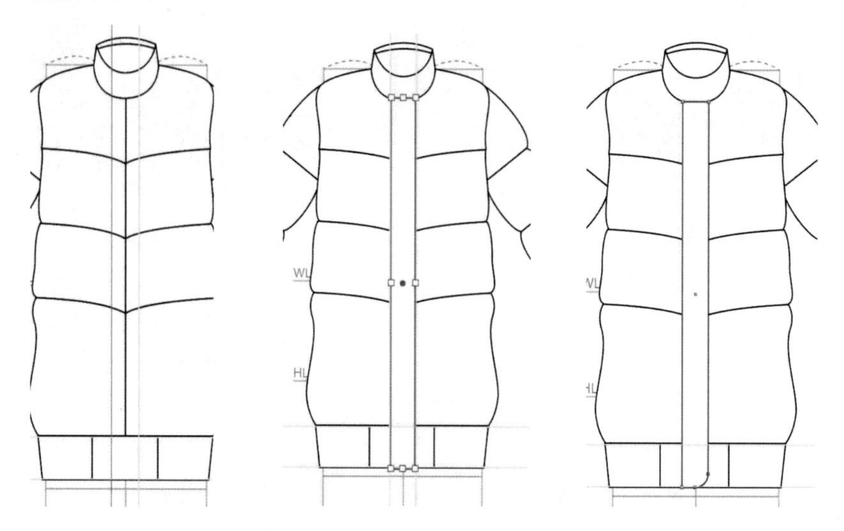

㉔ 밑단 시보리 높이에 맞춰 소매에 사용할 시보리를 Rectangle Tool 을 사용하여 그린다. Direct Selection Tool로 사각형 밑면 두 점을 선택한다.

Toolbox에서 Scale Tool을 더블클릭한다. Sacle option창이 열리면 Uniform 선택을 하고 수치를 조절하여 원하는 형태가 되면 OK를 클릭하여 소매 시보리 기본 형태를 완성한다.

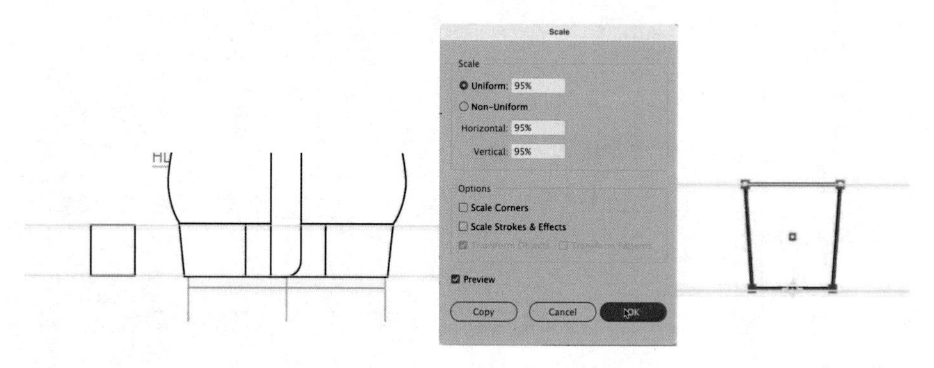

㉕ Selection Tool로 소매 시보리를 선택 한 후 소매 위치에 가져가 회전하고 소매 폭에 맞게 시보리 폭을 조절하여 한쪽 시보리 형태를 완성한다.

완성된 한쪽 소매 시보리를 Selection Tool로 선택 한 후 Reflect Tool을 사용하여 반대쪽 시보리 형태를 완성한다.

앞면 소매 시보리 형태가 완성되면 완성된 두 개의 소매 시보리를 Selection Tool 로 선택 한 후 Alt 키를 누른 상태에서 드래그(선택한 Object가 복사된다)하여 뒷면 소매 시보리 위치에 복사해 놓는다.

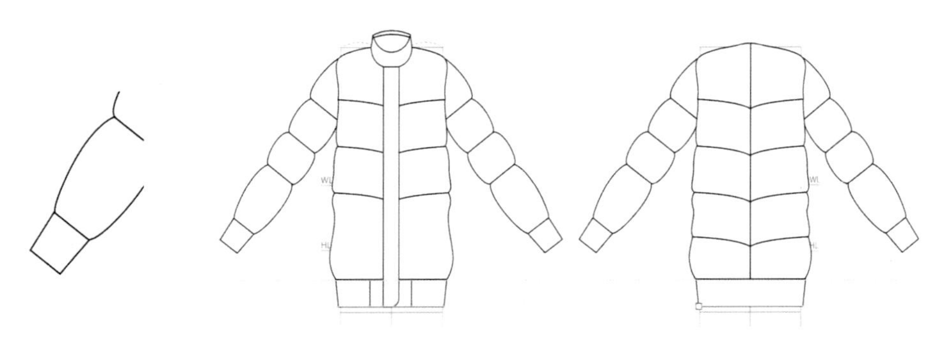

㉖ 주머니를 그리기 위해 Guide Line(안내선) 설정한다. 주머니 시작 위치, 끝 위치, 주머니 두껑 위치를 표시한다. 메뉴에서 View > Guides > Lock Guides 로 설정한 Guide Line(안내선)을 잠가 선택되지 않게 한다. Fill 컬러를 없음으로 설정하고 Rectangle Tool 을 사용하여 주머니 뚜껑 중간 위치에서 시작하여 앞 중심 쪽 위치는 정확히 그리고 옆선 쪽은 밖으로 나가게 그린다.

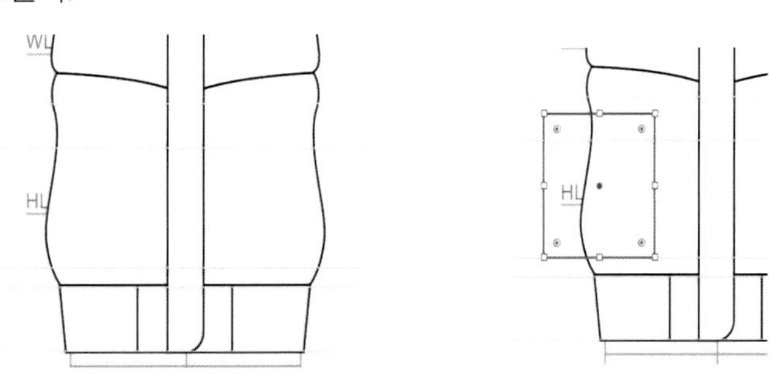

㉗ Add Anchor Point Tool로 점을 추가하고 Anchor Point Tool로 직선점을 곡선점으로 변경하고 Direct Selection Tool 로 Handle(방

향선)을 조절하여 옆선 라인에 맞춰 주머니 한쪽면 모양을 완성한다.

Direct Selection Tool로 몸판 쪽 주머니 Anchor point를 선택 한 후 Page Up 키(방향키)를 사용하여 위쪽으로 이동시켜 주머니 기울기를 만들어 준다.

Direct Selection Tool로 사각형 밑면 우측 Anchor point를 선택 한 후 드래그하여 모서리 모양을 곡선으로 만들어 준다.

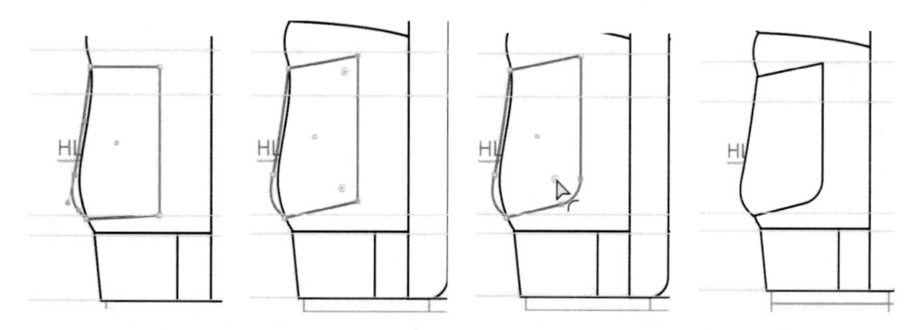

㉘ Selection Tool로 완성된 주머니를 선택 한 후 메뉴 중 Object > Lock > Selection을 클릭하여 주머니가 선택되지 않게 잠가 준다.

㉙ Rectangle Tool 을 사용하여 주머니 뚜껑 크기에 맞춰 사각형을 그린다. Add Anchor Point Tool로 사각형 밑변 가운데 Anchor Point 를 추가하고, Page Down 키(방향키)를 사용하여 Anchor Point 밑으로 이동시킨다.

Direct Selection Tool로 몸판 쪽 주머니 두껑 Anchor point를 선택한 후 Page Up 키(방향키)로 Anchor point를 위쪽으로 이동시켜 주머니 뚜껑 기울기를 만들어 준다.

메뉴 중 View > Guides > Unlock Guides를 클릭하여 가이드 라인 잠금 설정을 해제하고 Selection Tool로 가이드라인을 선택한 후 삭제한다.

Selection Tool 주머니 뚜껑을 선택 한 후 Fill 컬러를 흰색으로 설정한다.

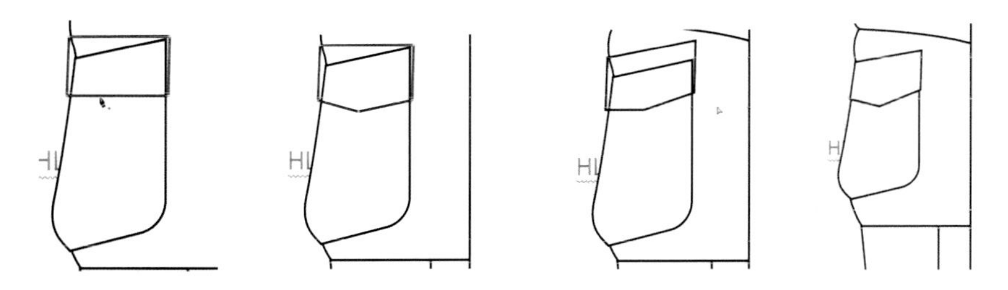

㉚ 메뉴 중 Object > Unlock All을 클릭하여 잠가 놓은 주머니의 잠금 장치를 풀어 준다. Selection Tool 로 주머니 전체를 선택한다.

Reflect Tool을 선택한 후 Alt 키를 누른 상태에서 도식화틀 중심을 클릭하여 Reflect Tool의 대칭 축을 옮겨 준다. Reflect Tool Option 창이 나오면 Axis > Vertical 선택하고 Preview 를 체크하여 이동 된 위치를 확인 한 후 Copy를 클릭하여 반대쪽 주머니를 완성한다.

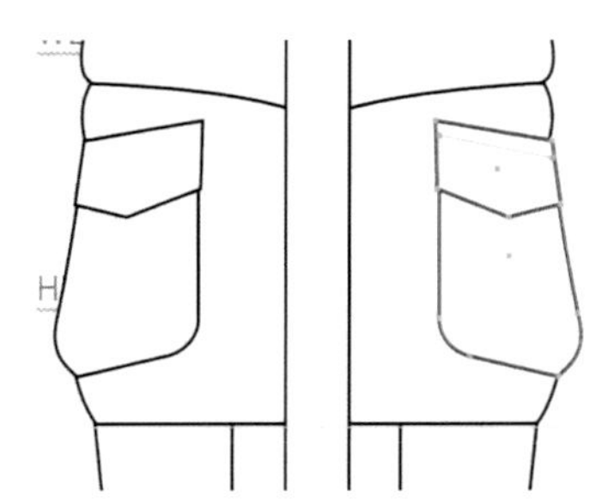

㉛ 칼라 및 디테일 Layer의 Toggles Lock을 클릭하여 Layer 를 잠가 사용하지 못하게 한다. Create New Layer를 클릭하여 새 Layer를 추가하고 Layer 이름을 '후드' 라고 바꿔 준다.

㉜ Pen Tool로 앞면 / 뒷면 후드 모양을 도형으로 완성한다.

Pen Tool로 후드와 몸판을 연결하는 데 위치한 앞면 지퍼 가림막 한쪽을 그린 후 Reflect Tool을 사용하여 반대쪽 지퍼 가림막도 완성한다. Fill 컬러 없음으로 설정하고 앞면 후드 절개 위치에 맞춰 선을 그린다. Selection tool 로 앞면 후드와 절개선을 선택한 후 Pathfinder 패널, Pathfinders > divide 로 후드를 절개하여 앞면 후드 모양을 완성한다.

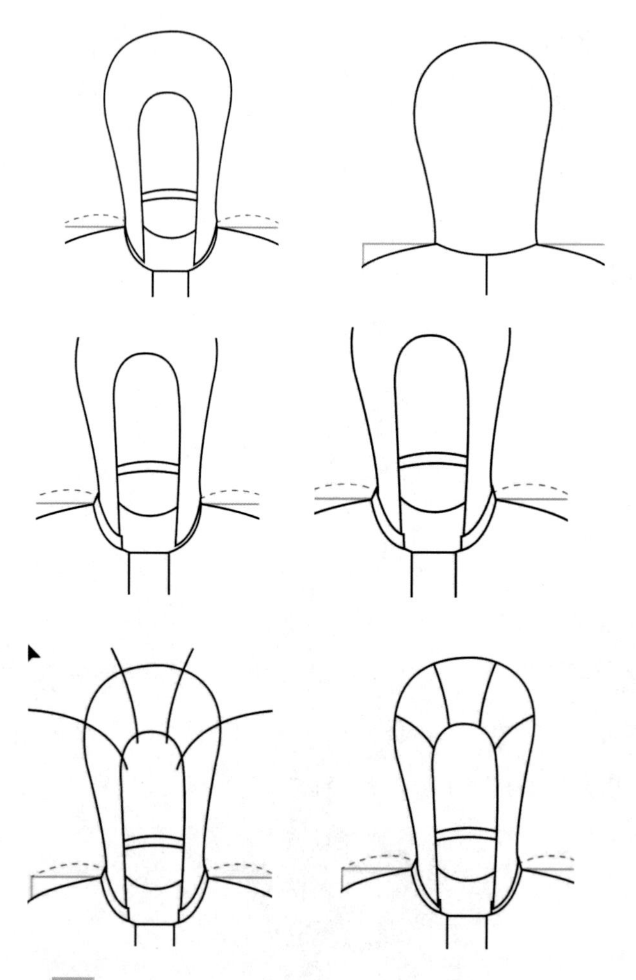

뒷면 후드도 Pen Tool로 절개선을 그린 후 뒷면 후드와 절개선을 선택한 후 Pathfinder 패널, Pathfinders > divide 로 후드를 절개하여 앞면 후드 모양을 완성한다.

Pen Tool로 후드와 몸판을 연결하는 데 위치한 지퍼 가림막을 그려 후드 모양을 완성한다.

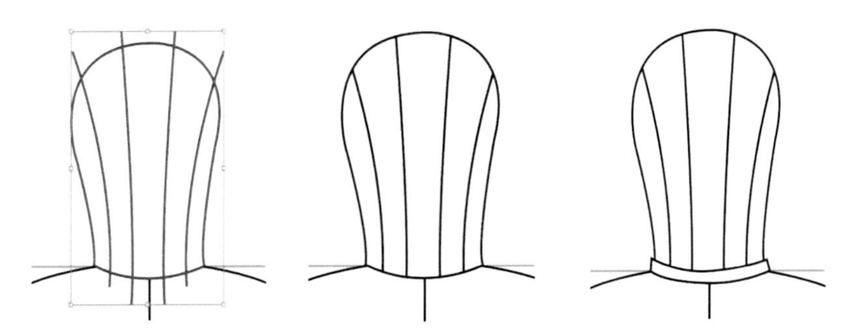

㉝ Pen Tool 로 앞면 후드 모양을 벗어나지 않는 범위에서 위쪽과 옆쪽 선은 자유롭게 그리고 밑에 선의 모양은 뒷 칼라 라인에 맞춰 후드 안쪽 부분을 그린다. Selection Tool 로 후드 안쪽 형태를 선택 한 후 마우스 우클릭, 메뉴 중 Arrange > Send to back 으로 위치를 이동시켜 후드 모양을 완성한다.

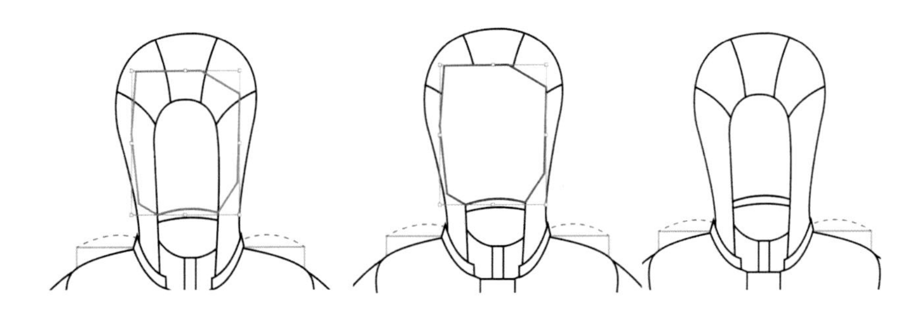

㉞ 후드 Layer의 Toggles Lock을 클릭하여 Layer 를 잠가 사용하지 못하게 한다. Create New Layer를 클릭하여 새 Layer를 추가하고 Layer 이름을 '퍼' 라고 바꿔 준다.

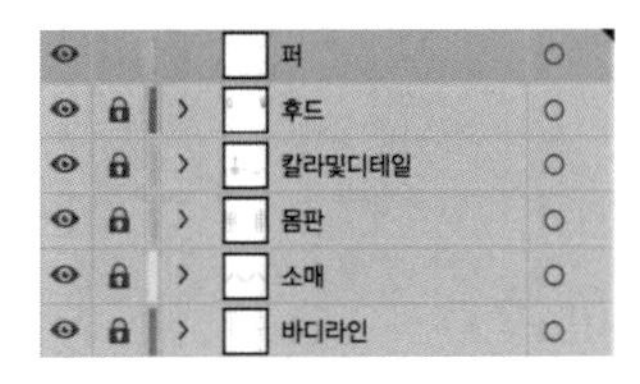

㉟ Pen Tool 로 후드 털 부분을 그린 후 Fill 컬러를 흰색으로 채워 준다.

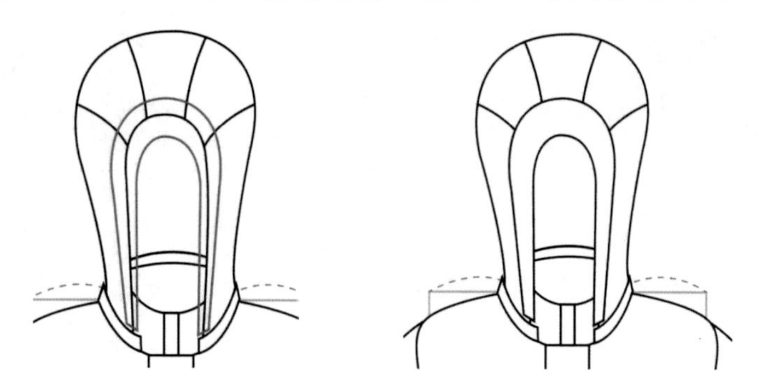

㊱ 퍼 Layer 의 복사하여 '퍼 copy / 퍼 copy2' Layer 2개를 만들어 준다. 퍼 Layer 의 Toggles Visibility를 클릭하여 보이지 않게 가려 준다.

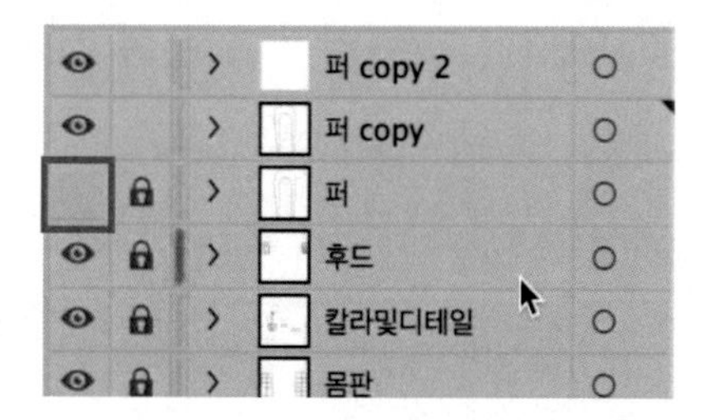

㊲ Fill 컬러를 없음으로 설정하고 Pen Tool 로 털 형태를 표현하기 위해 선의 길이 폭을 다르게 하여 4가지 털 형태를 그린다.

Selection Tool 로 그려진 선을 모두 선택 하고 Stroke 패널에서 Weight 0.5pt 로 설정하고 Profile 에서 Width profile 4를 선택하여 시작점은 굵고 끝나는 지점은 가늘어지게 선의 모양을 바꿔준다.

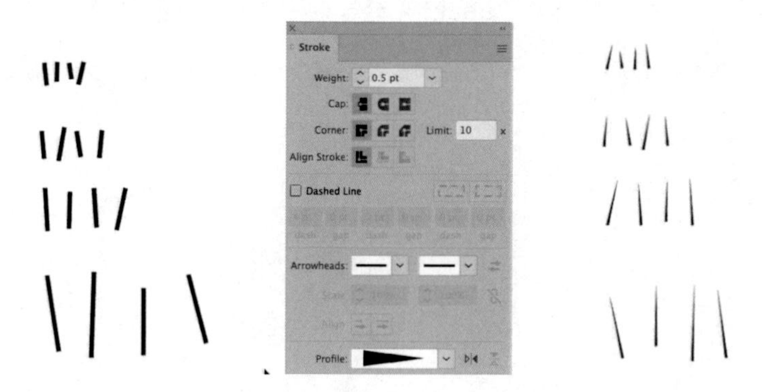

㊳ 1번 퍼 형태를 Selection Tool 로 선택 드래그하여 Brushes 패널로 가져가 마우스 커서 모양이 바뀌면 마우스 버튼을 놓는다.

New Brush 창이 나오면 Pattern Brush를 선택한다. Pattern Brush Option 창이 열리면 우선 OK 를 클릭하고 나오면 Brushes 패널에 1번 퍼 모양이 등록이 된 것을 확인 할 수 있다.

2, 3, 4번 퍼 형태도 1번 퍼 형태와 동일한 방법으로 Pattern Brush로 Brushes 패널에 등록한다.

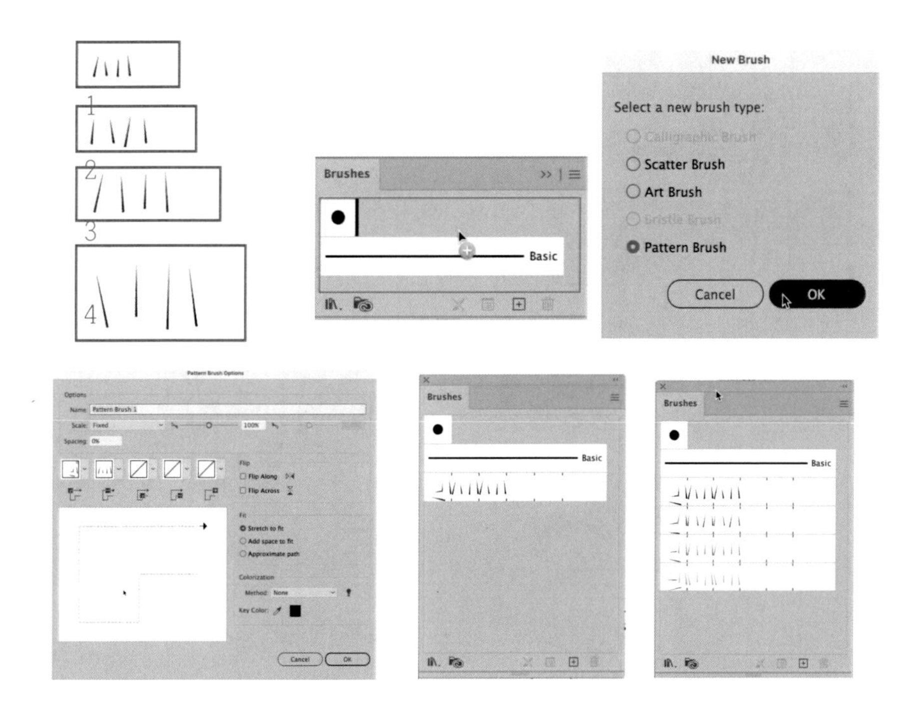

㊴ 퍼 copy2 Layer의 Toggles Lock을 클릭하여 Layer를 잠가 사용하지 못하게 한다. 퍼 copy Layer에 있는 퍼 모양을 선택하고 Brushes 패널에서 첫 번째 Pattern Brush를 선택하여 적용시킨다. 사이즈 조절이 필요하면 선택한 Pattern Brush를 더블 클릭하여 Pattern Brush Option 창을 불러들인다. Pattern Brush Option 메뉴 중 Scale 수치를 조절하여 원하는 형태를 만들

어 준다.

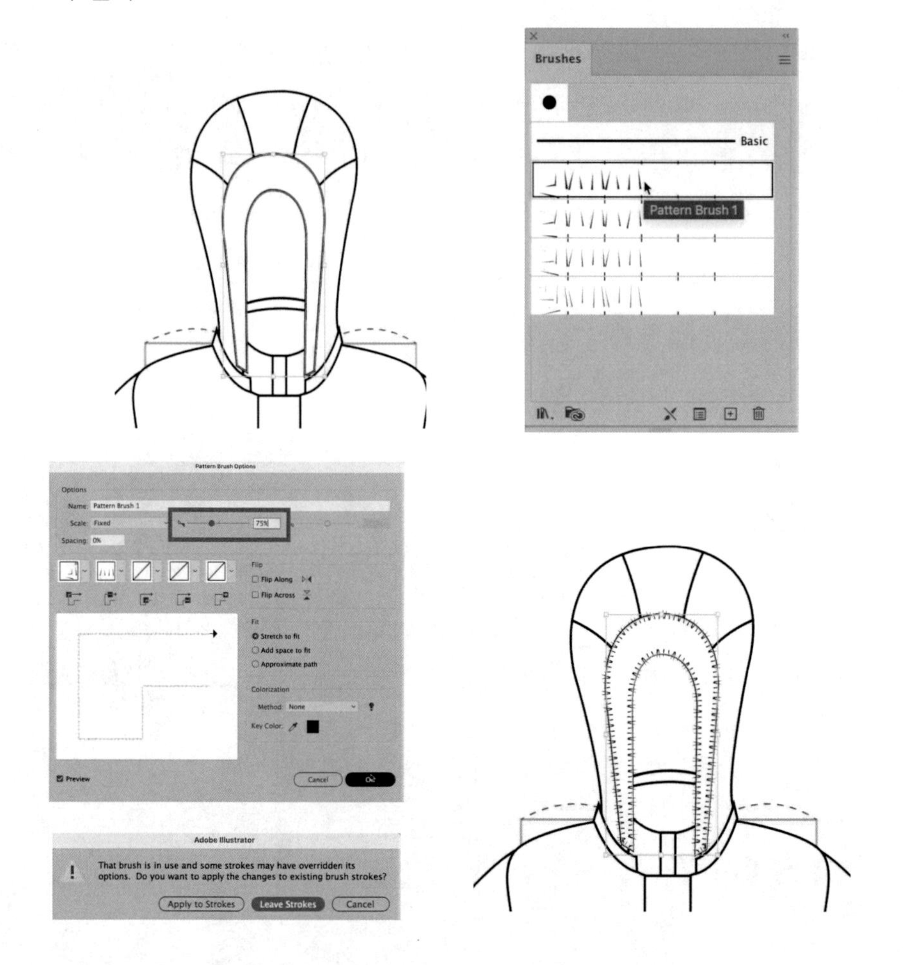

㊵ 퍼 copy Layer 의 Toggles Lock을 클릭하여 Layer를 잠가 사용하지 못하게 한 후 퍼 copy 2 Layer의 Toggles Lock을 클릭하여 잠근 장치를 풀어 준다. 퍼 copy 2 Layer에 있는 퍼 모양을 Direct Selection Tool 로 선택 한 후 하단에 있는 선을 선택하고 Delete키 로 삭제한다.

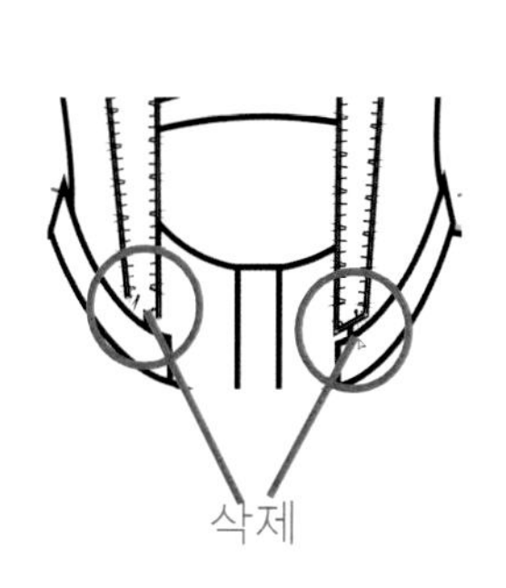

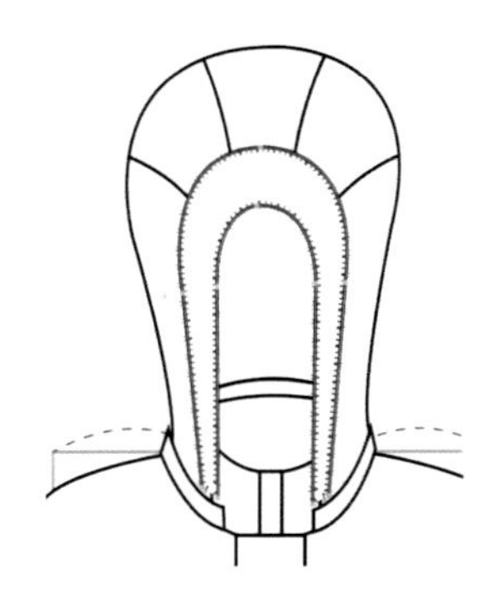

㊶ Selection Tool 로 퍼 copy 2 Layer에 있는 퍼 모양을 선택하고 Fill 컬러 없음으로 설정한다. Brushes 패널에서 두번째 Pattern Brush를 선택하여 적용시킨다. 사이즈 조절이 필요하면 선택한 Pattern Brush를 더블 클릭하여 Pattern Brush Option 창을 불러들 인 후 메뉴 중 Scale 수치를 조절하여 원하는 형태를 만들어 준다.

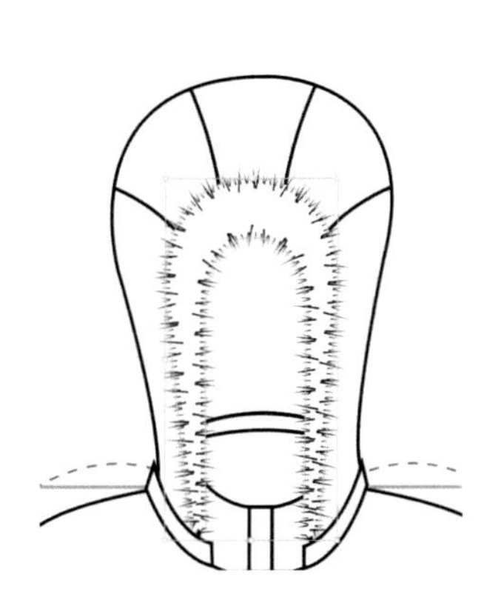

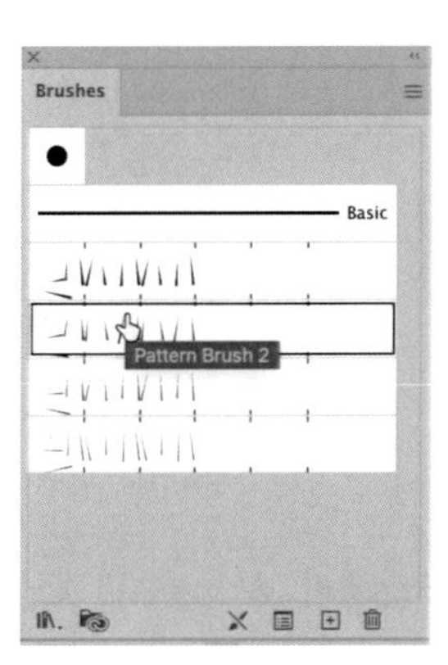

㊷ Selection Tool 퍼 copy 2 Layer에 있는 퍼 모양을 선택한다. Ctrl+C , Crtl+F 로 복사 앞쪽에 붙이기를 한 후 세번째 Pattern Brush를 선택하여 적용시킨다. 사이즈 조절이 필요하면 선택한 Pattern Brush를 더블 클릭하여 Pattern Brush Option 창을 불러들인 후 Scale 수치를 조절하여 원하는 형태를 만들어 준다.

3번째 브러시 모양을 적용한 후 선택 해제가 되지 않은 상태에서 Ctrl+C , Crtl+F 로 복사 앞쪽에 붙이기를 한 후 네 번째 Pattern Brush를 적용시켜 후드 퍼 형태를 완성한다.

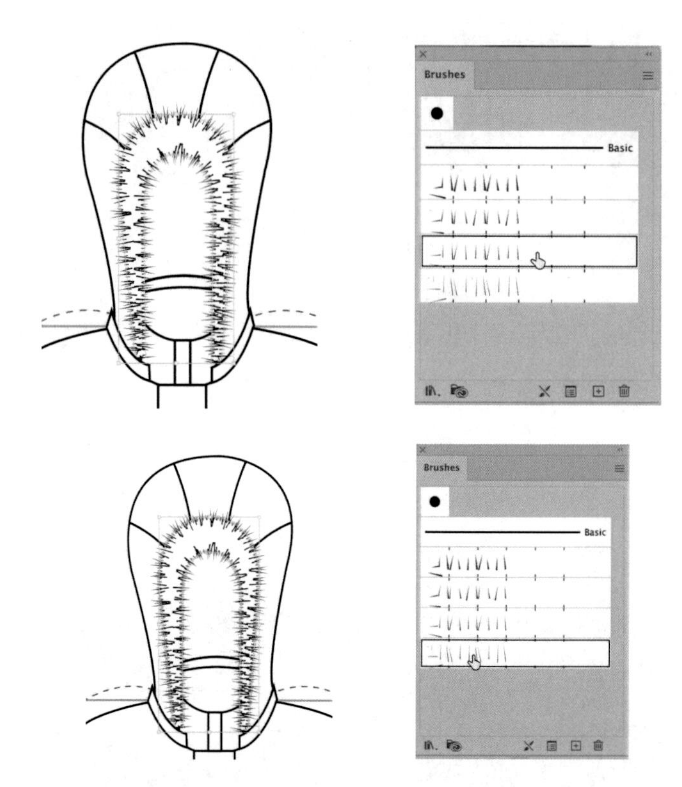

㊸ 퍼 Copy 2 Layer의 Toggles Lock을 잠그고 ⊞ Create New Layer 클릭하여 새 Layer를 추가하고 Layer 이름을 '스티치' 라고 바꿔 준다.
Stroke 패널에서 Weight 0.75pt, Dashed Line을 체크, dash 4pt로 설정한다. (dash 수치는 3~5pt 사이로 설정하는 것이 좋다)

Pen tool을 사용하여 스티치를 그린다.

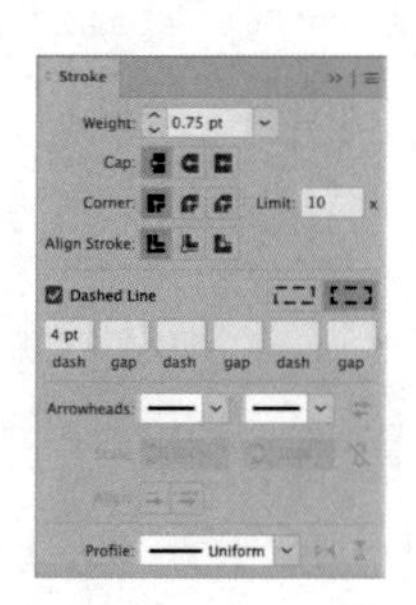

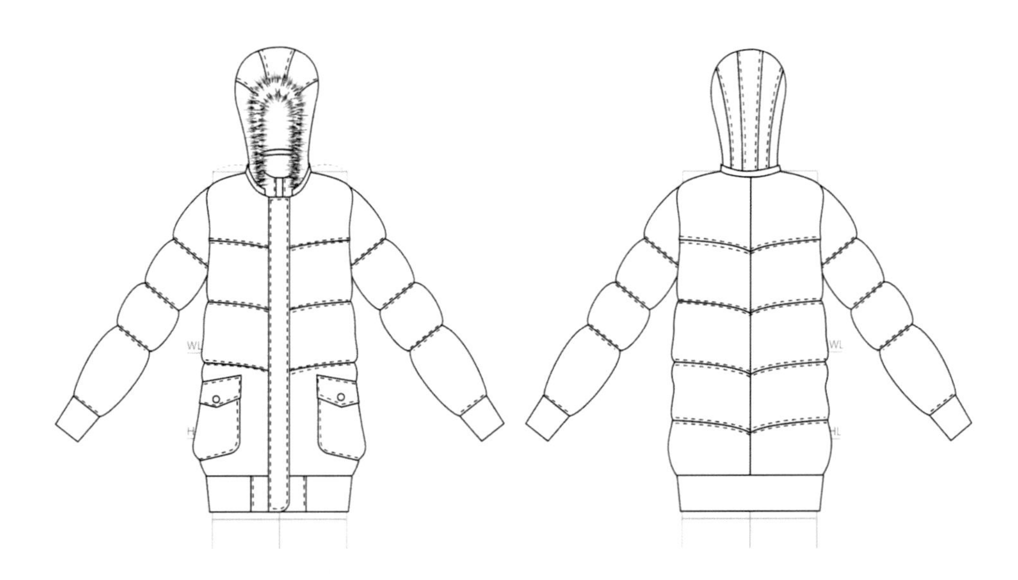

㊹ Pen Tool로 시보리 부분 좌우 끝에 1pt 로 수직 선을 그린다. Blend Tool로 좌측 선의 중앙을 클릭 한 후 우측 선의 중앙을 클릭하면 중간단계에 선이 그려진다. Blend Tool을 더블 클릭하면 Blend Option이 나온다. Blend Option 중 Spacing > Specified Steps 의 수치를 조절하여 원하는 시보리 간격이 되면 OK 클릭하여 시보리 형태를 완성한다. 나머지 시보리 부분도 같은 방법으로 모양을 완성한다.

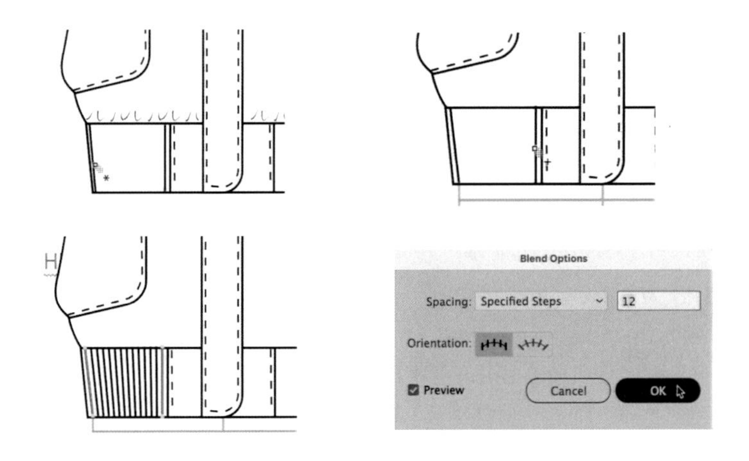

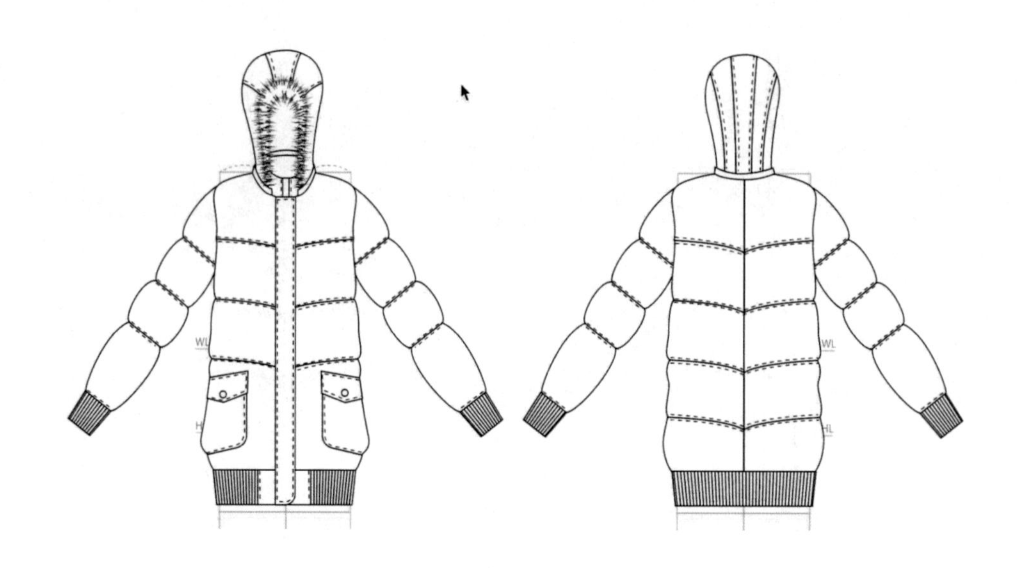

㊺ 메뉴 중 Window > Type > Character 선택하여 패널을 불러들인다.

Toolbox 에서 T Type Tool을 선택한 후 ' X '를 쓴다.

Character 패널에서 서체와 글씨 크기를 조절하여 첫 번째 히든 스냅 위치에 배치한다. Selection Tool로 글씨를 선택 한 후 Ctrl+C, Crtl+F 로 복사 앞쪽에 붙이기를 한다. Page Down 키 (방향키)로 아래로 이동시켜 마지막 히든 스냅 위치에 위치시킨다.

Toolbox에서 Blend Tool을 선택한다. 첫 번째 히든 스냅 한가운데를 선택한 후 마지막 히든 스냅 한 가운데를 선택한다. 두 히든 스냅 사이에 여러개의 'X' 가 생성되면 Blend Tool을 더블 클릭하여 Blend Option 창을 불러 들인다. Blend Option 메뉴 중 Spacing > Specified Steps에 두 개의 히든 스냅 사이에 들어갈 숫자 4를 입력하면 두 개의 히든 스냅 사이에 4개의 'X' 가 그려진 것을 확인하고 OK를 클릭하여 히든 스냅 개수를 확정한다.

X

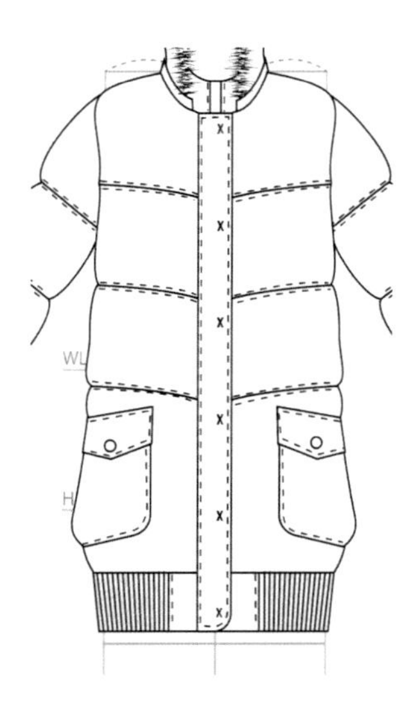

㊻ 스티치 Layer의 Toggles Lock을 잠그고 Create New Layer 클릭하여 새 Layer를 추가하고 Layer 이름을 '주름'이라고 바꿔준다.

㊼ Fill 컬러를 없음으로 설정하고 Pen Tool 로 주름 형태 한 세트를 그린다. Selection Tool 로 그려진 선을 모두 선택 하고 Stroke 패널에서 Weight 0.5pt로 설정하고 Profile 에서 Width profile 4를 선택하여 시작점은 굵고 끝나는 지점은 가늘어지게 선의 모양을 바꿔 준다.

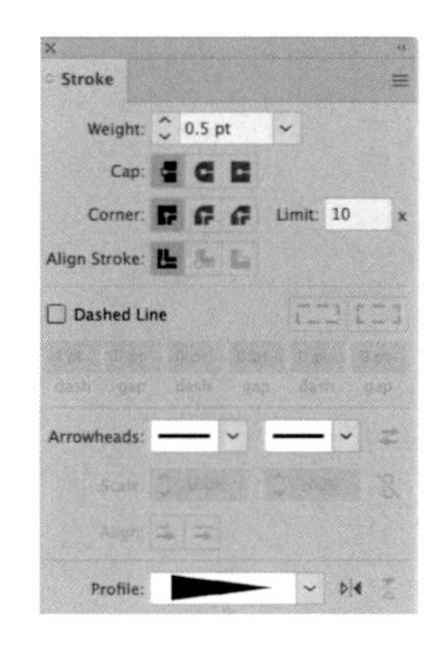

⑱ Selection Tool 로 선택 드래그 하여 Brushes 패널로 가져간다. New Brush 창이 나오면 Pattern Brush를 선택한다. Pattern Brush Option 창이 열리면 우선 OK 를 클릭하고 나오면 Brushes 패널에 등록이 된 것을 확인할 수 있다.

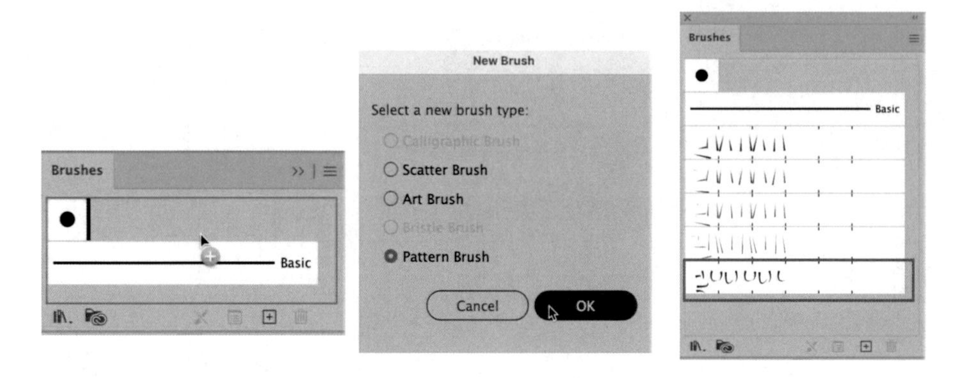

⑲ Fill 없음으로 설정하고 Pen Tool로 주름이 들어갈 부분에 선을 그린다. 선을 Selection Tool 로 선택 한 후 Brushes 패널에서 주름 Pattern Brush를 선택하여 적용시킨 후 Brush를 더블 클릭하여 Pattern Brush Option 창을 불러들여 메뉴 중 Scale을 조절하여 주름 형태를 완성한다. 나머지 주름도 동일한 방법으로 그려준다.

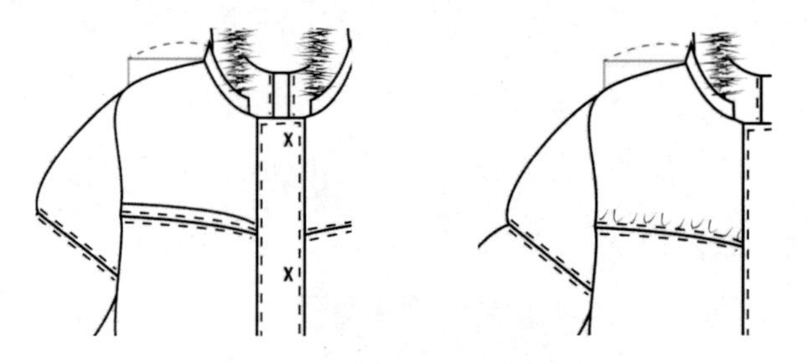

⑳ Pattern Brush 의 경우 그려진 선의 방향에 따라 같은 Pattern Brush 라도 다른 모양으로 표시가 된다. Pattern Brush 는 좌측에서 우측으로 그려진 선에는 등록된 형태가 그대로 그려지는 반면에 우측에서 좌측으로 그린 선에는 등록된 형태가 뒤집어져서 그려진다.

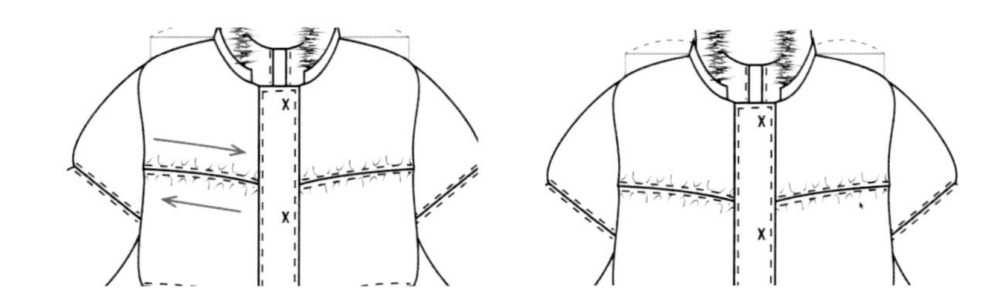

⑤1 주름 표현이 완성되면 Layer패널에서 바디라인 Layer의 Toggles Visibility를 클릭하여 바디라인이 보이지 않게 가려 패딩 점퍼 도식화를 완성한다.

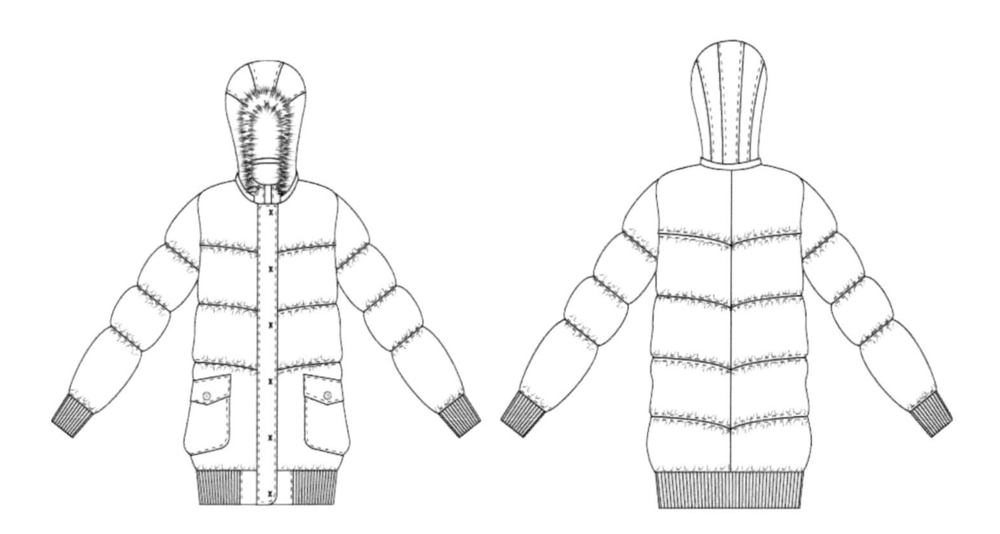

PART III

1. 소재 및 컬러 맵핑하기

1) 컬러 맵핑하기

① 스티치 Layer 의 Toggles Look으로 잠그고 나머지 Layer의 Toggles Look 을 풀어 티셔츠 소매와 몸판을 각각 선택하여 원하는 컬러로 Fill 컬러를 설정한다.

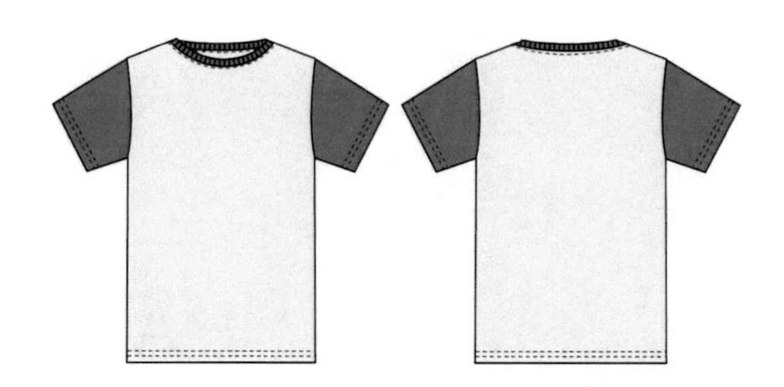

② Selection Tool로 티셔츠 전체를 선택하고 옵션바의 옵션 중 Recolor Artwork 을 클릭한다. (또는 메뉴 중 Edit > Edit Colors > Recolor Artwork를 선택해도 된다)

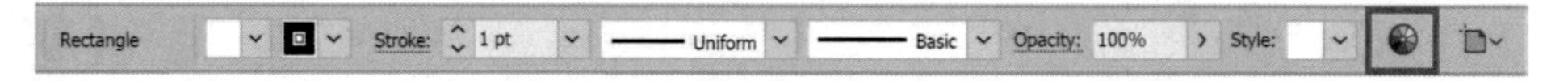

Recolor Artwork 기본 창이 열리면 A부분을 드래그하여 원하는 컬러쪽으로 이동시키면 서로의 컬러 간격을 인지하여 전체적인 컬러 배색이 변경된다.

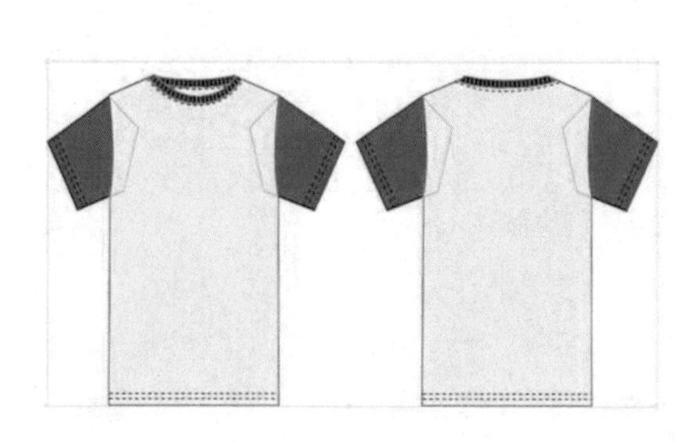

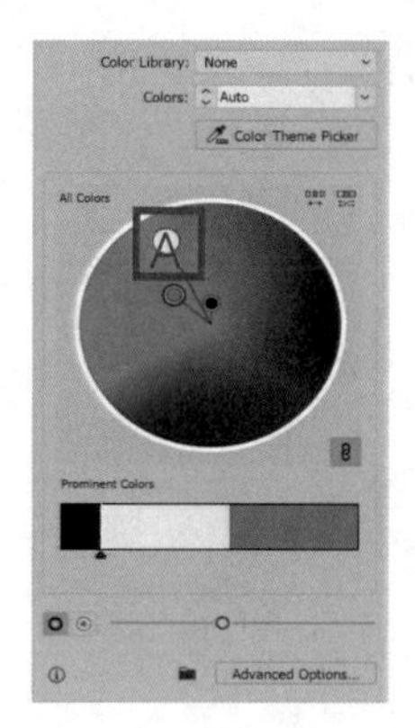

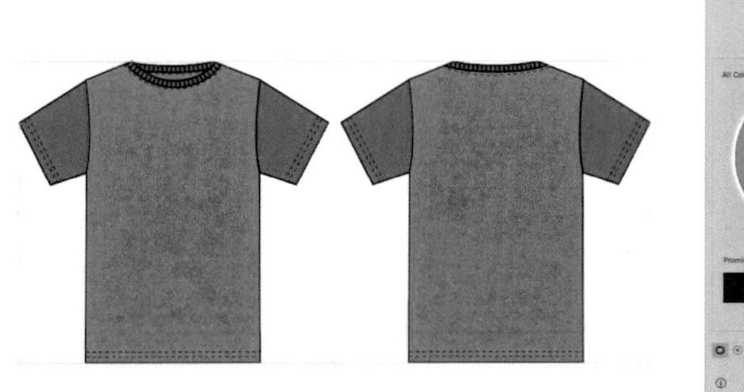

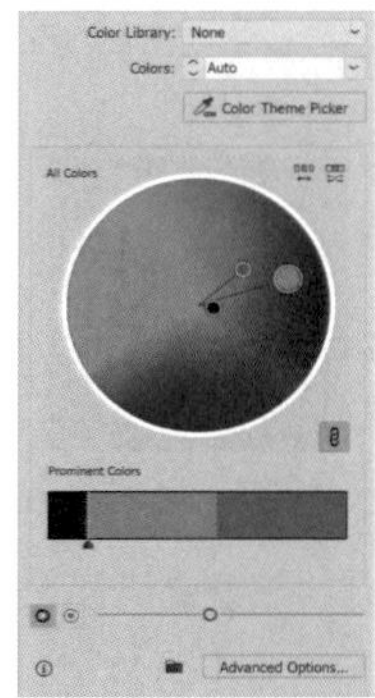

③ Recolor Artwork 기본 창 우측 하단에 Recolor Artwork Option을 클릭하면 Recolor Artwork Option 창이 열린다. New라는 부분의 컬러 박스를 더블클릭하면 Color Picker 창이 열리고 컬러를 선택하면 선택된 컬러가 변경된 것을 확인할 수 있다. 원하는 컬러로 컬러가 변경되었을 Ok를 클릭하여 컬러 변경을 완료하면 된다. Recolor Artwork Option은 부분적으로 컬러 배색을 변경하고자 할 때 사용 할 수 있다.

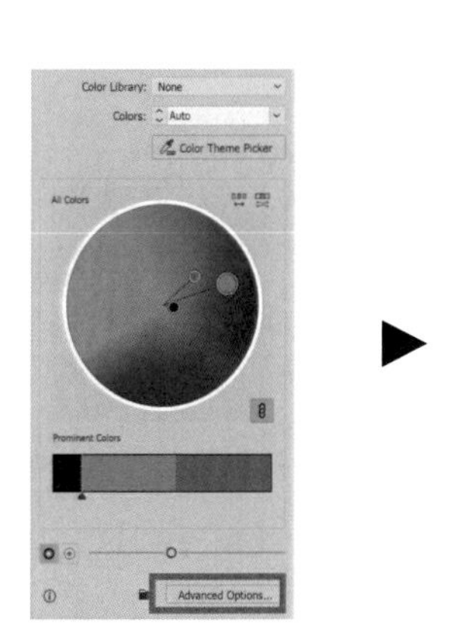

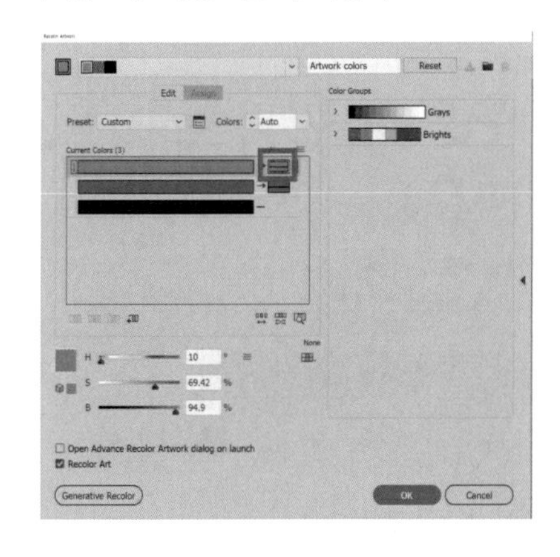

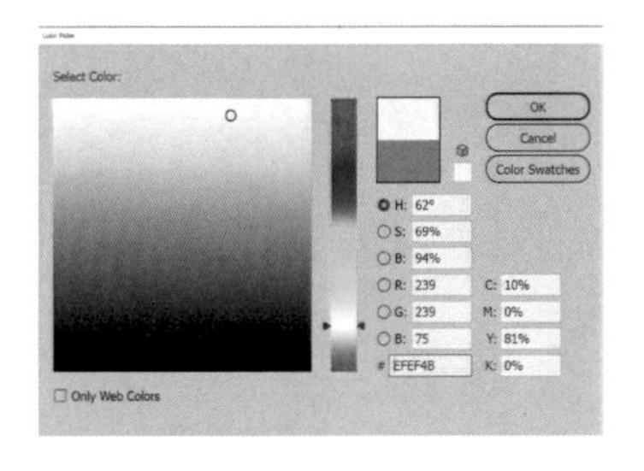

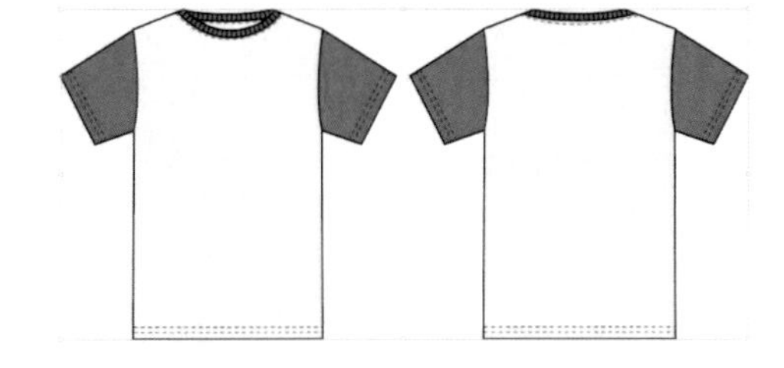

④ Recolor Artwork Option 중 비 활성된 컬러를 활성화 시키기 위해서 '—' 부분을 더블클릭하여 '⟶' 모양으로 변경한다. New color 박스 부분의 빈 곳을 클릭하면 New color 박스를 만들겠냐는 질문창이 나오고 Yes를 선택하면 New color 박스가 생성된다. 생성된 Color 박스를 더블 클릭하면 Color Picker 창이 열리고 컬러를 변경할 수 있다.

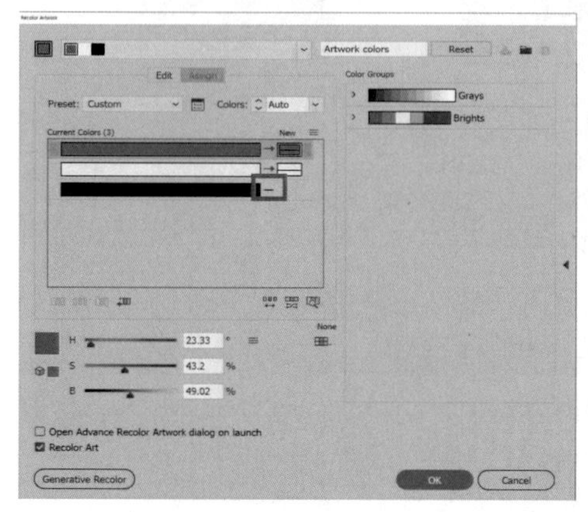

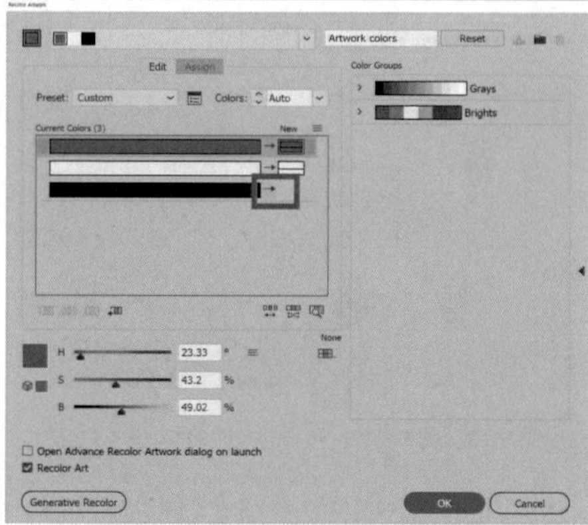

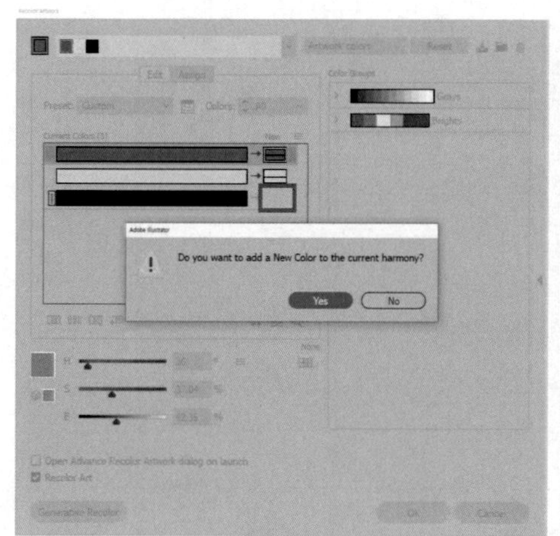

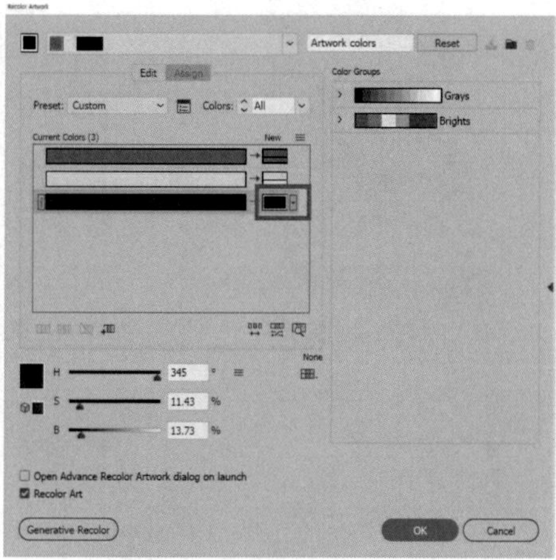

2) 클리핑 마스크를 사용한 이미지 사진 넣기

① 티셔츠에 넣고 싶은 그림을 메뉴 중 File > Open 으로 Illustrator로 불러들인다. 불러들인 그림을 Ctrl+C 로 복사한 후 열려 있는 티셔츠 도식화 파일의 몸판 Layer를 선택 한 후 Ctrl+V로 붙여 넣는다. (그림을 넣고 싶은 Object가 있는 레이어에 복사 붙여 넣어야 한다)

② 앞면 몸판이랑 네크라인 Group으로 되어 있으면 Group을 해제한다. (Make Clipping Mask 는 Object 1개와 그림 파일 1개가 선택 되었을 때만 실행이 된다.)

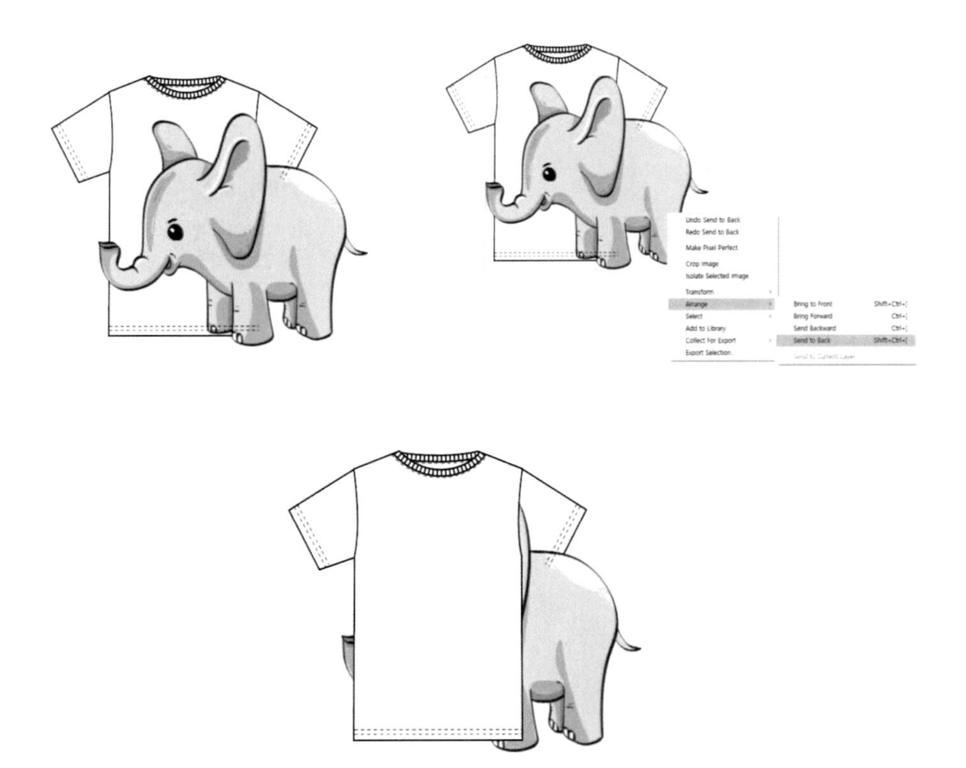

② Selection Tool 로 앞면 몸판과 그림을 선택한 후 마우스 우클릭, 메뉴 중 Make Clipping Mask를 선택한다. Clipping Mask 를 실행하면 몸판 부분과 겹쳐진 부분의 그림만 보여진다.

Make Clipping Mask를 실행하고 나면 앞면 몸판의 Fill 컬러, Stroke 컬러가 사라진다. Toolbox에서 Fill 컬러, Stroke 컬러를 다시 지정하여 도식화를 완성한다.

(불러온 그림 파일명이 .png 일 경우에는 바탕 컬러 없이 그림만 저장 되어져 온 그림으로 Fill 컬러를 자유롭게 설정하여 변경 할 수 있으나 파일명이 .jpg 인 경우에는 바탕 컬러가 흰색 또는 다른 컬러로 지정 되어져 있는 상태로 Stroke 컬러만 다시 지정 할 수 있다)

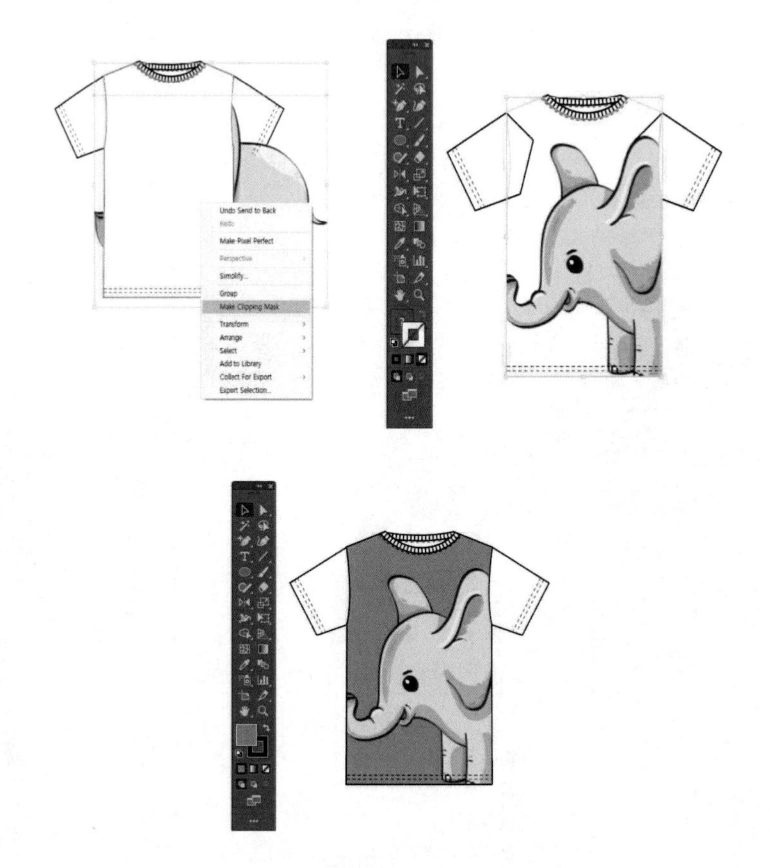

③ Direct selection Tool 로 Clipping Maskrk 실행된 그림을 클릭하면 그림만 선택이 되어 그림 위치를 변경 할 수 있다.

3) 소재 스와치를 사용하여 소재 맵핑하기

도식화에 소재를 맵핑하기 위해서는 기존의 소재 사진을 그대로 사용 할 수 없어 수정이 필요한데 소재 수정은 Photoshop에서 가능하다.

Photoshop에서 소재를 수정하여 .jpg 로 저장 한 후 Illustrator 로 불러 들여 사용한다.

본 교재에서는 Photoshop의 기능 중 소재 수정에 필요한 기능을 중심으로 툴 사용 방법, 메뉴 대해 설명하였다.

[Photoshop 사용법 습득하기]

(1) Photoshop 화면구성

Photoshop 홈 화면은 파일을 열거나 새로운 파일을 만들고 Document(작업창)으로 이동하는 등 포토샵 기본 화면을 열 수 있다.

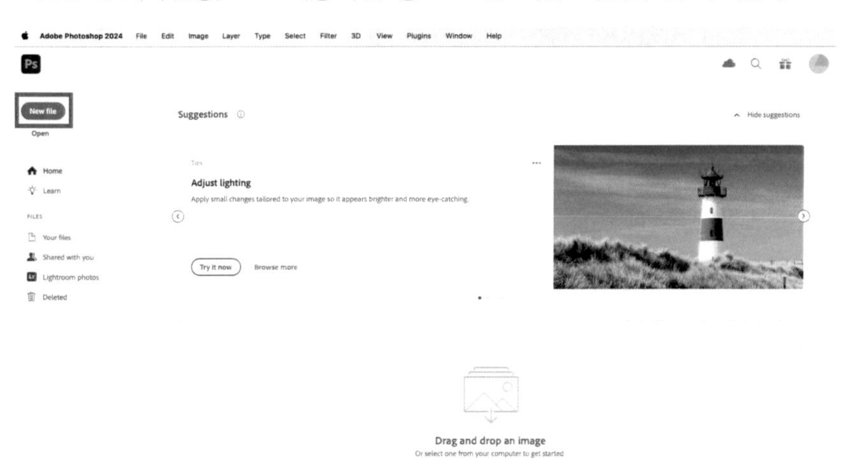

New Fill을 클릭하면 New Document Option 창이 열린다.

Photoshop 작업을 위한 사진이나 인쇄, 웹, 모바일 등의 형식에 맞게 다양한 프리셋을 지원하며 원하는 형태의 Document(작업창)를 만들 수 있다.

기본적으로 지원하는 Document(작업창)이 없다면 Preset Details 에서 가로, 세로 사이즈를 입력하여 원하는 사이즈의 Document(작업창)를 만들 수 있다.

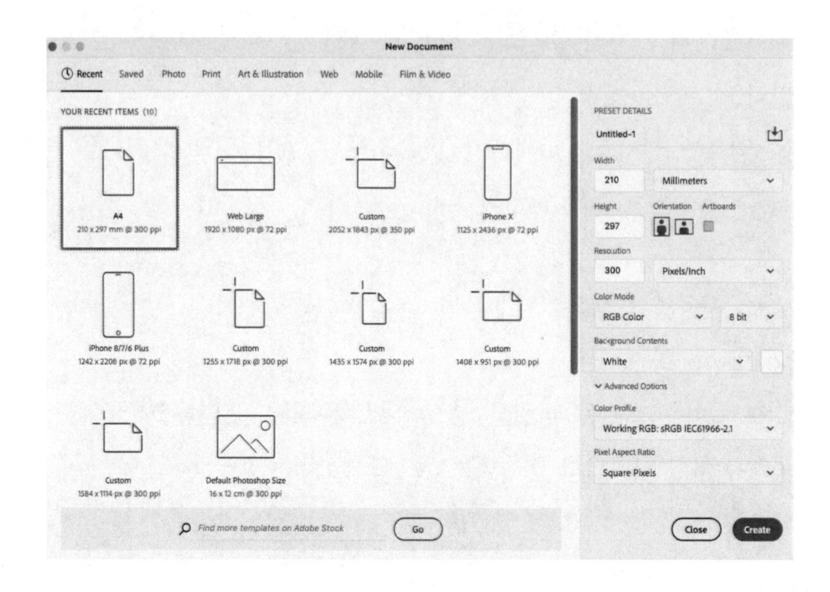
New Document
Recent
Saved
Photo
Print
Art & Illustration
Web
Mobile
Film & Video
YOUR RECENT ITEMS (10)
A4
210 x 297 mm @ 300 ppi
Web Large
1920 x 1080 px @ 72 ppi
Custom
2052 x 1843 px @ 350 ppi
iPhone X
1125 x 2436 px @ 72 ppi
iPhone 8/7/6 Plus
1242 x 2208 px @ 72 ppi
Custom
1255 x 1718 px @ 300 ppi
Custom
1435 x 1574 px @ 300 ppi
Custom
1408 x 951 px @ 300 ppi
Custom
1584 x 1114 px @ 300 ppi
Default Photoshop Size
16 x 12 cm @ 300 ppi
Find more templates on Adobe Stock
Go
PRESET DETAILS
Untitled-1
Width
210
Millimeters
Height
Orientation
Artboards
297
Resolution
300
Pixels/Inch
Color Mode
RGB Color
8 bit
Background Contents
White
Advanced Options
Color Profile
Working RGB: sRGB IEC61966-2.1
Pixel Aspect Ratio
Square Pixels
Close
Create

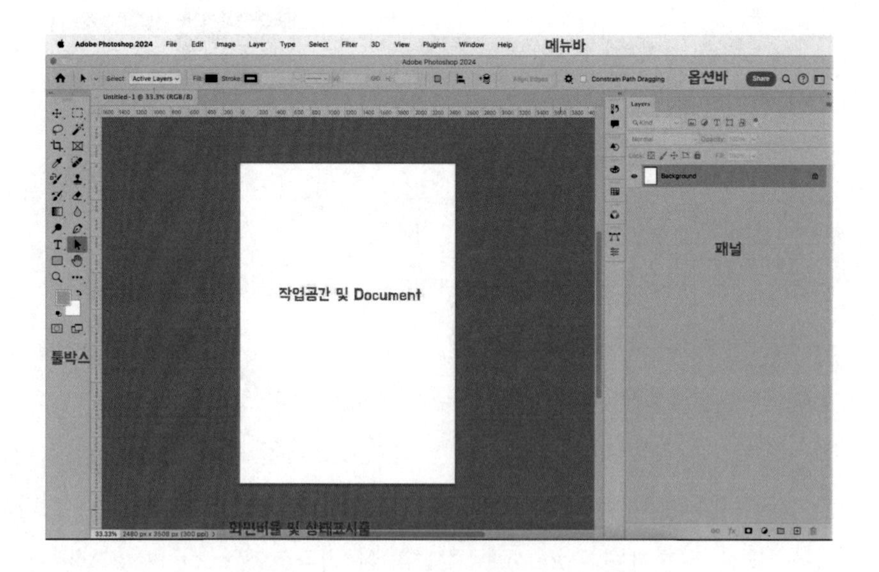
메뉴바
옵션바
패널
작업공간 및 Document
툴박스
화면비율 및 상태표시줄

(2) Photoshop 툴박스 사용법

Toobox 하단의 ••• Edit Toolbar를 클릭한다. Customize Toolbar Option 창이 열리면 Restore Defaults > Done를 클릭하면 툴박스의 모든 아이콘이 표시된다.

Toobox 의 경우 Toolbar 에 있는 아이콘을 드래그해서 Extra Tools 로 옮기면 메인 화면 Toobox에서 아이콘이 사라진다. 본인이 주로 사용하는 아이콘만 표시 할 수 있으나 기본 설정은 전체가 다 보여지는 것으로 되어 있다.

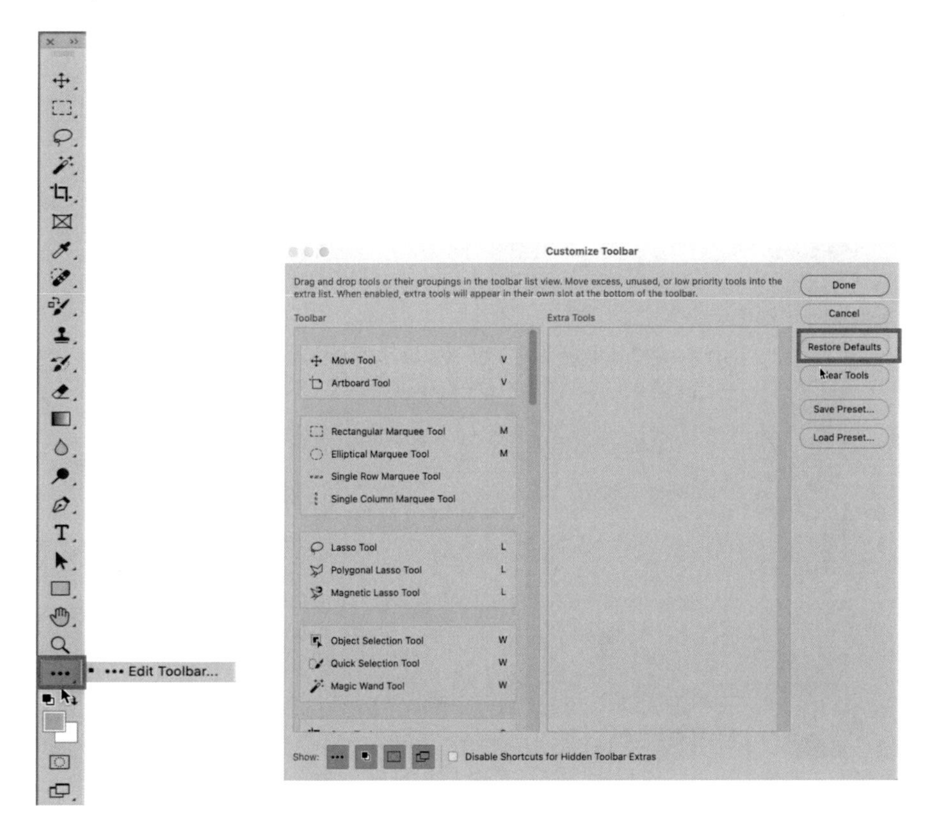

① Toobox 주요 기능

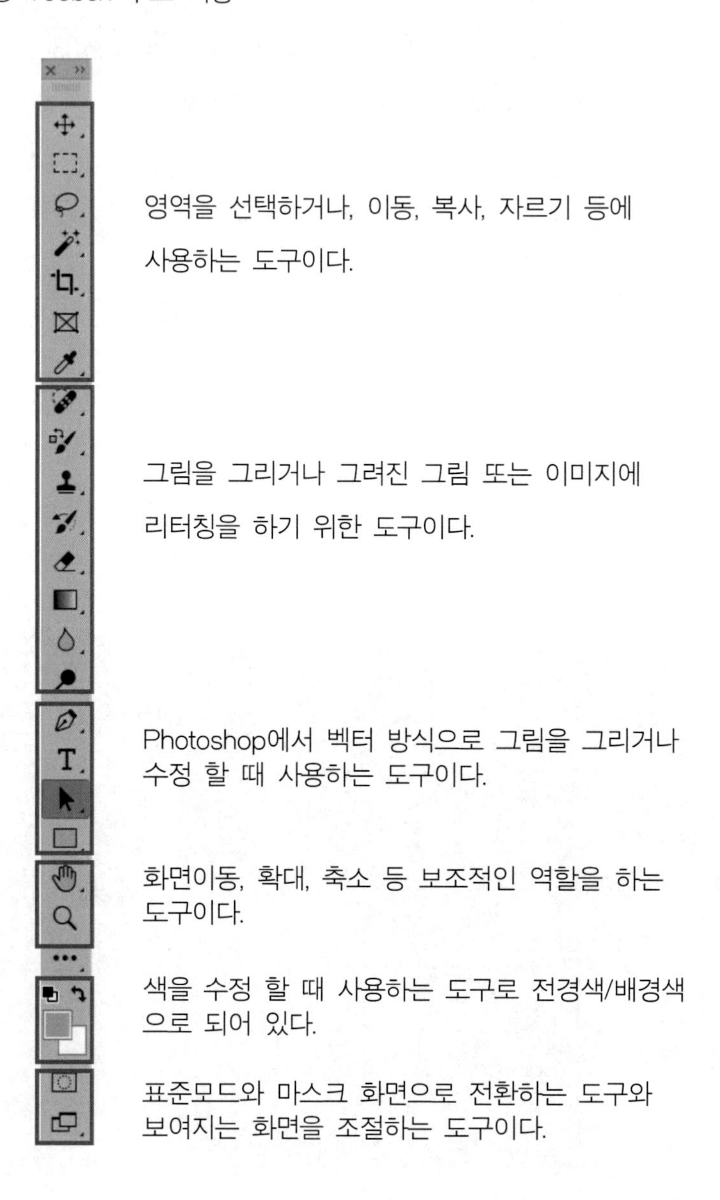

② Selection Tool

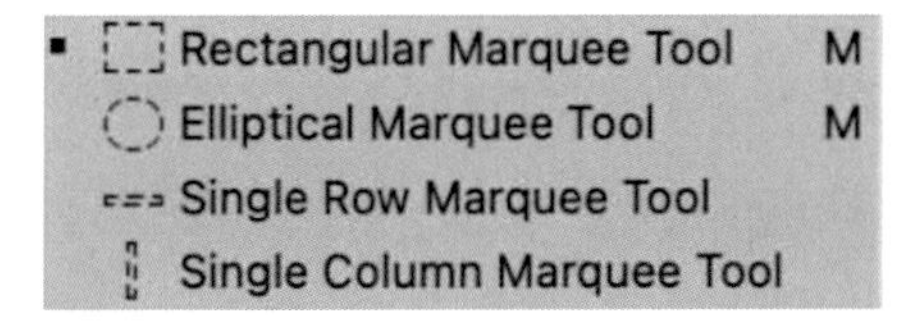

사각형, 원형, 가로픽셀, 세로픽셀 4가지 규격화된 형태로 선택 영역을 지정 할 수 있다.

- Rectangular Marquee Tool : 이미지 영역을 사각형으로 선택 할 때 사용한다.
- Elliptical Marquee Tool : 이미지 영역을 원형으로 선택 할 때 사용한다.
- Single Row Marquee Tool : 가로행 1픽셀만 선택 할 때 사용한다.
- Single Column Marquee Tool : 세로행 1픽셀만 선택 할 때 사용한다.
  - 선택 영역 해제 : Ctrl + D
  - 정원, 정사각 영역 선택 : Shift + 드래그
  - 중심에서 시작하여 영역 선택 : Alt + 드래그
  - 중심에서 시작하여 정원, 정사각 영역 선택 : Alt + Shift + 드래그

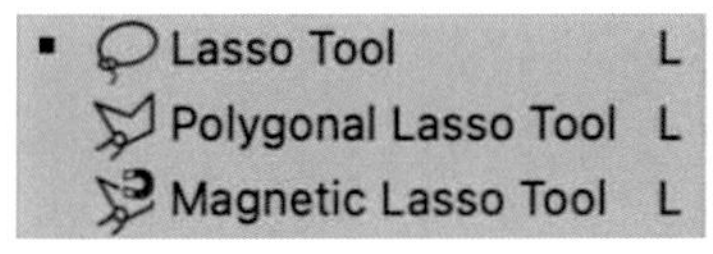

불규칙한 형태로 선택 영역을 지정 할 수 있다.

- Lasso Tool : 정형화 되지 않은 자유로운 형태를 드래그하여 선택 영역을 지정한다.
- Polygonal Lasso Tool : 직선 형태로 클릭, 클릭하여 다각형 형태로 선택 영역을 지정한다.
- Magnetic Lasso Tool : 이미지의 경계라인에 따라 선택 영역을 지정한다.

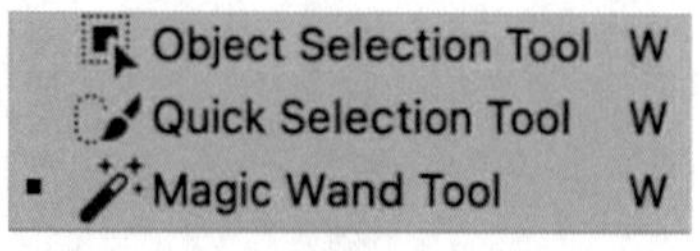

마우스로 클릭한 지점의 색과 근사치 컬러를 자동으로 인식하여 선택 영역을 설정하거나 Object 를 자동으로 선택 할 수 있다.

- Object Selection Tool : 원하는 사물이나 이미지 요소에서 클릭 드래그하여 영역을 지정하면 지정된 영역 안의 개체가 선택 영역으로 자동 지정된다.
- Quick Selection Tool : 원하는 영역에서 클릭 드래그하면 선택 영역이 지정된다.
- Magic Selection Tool : 원하는 지점을 클릭하면 클릭한 지점의 컬러를 자동 인식하여 선택 영역을 지정 할 수 있다. (색상대비가 클수록 영역 선택이 용이하다.)

[Selection Tool 상단 옵션바]

Selection Tool 옵션의 기능 중 가장 공통적인 기능에 대해 살펴보고자 한다.

새로운 영역을 선택하는 기능이다

선택 영역이 있는 상태에서 추가 영역을 선택하는 기능이다.

선택 영역이 있는 상태에서 겹쳐져서 선택되는 부분의 선택 영역을 빼는 기능이다.

선택 영역이 있는 상태에서 겹쳐져서 선택되는 부분만 선택 영역으로 만드는 기능이다.

Feather : 선택 영역의 테두리 부분을 부드럽게 처리해 주는 기능으로 수치가 높을수록 경계면이 흐릿하게 퍼지는 정도가 커진다.

Style : 가로, 세로 특정 비율로 선택 영역을 지정하는 기능이다.

- Normal 정해진 비율 없이 드래그하는 대로 선택
- Fixed ratio 가로, 세로 비율을 정해 선택
- Fixed size 가로, 세로 크기를 지정하여 선택

③ 드로잉 툴

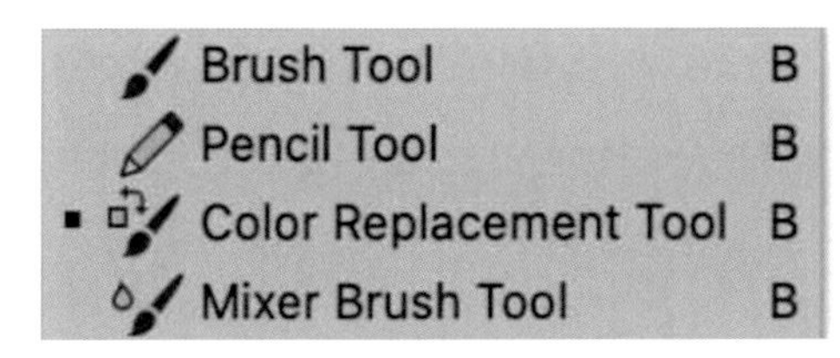

붓이나 연필로 그림을 그리며 채색을 할 때 사용하는 도구이다.

- Brush Tool : 부드러운 선을 그릴 때 사용한다.
- Pencil Tool : 거칠고 날카로운 선을 그릴 때 사용한다.
- Color Replacement Tool : 이미지의 질감이나 음영을 그대로 유지한 채 다른 색상으로 바꿀 때 사용한다.
  선택 영역을 지정하고 Forground Color (전경색)를 선택 한 후 칠을 하면 컬러가 변경된다.
- Mixer Brush Tool : 다양한 브러쉬의 질감을 이용하여 일반 사진을 회화 느낌으로 표현한다.

④ 이미지 복제 및 합성 툴

Clone Stamp Tool S
Pattern Stamp Tool S

이미지 일부를 복사하여 수정하거나 패턴 이미지를 복제하는 도구이다.

- Clone Stamp Tool : 이미지를 드로잉하여 복제하는 도구이다. 복제하고자하는 이미지 부분을 Alt 키를 누른 상태에서 클릭하여 복제가 할 부분을 지정하고 복제된 이미지를 붙일 부분에 마우스 커서를 가져가 클릭하면 이미지가 복제된다.
- Pattern Stamp Tool : 옵션에서 패턴을 선택하고 마우스 커서를 가져가 클릭하면 선택한 패턴이 그려진다.

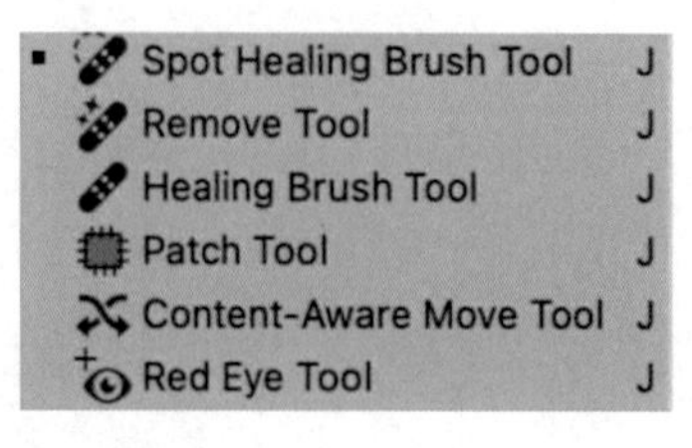

이미지 일부를 복원하거나 수정, 삭제 할 때 사용하는 도구이다.

- Spot Healing Brush Tool : 얼굴의 주름이나 작은 점 등을 제거 할 때 사용한다.
- Remove Tool : 칠해진 부분을 지워주는 기능이다. 삭제할 영역을 칠해주고 옵션바에 √ (체크표시)를 클릭하면 칠해진 영역이 삭제된다. 단순히 원하는 부분을 삭제하는 것 뿐만 아니라 주변색을 자동으로 인식해 말끔히 정리해 준다.
- Healing Brush Tool : Clone Stamp Tool 과 같이 Alt 키를 누른 상태에서 복제하고자 하는 이미지 부분을 클릭하여 표적을 정하고 원하는 부분에서 드로잉 한다.
  Clone Stamp Tool 은 이미지를 원본 그대로 다른 곳에 복제해 주는 반면에 Healing Brush Tool 은 복제된 이미지와 붙여 놓고자 하는 곳의 이미지 컬러를 믹스해서 합성시킨다.
- Patch Tool : 자유 드로잉으로 복제하고자 하는 부분을 선택하고 선택 영역을 드래그하여 위치를 이동시켜 주면 붙여 놓고자 하는 곳의 컬러를 믹스해서 합성시킨다. Patch Tool은 옵션바에서 Source, Destination 옵션 선택에 따라 복제되는 위치가 달라진다.
- Content-Aware Move Tool : 선택 영역의 이미지를 다른 곳으로 이동시키고 원래 이미지가 있던 위치는 주변 픽셀과 색상을 인식하여 자연스럽게 배경을 채워 준다.
- Red Eye Tool : 인물 사진에서 눈동자가 빨간색으로 되었을 때 이를 다시 원래 눈동자 컬러로 복원 할 때 사용한다.

(3) Photoshop을 메뉴바

① Edit

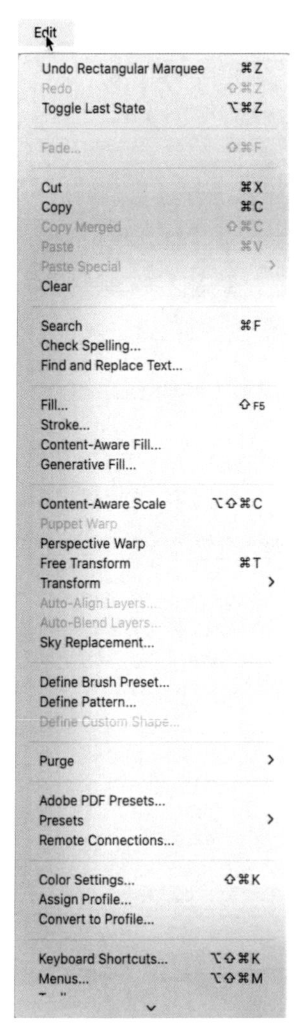

- Undo : 바로 전 작업의 실행을 취소한다.
- Cut : 선택 영역을 오려낸다.
- Copy : 선택 영역을 복사한다.
- Paste : 복사 또는 잘라낸 이미지를 붙여 넣는다.
- Paste Special : 복사하거나 잘라낸 이미지를 선택 된 영역 안에 붙여 넣는다.
- Fill : 색상이나 패턴을 채워 준다.
- Puppet Warp : 이미지의 원하는 대상을 선택하고 원하는 방향으로 이동, 회전 및 왜곡을 할 수 있는 기능이다.
- Free Transform : 이미지의 픽셀을 자유롭게 조정하여 변형하는 도구이다.
- Transform : 선택 영역을 정해진 서브 메뉴로 이미지의 형태를 바꿔 준다.
- Define Brush Preset : 이미지의 선택 영역 부분이 새로운 브러시 형태로 지정된다.
- Define Pattern : 이미지의 선택 영역 부분을 새로운 패턴으로 저장된다.

[Puppet Warp 사용법]

Puppet Warp은 강력한 변형 및 왜곡을 위한 도구이다.

변형하고자 하는 부분을 선택 영역으로 지정 한 후 메뉴에서 Edit >

Puppet Warp을 선택한다. 변형이 완료되면 Enter 키를 누르면 완성된다.

변형 되면 안되는 부분을 클릭하여 고정핀(Point)을 만들어 준다. Alt 키를 누른 상태에서 클릭하면 고정핀(Point)을 지울 수 있다.(고정핀이 있는 부분은 변형 되지 않는다.)

Mesh 부분을 움직여 원하는 형태로 변형한다.

- Puppet Warp 옵션바

  Mode
  - Normal : 일반적인 이미지 왜곡에 적합하다.
  - Rigid : Normal 보다 좀 더 세밀하게 들어갈 경우 사용된다.
  - Distort : 픽셀을 자유롭게 움직여야 하는 경우에 사용된다. 비틀린 이미지 효과나 곡률을 추가하는 데 효과적이다.

  Density : 매쉬 간격과 매쉬 포인트 수를 조절한다.
  정확한 왜곡을 위해서는 매쉬 수가 많을수록 좋으나 처리시간이 증가 된다.

② Image

- Mode : 이미지의 색상 모드를 변경한다.
- Adjustment : 이미지 색상, 명도, 채도를 조절한다.
- Image Size : 이미지의 크기나 해상도를 조절한다.
- Canvas Size : 캔버스(작업 공간) 크기를 조절한다.
- Imge Rotation : 이미지를 회전시킬 때 사용한다.

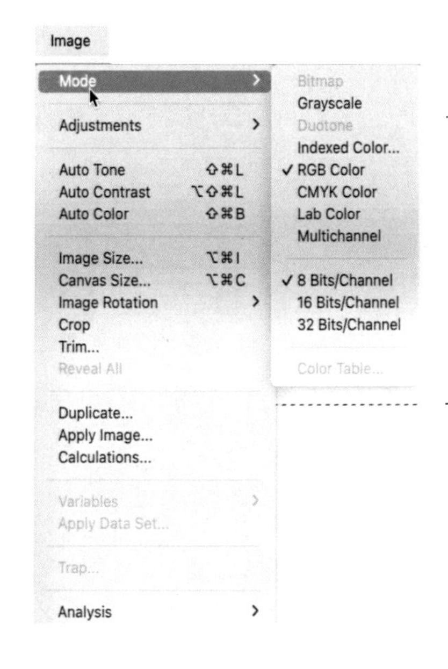

- Grayscale : 256단계를 가진 검정과 흰색으로 표현하는 이미지 모드로 전환된다. Grayscale Color Mode 에서는 컬러 사진을 복사해 와도 흑백 사진으로 바뀐다.
- RGB Color : 빛의 3원색인 Red, Green, Blue 로 이미지를 표현해 준다. 컴퓨터 그래픽은 RGB 모니터를 사용함으로 대부분의 그래픽 작업은 RGB Mode 에서 실행되고 Photoshop의 기본 컬러 체계도 RGB 컬러다.
- CMYK Color : Cyan, Magenta, Yellow, Black 4컬러를 사용하여 인쇄물 색상을 표현한다. 출력물의 경우 CMYK Color Mode 를 사용한다.

- 색상, 명도, 채도를 변경 할 수 있다.

[Brightness/Contrast]

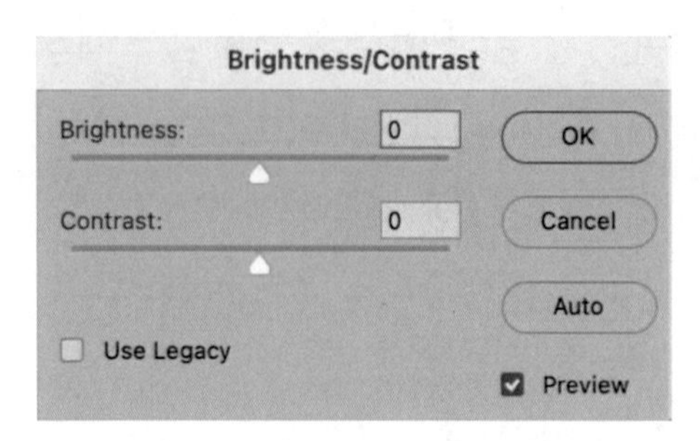

이미지의 명도와 대비를 조절 할 수 있다.

옵션창의 슬라이더를 움직여 손쉽게 보정하는 기능이다.

밝은 영역과 어두운 영역을 무시하고 그 외의 영역을 기준으로 적용하기 때문에 고급스러운 결과물을 얻기 힘들다.

[Levels]

이미지의 명도와 대비를 보정하는 기능으로 톤별로 상세히 조절 할 수 있다.

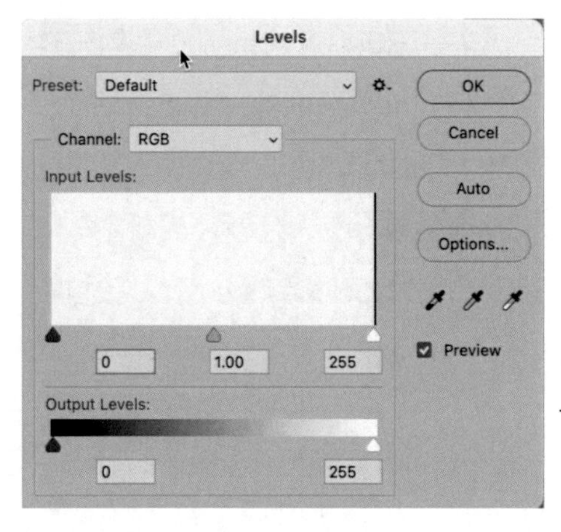

- Channel : 각 채널을 개별적으로 보정 할 때 사용한다.
- Input Levels : 슬라이더를 사용하여 어두운 컬러, 중간 컬러, 밝은 컬러를 조절 할 수 있다.
- Output Level : 전체적인 명도를 조절한다.

[Curves]

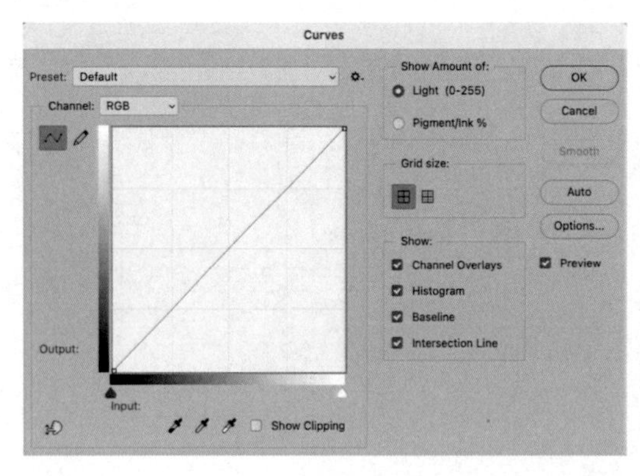

이미지의 명도와 대비를 손쉽게 보정하는 기능이며, 곡선을 자유자재로 드래그 하는 방법으로 명도 조절뿐만 아니라 색상 대비도 함께 조절할 수 있다.

[Hue/Saturation]

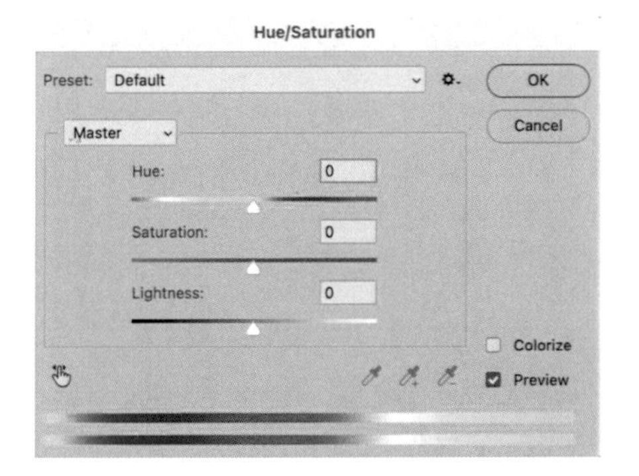

색상, 명도, 채도를 조절 할 수 있다. 컬러를 선택하면 하단 컬러바에 구간이 설정되고 구간 내 컬러만 색상 변경이 가능하다.

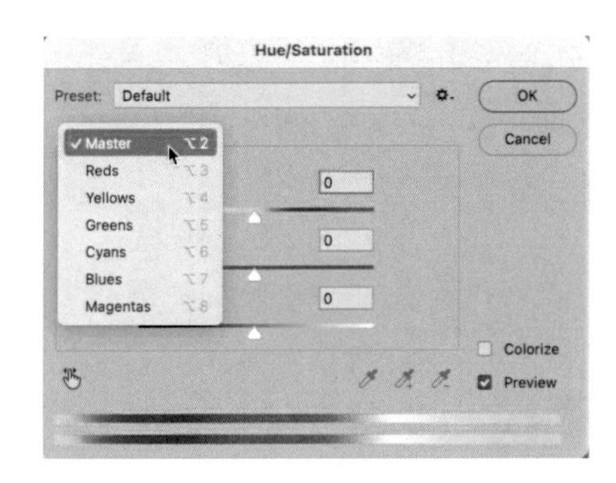

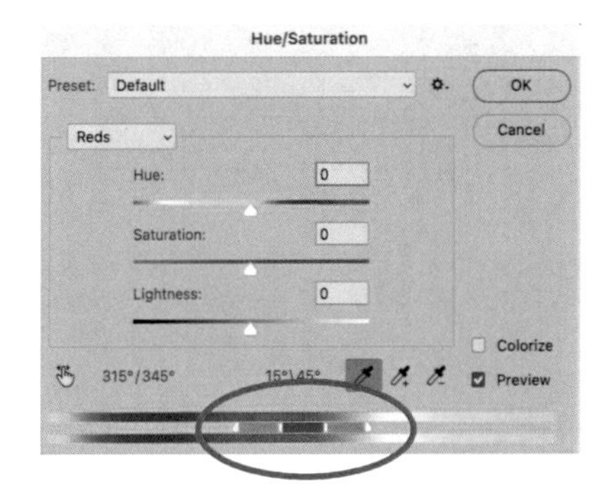

[Color Balance]

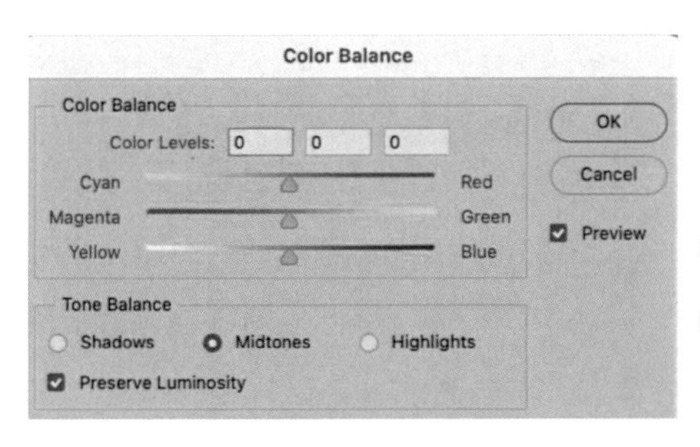

이미지에 다른 색상을 추가하여 컬러를 변화시킬 수 있다.

- Color Balance : 원하는 색상을 추가 할 수 있다.
- Ton Balance : 작업이 적용된 톤을 지정한다.
- Preserve Luminosity : 체크 시 명도 값은 바뀌지 않고 색상만 추가 작업만 진행 할 수 있다.

[Black and White]

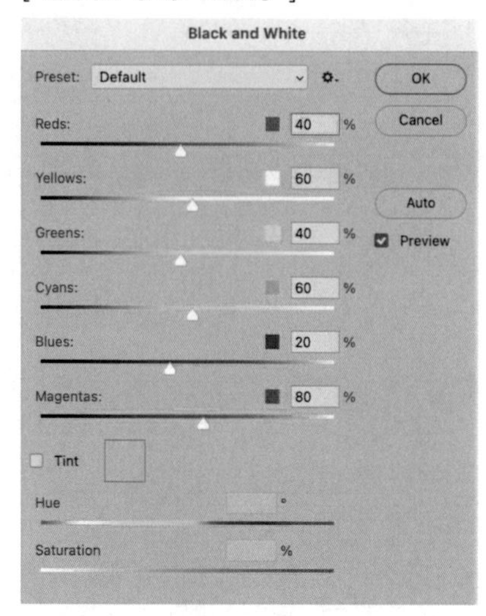

이미지를 흑백으로 전환할 때 사용하며 임의로 검은색과 흰색 부분을 지정 할 수 있다. Tint를 체크 하면 흑백 이미지에 색상을 추가하여 세피아 톤 이미지를 만들 수 있다.

[Replace Color]

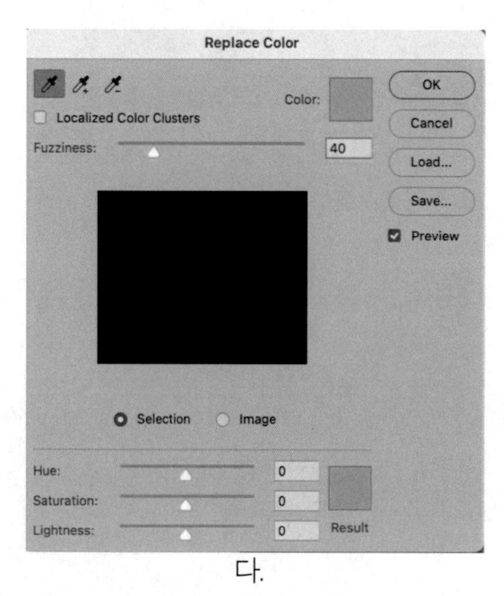

를 사용하여 특정 부분의 색상을 변경 할 때 사용한다.

- : 영역을 선택, 추가, 빼는 작업을 할 수 있다.
- Fuzziness : 선택한 부분은 흰색으로 나타나고 선택되지 않은 부분은 검정으로 보여진다.

- 

: 슬라이더를 조절하여 선택된 영역의 색상, 명도, 채도를 변경 할 수 있다.

(4)-1. 수직 / 수평이 맞는 소재 수정하기

① 메뉴 중 File > Open 으로 소재 파일을 불러들인다. 메뉴 중 View > Rulers를 클릭하여 좌측과 위쪽에 Ruler를 불러들인다.

소재의 패턴이 반복되는 구간을 체크 한 후 마우스 커서를 Ruler에 가져가 드래그하여 수직, 수평 Guide line(안내선)을 각각 2개씩를 불러들여 패턴 반복 구간에 위치 시킨다.

Pixels이 보일 정도로 화면을 확대하여 Guide line(안내선)을 패턴 반복 구간 Pixels 경계 라인에 맞춰 배치한다.

위/아래, 좌/우 경계라인 위치가 동일한 곳이어야 한다.

(반복 구간의 경계라인을 정확히 설정 해야 반복적으로 패턴이 만들어졌을 때 경계 라인이 생기지 않는다)

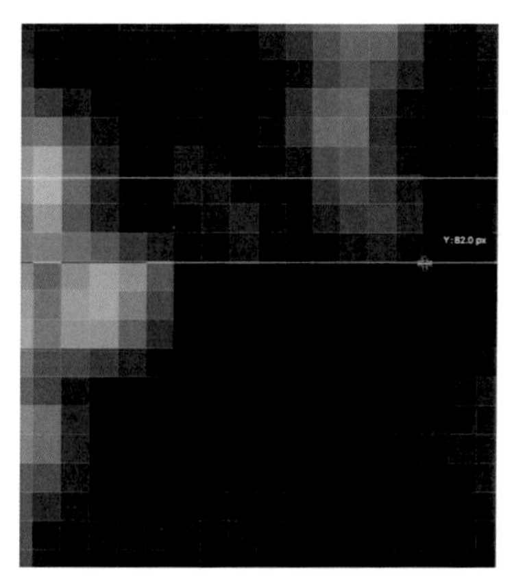

② Retangular Margee Tool 로 Guide line(안내선)에 맞춰 선택 영역을 지정한다. Ctrl+C 로 복사한 후 메뉴 중 File > New (Ctrl+N)를 선택 한다. New Document 창이 열리면 Recent > Clipboard 선택 > Create를 클릭하여 복사한 사진 크기에 맞는 작업창을 불러들인다.

Ctrl+V 로 복사한 패턴을 붙여 넣기를 한다.

(복사 후 새창을 열면 자동으로 작업창이 복사한 그림 크기로 설정이 되므로 별도로 작업창을 선택 하지 않아도 된다.)

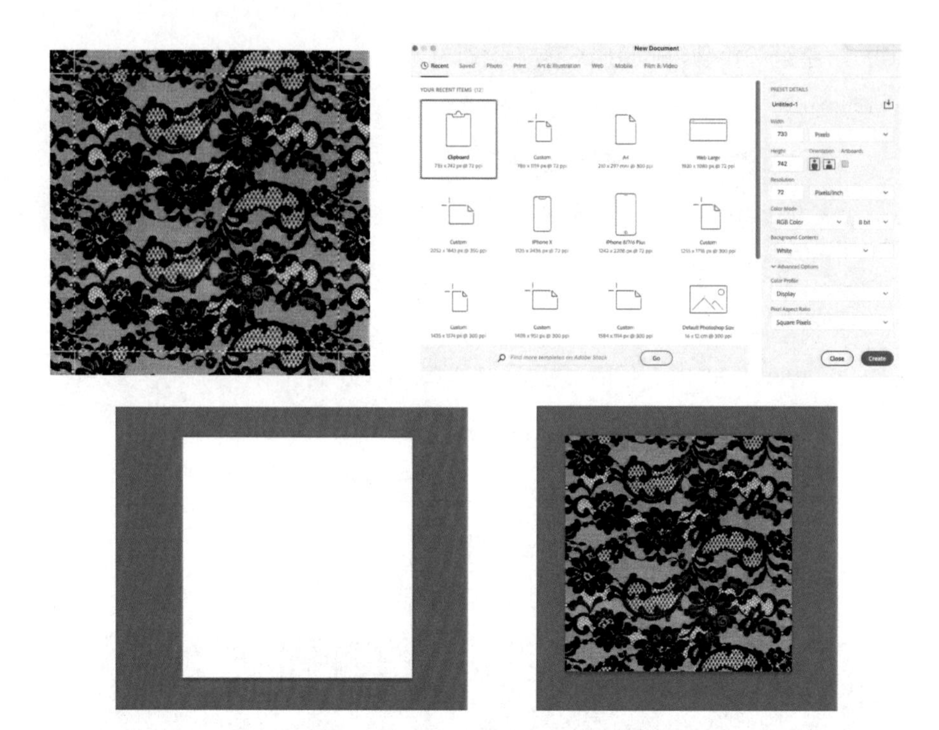

③ Ctrl+A 로 화면 전체를 선택 한 후 메뉴 중 FIlter > Other > Offset를 선택 한다. Offset Option 창이 열리면 Horizontal > Pixels right 와 Vertical > Pixels down 숫치를 조절하면 반복되는 패턴의 경계 라인을 확인 할 수 있다.

반복 패턴을 정확히 복사해 왔다면 경계라인이 보이지 않는다.

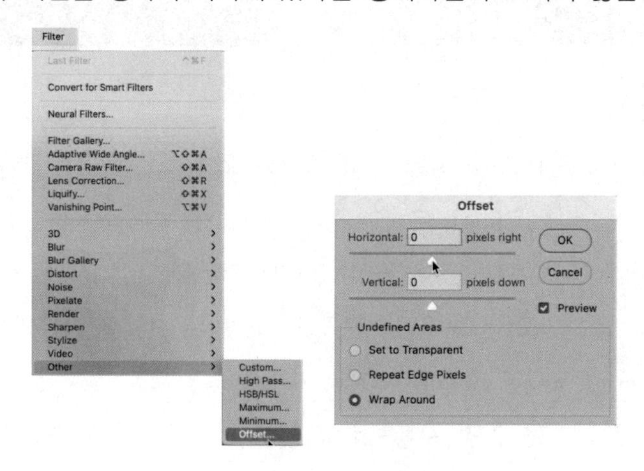

반복 패턴의 경계가 정확 할 때

반복 패턴의 경계가 정확 하지 않을 때

④ 패턴의 경계 라인을 확인 한 후 Photoshop에 패턴으로 저장하여 패턴 저장 상태를 다시 한번 확인한다.

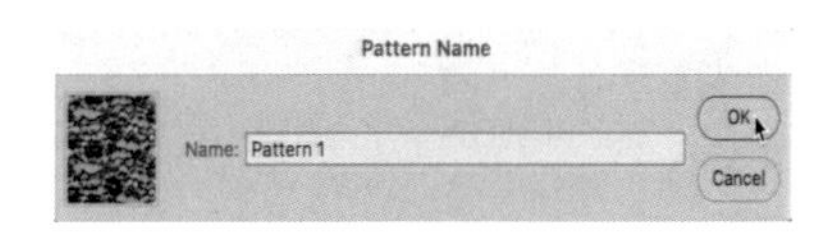

메뉴 중 Edit > Define Pattern 를 클릭한다. Pattern Name 창이 열리면 Name을 입력하거나 그대로 OK를 클릭하여 저장하면 된다.

⑤ File > New 새로운 창을 연다.(A4 용지) Layer 패널 하단의 Create new fill or adjustment layer 메뉴 중 Pattern을 클릭한다.

Pattern Fill 창이 열리면 메뉴 중 패턴 선택창을 클릭하여 저장한 패턴을 선택한다. 패턴이 작업창 전체에 보여진다. Pattern Fill 창의 Scale 을 조절하여 패턴 사이즈를 조절한 후 OK를 클릭하여 패턴을 완성한다.

패턴 연결 라인에 문제가 없는지 다시 한번 확인 한다.

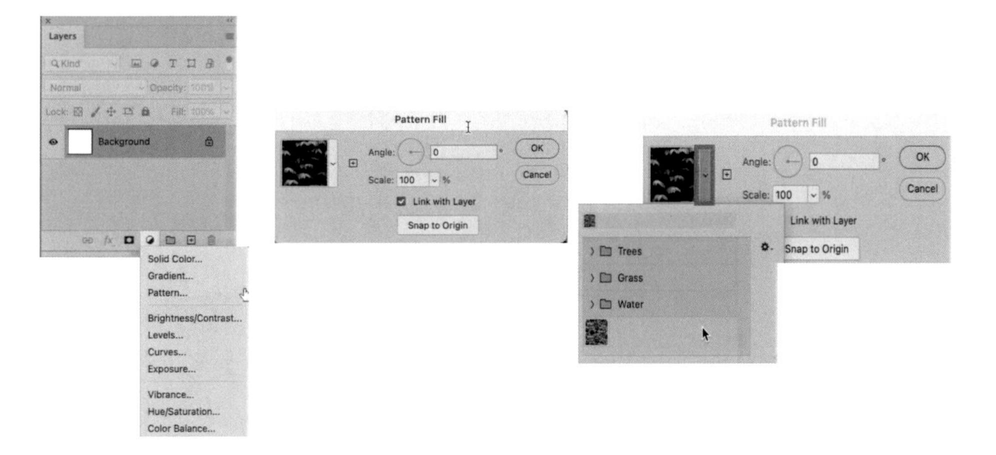

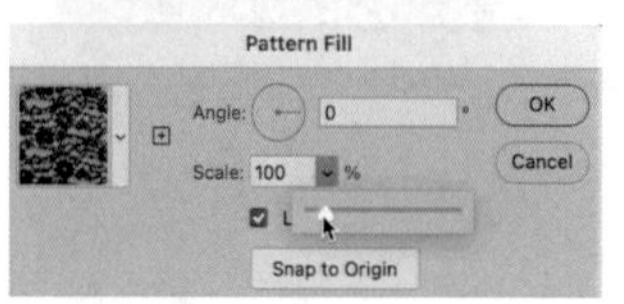

⑥ 패턴 연결 라인에 문제가 없는지 확인하였으면 수정 패턴 (Define Pattern으로 저장한 패턴)을 메뉴 중 File > Save Copy 에서 파일 형식을 .jpg 로 저장한다.

(4)-2. 수직 / 수평이 틀어진 소재 수정하기

① 메뉴 중 File > Open 으로 소재를 불러들인다. 메뉴 중 View > Rulers 를 클릭하여 좌측과 위쪽에 Ruler를 불러들인다.
패턴이 반복되는 구간을 체크 한 후 마우스 커서를 Ruler에 가져가 드래그 하여 수직, 수평 Guide line(안내선)을 각각 2개씩 불러들여 패턴 반복 구간 위치 보다 조금 더 넓게 Guide line(안내선) 위치를 설정한다.

② Retangular Margee Tool 로 Guide line(안내선)에 맞춰 선택 영역을 지정한다. Ctrl+C 로 선택 한 후 메뉴 중 File > New (Ctrl+N)를 선택한다. New Document 창이 열리면 Recent > Clipboard 선택 > Create

를 클릭하여 복사한 사진 크기에 맞는 작업창을 불러들인다. Ctrl+V 로 복사한 패턴을 붙여 넣는다.
(복사 후 새창을 열면 자동으로 작업창이 복사한 그림 크기로 설정이 되므로 별도로 작업창을 선택 하지 않아도 된다.)

③ 가로, 세로 패턴 위치를 맞추는데 필요한 위치에 Guide line(안내선)을 설정한다. 체크 무늬의 경우 가로, 세로 컬러 위치 마다 Guide line(안내선)을 설정할 필요하다.
Guide line(안내선)을 다 설정 했으면 메뉴 중 View > Guides > Lock Guides 로 Guide line(안내선)을 잠가 준다.

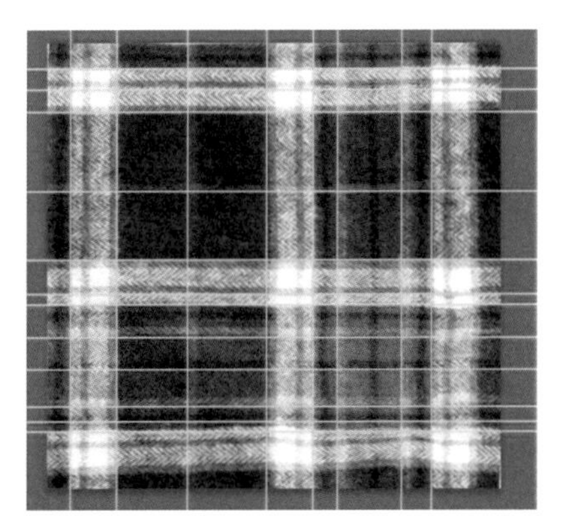

④ 메뉴 중 Edit > Puppet Warp를 선택한다. Puppet Warp을 선택하고 나면 그물 모양의 Warp 가 만들어진다. 마우스를 클릭하여 Point를 찍어준다.
Warp에 찍힌 Point 는 움직이는 기능도 있지만 움직이지 않게 하는 기

능도 같이 가지고 있다. Point는 클릭 드래그하면 움직일 수 있는데 Point와 Point가 찍힌 공간 사이의 패턴을 움직여 준다.

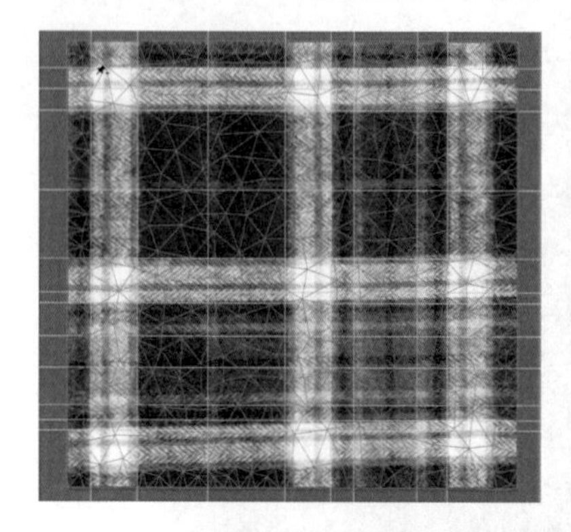
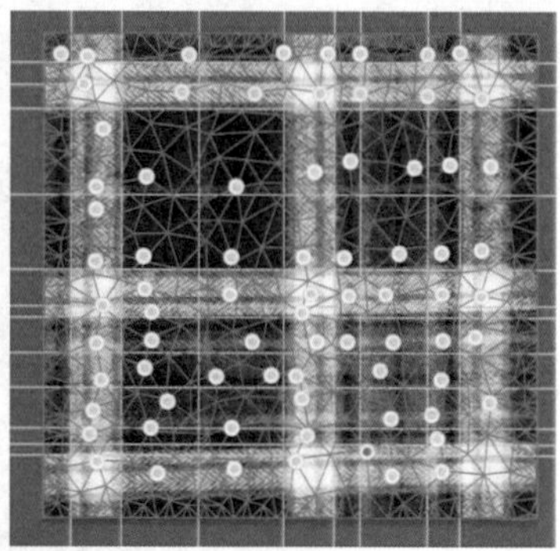
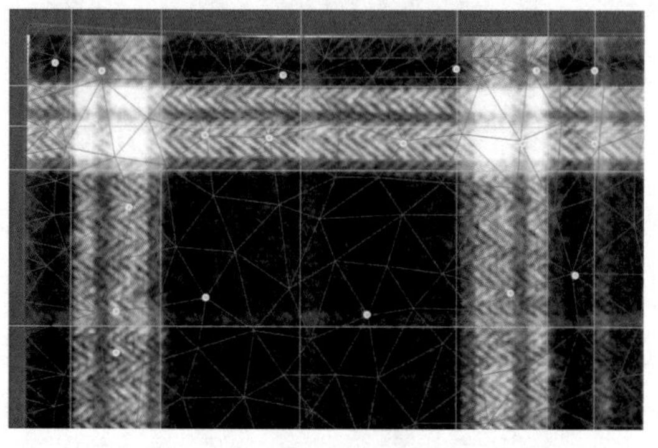

⑤ Point를 움직여 체크 패턴의 수평, 수직을 맞춰 주는데 특히, 패턴이 연결 되는 부분(위/아래, 좌/우)의 수직 수평 위치를 맞춰 주는 것이 중요하다. 패턴이 반복되어 연결되었을 때 어긋나지 않게 해야 되기 때문에 연결 부분의 패턴 위치를 맞추는 것이 중요하다. 중간 부분은 조금 틀어져 있어도 자연스러운 느낌을 줄 수 있으므로 중간 부분의 수평, 수직 위치는 어느 정도 기울기만 맞춰 주면 된다.

수평, 수직 기울기를 맞춰 주었으면 키보드의 Enter를 클릭하여 작업을 완료한다.

View > Guides > Clear Guides 로 Guide line(안내선) 전체를 삭제 한다. (Photoshop의 경우 Guide line(안내선)을 Rulers 로 다시 가져가야 삭제 할 수 있다.)

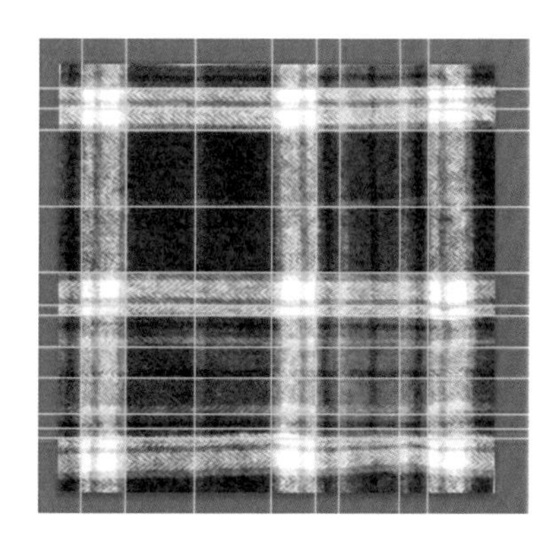

⑥ 패턴이 반복 되는 지점보다 조금 바깥쪽으로 위/아래, 좌/우 Guide line (안내선)을 각각1개씩을 설정하다.

Retangular Margee Tool 로 Guide line(안내선)에 맞춰 선택 영역을 지정한다. Ctrl+C 로 복사 한 후 메뉴 중 File > New (Ctrl+N)를 선택 한다. New Document 창이 열리면 Recent > Clipboard 선택 > Create를 클릭하여 복사한 사진 크기에 맞는 작업창을 불러들인다. Ctrl+V 로 복사한 패턴을 붙여 넣기를 한다.

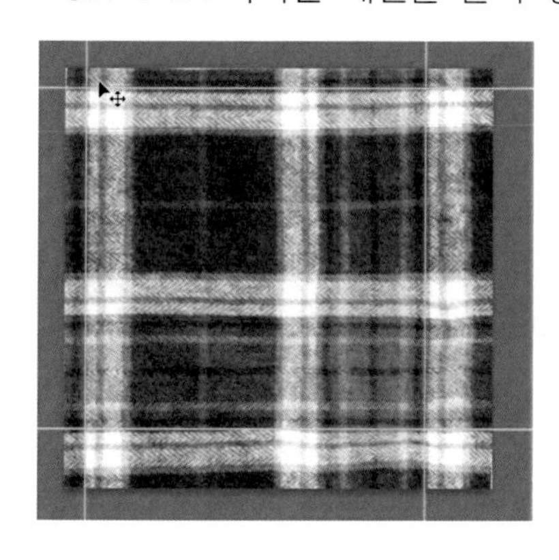
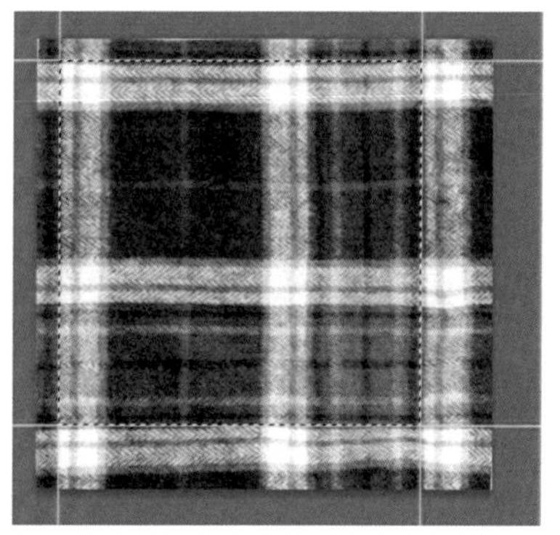

⑦ Ctrl+A 로 화면 전체를 선택 한 후 메뉴 중 FIlter > Other > Offset를 선택 한다. Offset Option 창이 열리면 Horizontal > Pixels right 와 Vertical > Pixels down 숫치를 조절하여 반복되는 패턴의 경계 라인에 문제가 없는지 확인한다.

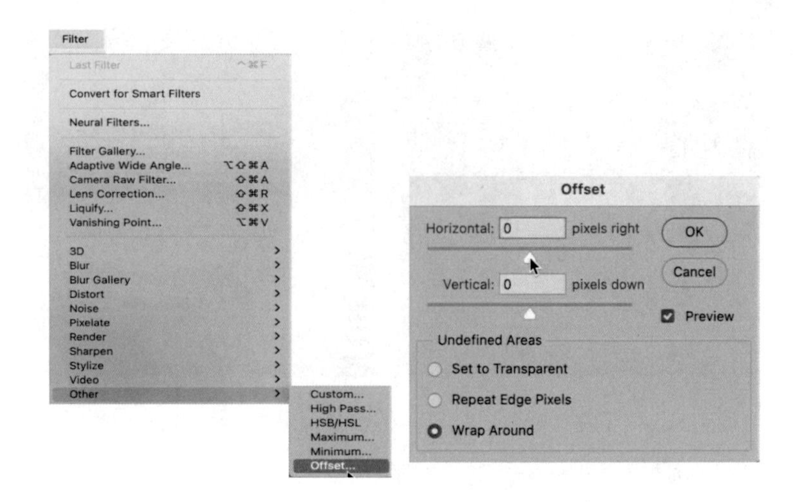

⑧ 패턴의 경계 라인을 확인 한 후 메뉴 중 Edit > Define Pattern 를 클릭한다. Pattern Name 창이 열리면 Name을 입력하거나 그대로 OK를 클릭하여 저장하면 된다.

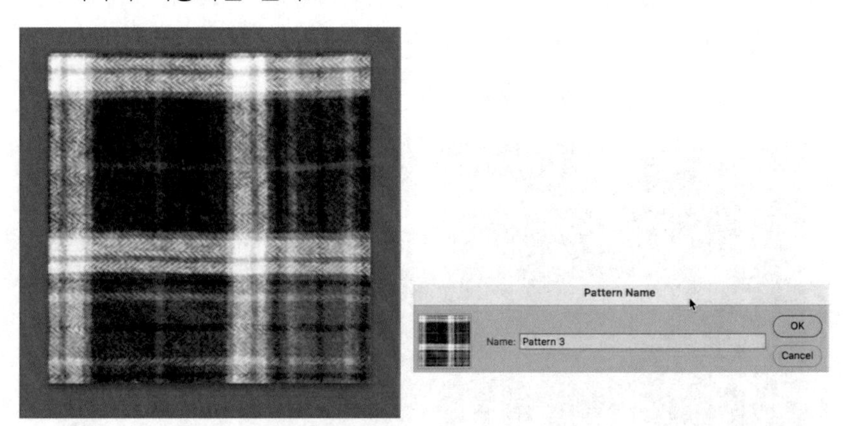

⑨ File > New 새로운 창을 연다.(A4용지) Layer 패널 하단의 Create new fill or adjustment layer 메뉴 중 Pattern을 클릭한다.
Pattern Fill 창이 열리면 메뉴 중 패턴 선택창을 클릭하여 저장한 패턴을 선택한다. 패턴이 작업창 전체에 보여진다. Pattern Fill 창의 Scale 을 조절하여 패턴 사이즈를 조절한 후 OK를 클릭하여 패턴을 완성한다.
패턴 연결 라인에 문제가 없는지 다시 한번 확인 한다.

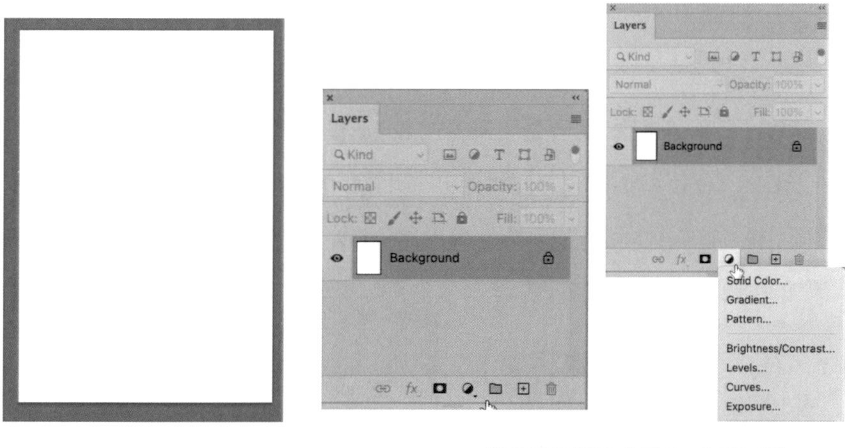

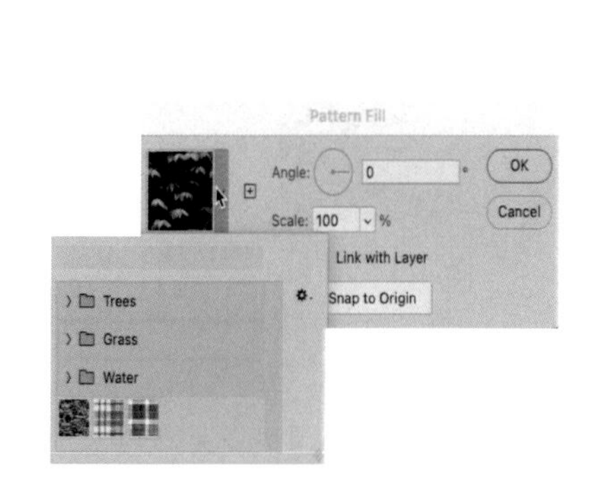

⑩ 패턴 연결 라인에 문제가 없는지 확인하였으면 수정 패턴 파일(Define Pattern 으로 저장한 패턴)을 저장한다. File > Save Copy에서 파일 형식을 .jpg 로 저장한다.

(5) Illustrator에서 소재 맵핑하기

① Photoshop에서 수정하여 .jpg 로 저장한 소재를 Illustrator에서 File > Open 으로 패턴을 불러들인다.

Selection Tool로 패턴을 선택한 후 Ctrl+C 로 복사한다.

복사한 패턴을 도식화 그림이 있는 파일에 가서 Ctrl+V 로 붙여 넣기 한다.

② 메뉴, Window > Swatches 패널을 열고 복사 붙이기한 패턴을 Selection Tool로 선택한 후 Swatches 패널로 드래그하여 Swatches 패널에 패턴을 등록한다. 복사 붙이기한 패턴을 Selection Tool로 선택한 후 삭제한다.

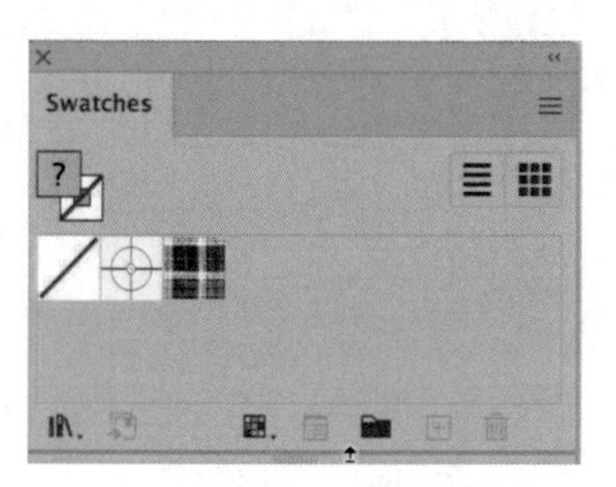

③ 스티치, 디테일 Layer 의 Toggles lock 을 클릭하여 잠그고 나머지 레이어의 잠금을 풀어 선택이 가능하게 한다. 셔츠 전체를 Selection Tool로 선택한다. Toolbox에서 Fill 컬러 아이콘을 Stroke 컬러 아이콘 위쪽으로 올린 후 Swatches 패널 등록한 패턴을 선택하여 적용시킨다.

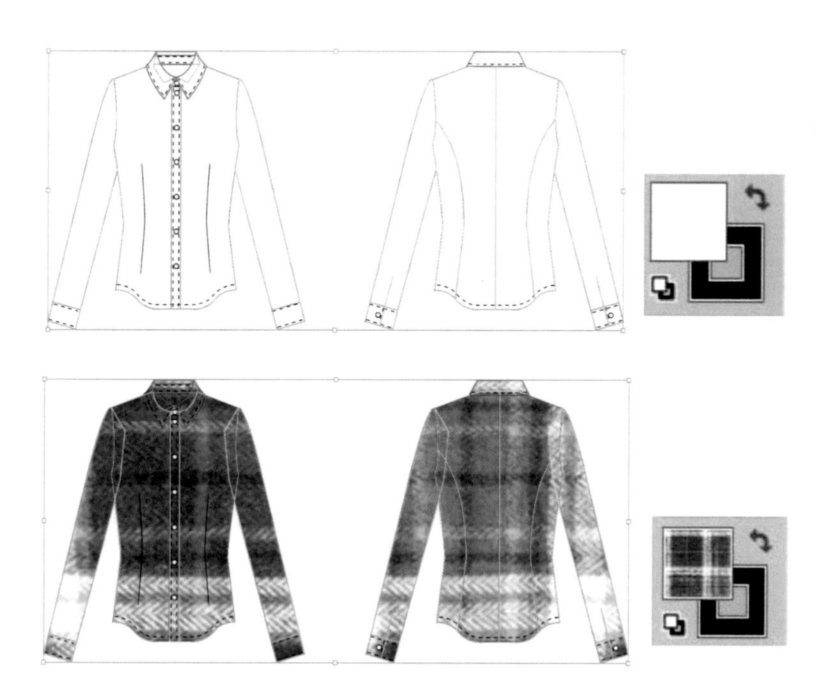

④ 같은 패턴이 적용된 부분 전체를 선택하고 Toolbox 에서 Scale Tool을 더블 클릭하여 Scale Tool Option 창을 불러 들인다. Option 메뉴 중 Transform Pattens 만 체크한다.

Preview를 체크 Uniform 의 수치를 조절하여 패턴의 크기를 조절한다.

(Transform Object 가 선택된 경우에는 그려진 도형 사이즈가 변경 된다.)

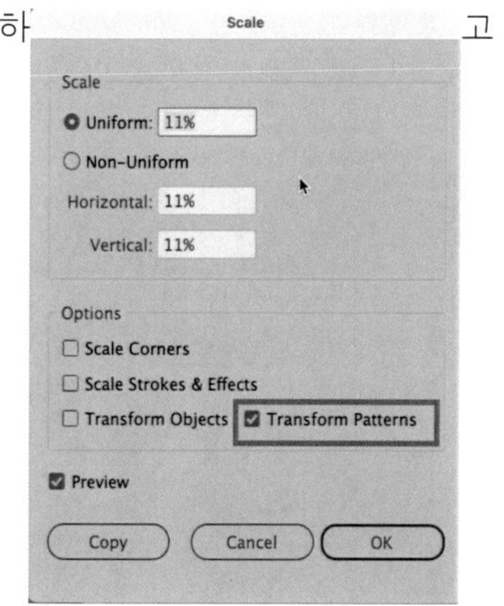

패턴 크기를 도식화에 맞게 조절

⑤ 패턴 좌우 위치가 맞지 않은 경우 Selection Tool 로 패턴 위치를 변경하고자 하는 Object를 선택하고 Toobox의 Selection Tool 을 더블 클릭하여 Move 메뉴 창을 연다.
Move 메뉴 창이 열리면 모든 수치를 0으로 바꿔 준 후 가로, 세로 원하는 방향에 수치를 입력하면 패턴의 수직, 수평 위치가 바뀌는 것을 확인 할 수 있다. 원하는 방향에 수치를 입력하여 패턴 위치를 바꿔준후 OK를 클릭한다.

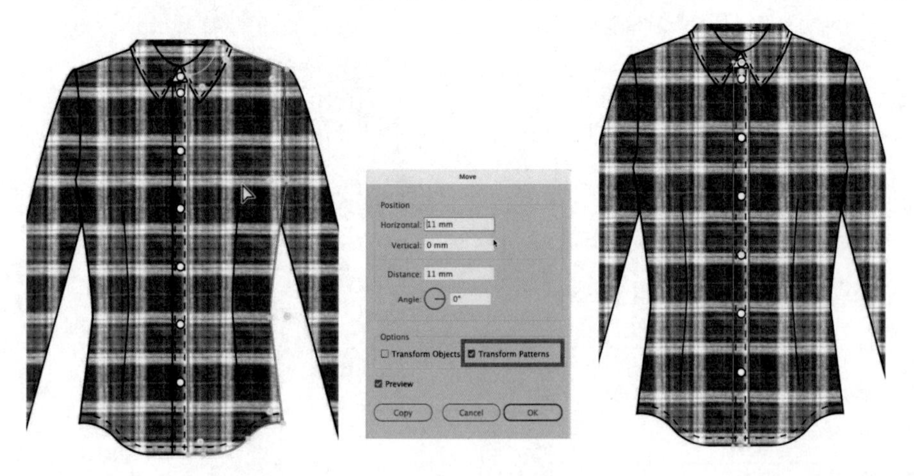

⑥ 도식화에 소재를 맵핑 할때는 소재의 식서 방향과 도식화의 식서 방향이 맞게 설정 되어야 한다. 소재의 식서 방향을 바꿔 줘야 하는 Object를 선

택하고 Toolbox에서 Rotate Tool을 더블클릭하여 Rotate Tool Option 창을 불러들인다. Rotate Tool Option 중 Transform Pattens 만 선택한다.

(Transform Patten 만 체크되어 있어야 맵핑 한 소재만 회전한다.)

Preview를 체크하고 Angle 부분의 수치를 변경하여 옷의 식서 방향과 동일하게 도식화의 패턴의 식서 방향을 바꿔 도식화의 패턴 위치를 완성한다.

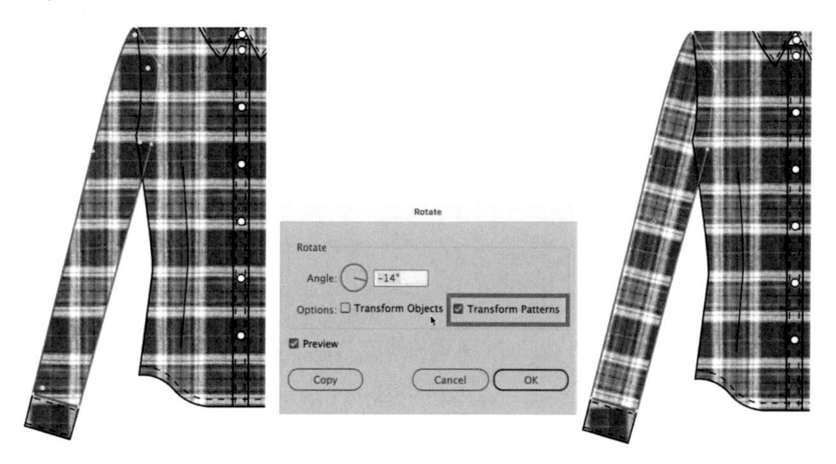

⑦ 소매의 경우 앞면과 뒷면 체크 패턴 순서가 맞아야 함으로 Rotate Tool을 사용하여 식서 방향을 맞춘 후 Selection Tool 을 더블 클릭 하여 Move 메뉴 창이 열어 가로, 세로 방향으로 소재를 이동시켜 체크 패턴 순서를 맞춰 준다.

⑧ 소재 맵핑이 완료 되면 메뉴에서 File > Export > Export As 를 선택 한다. 파일 형식을 .png 로 선택한 후 파일명을 입력하고 Export 를 클릭한다. (파일 형식을 .png / .jpg 등으로 저장하고자 하면 File > Export > Export As에서 가능하다) Png Option 창이 열리면 Resolution, Background Color를 선택하면 된다. Background Color를 흰색으로 저장하고자 할 때는 파일 형식을 png 보다는 jpg 로 선택하는 것이 좋다. png 저장 시에는 Background Color를 Transparent 로 저장 할 때 사용하는 것이 좋다.

Png Option 창의 Resolution은 기본이 72 ppi 로 컬러 맵핑을 하였을 때는 72 ppi 로 저장하여도 문제가 없으나 소재 맵핑 하였을 경우에는 해상도가 떨어져서 저장 후 도식화에 하얀색 선이 생기는 경우가 있다. 이런 경우에는 300ppi 이상으로 해상도를 높여 저장하여야 한다. 300ppi 이상의 해상도를 설정하려면 Other를 선택하고 해상도를 입력하면 된다.

png 저장 시에는 Background Color를 Transparent 로 저장하면 바탕 컬러가 없어 도식화를 겹쳐 놓았을 때 도식화 형태가 정확히 보여지는 반면 jpg 저장을 하면 바탕 컬러가 흰색으로 저장되어 도식화를 겹쳐 놓았을 때 도식화 형태가 일부 가려진다.

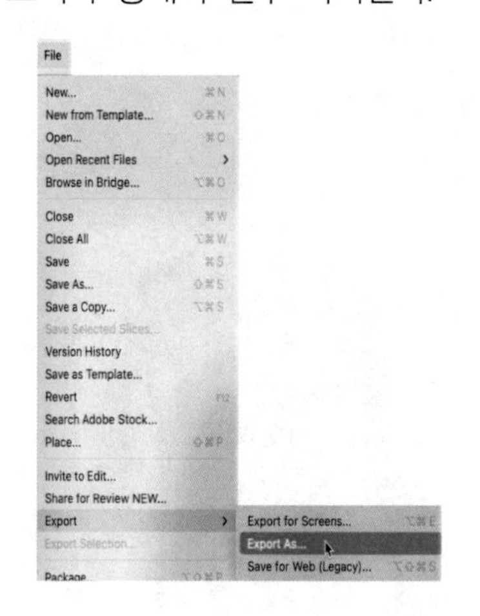

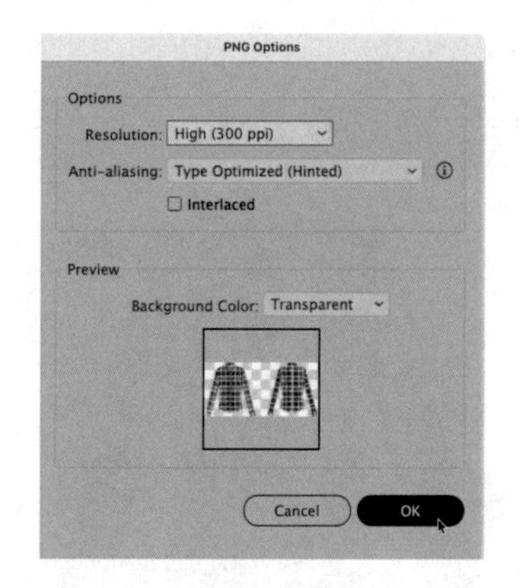

파일 형식 png 저장

파일 형식 jpg 저장

[Illustrator 필수 단축키]

새로 만들기	Ctrl + N
파일 저장	Ctrl + S
다른이름으로 저장	Ctrl + Shift + S
잘라내기	Ctrl + X
복사	Ctrl + C
붙이기	Ctrl + V Ctrl + F (앞에 붙이기) Ctrl + B (뒤에 붙이기)
전체 선택	Ctrl + A
전체 선택 해제	Ctrl + Shift + A
확 대	Ctrl + +
축 소	Ctrl + -
확대/축소	Alt + 마우스 휠
100%로 보기	Ctrl + 1
화면에 맞춰보기	Ctrl + 0
화면이동	Space + 마우스
실행취소	Ctrl + Z
재실행	Ctrl + Shift + Z
작업 반복	Ctrl + D
오브젝트 앞으로, 뒤로	Ctrl + [,]
오브젝트 맨 앞으로, 맨 뒤로	Shift + Ctrl + [,]
포인트와 포인트로 연결	Ctrl + J
Fill/Strok 색상교체	Ctrl + X
Create Outline	Shift + Ctrl + O
눈금자 보이기/숨기기	Ctrl + R
가이드라인 보이기/숨기기	Ctrl + ;
그룹	Ctrl + G
그룹 풀기	Ctrl + Shift + G
오브젝트 잠금 풀기	Ctrl + Alt + 2
아웃라인 보기/숨기기	Ctrl + Y
모든 패널 숨기기/보이기	Tab

[Photoshop 필수 단축키]

새로 만들기	Ctrl + N
새로운 파일 열기	Ctrl + O
파일 저장	Ctrl + S
다른이름으로 저장	Ctrl + Shift + S
잘라내기	Ctrl + X
복사	Ctrl + C
붙이기	Ctrl + V Ctrl + F (앞에 붙이기) Ctrl + B (뒤에 붙이기) Shift + Ctrl + B (제자리 붙이기)
확 대	Ctrl + +
축 소	Ctrl + -
확대/축소	Alt + 마우스 휠
100%로 보기	Ctrl + 1
화면에 맞춰보기	Ctrl + 0
화면이동	Space + 마우스
실행취소	Ctrl + Z
재실행	Ctrl + Shift + Z
눈금자 보이기/숨기기	Ctrl + R
안내선 표시	Ctrl + ;
자유변형	Ctrl + T
전경색 채우기	Alt + Delete
배경색 채우기	Ctrl + Delete
레이어 다중 선택	Ctrl + 레이어 클릭
연속 레이어 다중 선택	Shift + 시작과 끝 레이어 클릭
선택한 레이어 병합	Ctrl + E
레이어 복제	Ctrl + J
그룹으로 묶기	Ctrl + G
모두 선택	Ctrl + A
선택영역 해제	Ctrl + D
선택영역 전환하기	Shift + Ctrl + I
브러시 크기 조절	[,]